NETCHAÏEV EST DE RETOUR...

Jorge Semprun est né le 10 décembre 1923, à Madrid, Espagne.
Arrivé en France en 1939, à la fin de la guerre civile.
Etudes au lycée Henri-IV, à la Sorbonne (licence de philosophie).
Interrompues en 1942, pour Résistance. Arrêté par la Gestapo en
septembre 1943; déporté à Buchenwald.
De 1945 à 1953, journalisme, traductions, Unesco.
De 1953 à 1963, activités politiques dans le PC d'Espagne, clandestin.
En 1963, premier livre, Le Grand Voyage, prix Formentor.
Depuis lors : L'Evanouissement (Gallimard), La Deuxième Mort
de Ramon Mercader (Gallimard, prix Femina 1969), Autobiogra-
phie de Federico Sanchez (traduit de l'espagnol, Le Seuil), Quel
beau dimanche! (Grasset), L'Algarabie (Fayard), Montand : la vie
continue (Denoël/Joseph Clims), La Montagne Blanche (Galli-
mard), Netchaïev est de retour... (J.-C. Lattès).
Auteur également des scénarios-dialogues des films : La Guerre
est finie, Z, L'Aveu, Stavisky, Section Spéciale, Une femme à sa
fenêtre, L'Attentat, Les Routes du Sud...
Actuel ministre de la Culture en Espagne.

Du groupe d'extrême gauche de « l'avant-garde prolétarienne »
dont ils avaient tous fait partie, Elie Silberberg est le seul qui n'a
pas connu de réussite sociale. Les autres ont fini par maîtriser
cette société qu'ils avaient voulu détruire. Ils ont mis dans leur
nouvelle bataille autant de passion que dans leur volonté de
changement vingt ans plus tôt. Ils ont conquis le pouvoir et
l'argent. D'eux tous, Elie Silberberg est le moins en vue, ou plutôt
le moins en vue des quatre survivants. Car le cinquième du groupe
est mort, il s'appelait Daniel Laurençon, dit « Netchaïev ». Et c'est
eux qui l'avaient tué, vingt ans plus tôt, pour survivre.

JORGE SEMPRUN

Netchaïev est de retour...

ROMAN

J.-C. LATTÈS

*A Mathieu L., pour qu'il continue
la tradition du lycée Henri-IV.*

PREMIÈRE PARTIE

LA MORT DE ZAPATA

« C'étaient cinq jeunes gens
qui avaient tous le mauvais
âge, entre vingt et vingt-quatre
ans; l'avenir qui les attendait
était brouillé comme un désert
plein de mirages, de pièges et
de vastes solitudes. »

Paul Nizan, *La Conspiration.*

« ... poussez quatre membres
de votre groupe à tuer le cinquième sous prétexte qu'il
moucharde; aussitôt qu'ils auront versé le sang, ils seront
liés... »

Dostoïevski, *Les Démons.*

I

Il avait vu déboucher la voiture de Zapata qui arrivait par la rue Froidevaux. C'était une Jaguar. A ce sujet, du moins, l'ancien truand n'avait pas changé de goûts.

La voiture roulait lentement, après avoir dépassé le croisement de la rue Boulard, longeant le trottoir où Silberberg aurait dû se tenir. Mais il ne s'y tenait pas. Il se cachait, à quelques mètres de distance, dans le square, derrière un maigre massif. Lui aussi avait pris des précautions. Il voulait savoir pourquoi Zapata avait fait tant de mystères pour ce rendez-vous intempestif.

Une heure plus tôt, le téléphone avait sonné. Il était sept heures du matin. C'était inhabituel. Non seulement qu'il sonnât si tôt, mais qu'il sonnât, tout court. On n'appelait pas bien souvent Elie Silberberg au téléphone, ces derniers temps. On semblait l'avoir oublié.

Il avait décroché, perplexe.

La voix qui s'adressait à lui, qui disait son nom, lui fut aussitôt familière. D'étrange façon : comme peut être familier, même avant d'être reconnu, identifié, un souvenir enfoui, un moment du passé, oublié, qui resurgirait soudain. Etrangement familière, cette voix d'homme au téléphone.

– Silberberg? Il faut que je vous voie. Tout de suite... C'est capital!

Il y eut un bref silence.

La voix avait fait son chemin, réveillé des échos. A la fin, elle fut son propre écho : elle-même, la voix de Luis Zapata.

Elie pensa à Daniel Laurençon, c'était logique.

– Vous m'entendez, Silberberg? Vous m'avez reconnu?

Oui, il l'avait reconnu. Il hocha la tête affirmativement, comme si son interlocuteur pouvait le voir.

– Bien sûr, dit-il.

Alors, Zapata lui demanda de l'attendre, une heure plus tard, près de Denfert-Rochereau. Il lui dit à quel endroit précis il devrait se tenir. Il lui demanda de ne pas bouger, de ne pas venir vers lui, d'attendre que lui, Zapata, s'approche et lui adresse la parole. Surtout ne pas bouger, ne pas le reconnaître, ni lui faire signe de loin. Rien, attendre. Voilà, c'était tout. Mais sans faute, c'était capital. Il martelait les syllabes : ca-pi-tal! Huit heures précises!

– Pourquoi moi? avait demandé Silberberg, à la fin.

– Comment?

La voix de Zapata trahissait l'impatience, l'exaspération, presque.

– Ça concerne la vieille histoire, n'est-ce pas? insistait Silberberg.

Le silence de l'autre fut un acquiescement.

– La mort de « Netchaïev », non?

– Venez, je vous expliquerai, dit Zapata, sèchement.

12

– Pourquoi précisément moi, de nous tous? demandait encore Silberberg.

La voix de Zapata se radoucissait.

– Marc est aux Etats-Unis, dit-il, je ne sais pas quand il revient... Serguet est en train de partir pour Genève... Je n'ai vraiment que vous sous la main.

Il y eut un nouveau silence, bref.

– Surtout, Elie, poursuivit Zapata, pardonnez-moi de vous le rappeler : de vous cinq, vous êtes le moins connu... Celui qui passera le plus facilement inaperçu.

Silberberg commençait à s'énerver. Ça voulait dire quoi? De qui fallait-il se cacher?

– C'est bien pour ça que vous n'êtes pas sur la liste, conclut Zapata, d'une voix neutre.

– La liste? Quelle liste?

A l'autre bout du fil, Zapata soupira, peut-être d'impatience.

– La liste des attentats.

Elie Silberberg cria, au téléphone, voulut savoir de quoi il parlait. Mais Luis Zapata ne fit aucun commentaire. « Venez, je vous expliquerai », répéta-t-il. Il recommanda encore une fois l'exactitude, la prudence, dit au revoir, raccrocha.

Il avait raison, Zapata.

Du groupe d'extrême gauche de l'Avant-Garde prolétarienne dont ils avaient tous fait partie, Elie Silberberg était le seul qui n'avait pas connu de réussite sociale. Il ne l'avait pas cherchée, d'ailleurs : ça ne l'avait jamais intéressé. Les autres, ils avaient fini par maîtriser cette société qu'ils avaient voulu détruire. Changer de fond en comble, du moins. Ils avaient mis dans leur réussite autant de passion qu'avant dans leur volonté de changement; ils y avaient conquis du pouvoir et du fric. Mais

Silberberg avait vécu dans les marges, en écrivant des livres pour lecteurs raffinés, triés sur le volet.

D'eux tous, il était le moins en vue, en effet.

Ou plutôt, le moins en vue des quatre survivants. Car Daniel Laurençon était mort. Et c'est eux qui l'avaient tué, pour survivre. Daniel Laurençon, dit « Netchaïev ». Pourquoi Elie Silberberg avait-il aussitôt pensé que l'appel concernait cette histoire d'autrefois? Sans doute parce que Zapata y avait été mêlé, à la fin, quand ils avaient voulu écrire le mot « fin », précisément, lors de la dissolution de l'Avant-Garde prolétarienne. L'autodissolution, s'entend, car la police avait déjà interdit et dissous leur organisation depuis quelque temps. Ils avaient continué d'agir dans la clandestinité. Mais en 1974, Daniel Laurençon, qui avait choisi le pseudonyme de « Netchaïev », s'était farouchement opposé à leur autodissolution. Daniel voulait, bien au contraire – et il semblait pouvoir compter sur un petit noyau de militants irréductibles –, continuer dans la voie de la lutte armée, des enlèvements de patrons, de la guerre de partisans, en l'intensifiant, au besoin. Et avec toutes ses conséquences, y compris le terrorisme. « Quels révolutionnaires êtes-vous donc, criait-il, pour avoir peur du terrorisme? »

Il avait fallu le neutraliser.

Assis sur le bord de son lit, Elie Silberberg ne put s'empêcher de ricaner, à constater quel euphémisme il venait d'utiliser dans le langage silencieux de sa pensée. Neutraliser? Ils l'avaient bel et bien éliminé, Laurençon! Exécuté, avec l'aide de Luis Zapata, précisément.

Mais Silberberg avait toujours pensé qu'un jour ou l'autre il faudrait payer. Peut-être ce jour était-il arrivé.

Une image éclata, d'une luminosité presque

aveuglante, au magnésium de la mémoire : Daniel Laurençon se promenant dans la cour du lycée Henri-IV discutant avec un adolescent de son âge. Avec lui, Elie Silberberg, bien entendu. Ils discutaient sans cesse, tous les deux, depuis leur rencontre en hypokhâgne, en 1967.

« La guerre civile est une idée qui doit être dans le domaine public, dit Rosenthal. Ça ne se dépose pas. »

C'était l'un des premiers jours de l'année scolaire, peut-être le tout premier. Elie Silberberg venait d'un lycée du sud de Paris. Daniel Laurençon avait fait toutes ses études à Henri-IV. Il était adossé à un mur, au soleil de cette première récréation, et il lisait un livre, indifférent au brouhaha alentour.

Avec un battement de cœur, Elie en déchiffra le titre, *La Conspiration*.

Alors, de la voix assurée d'un acteur qui connaît son rôle, qui s'y identifie totalement, il récita la première phrase du roman de Nizan. C'était l'un de ses livres préférés.

– « En somme, cette revue pourrait s'appeler *La Guerre civile*. »

Daniel Laurençon avait levé les yeux. Surpris, souriant aussitôt.

– « Pourquoi non, répondit-il, reprenant le texte de Laforgue dans le roman. Ce n'est pas un mauvais titre et il dit bien ce que nous voulons dire. Tu es sûr qu'il n'est pas pris ? »

Ensuite, ensemble, d'une voix claire, claironnante même, ils avaient déclamé la phrase suivante du texte : « La guerre civile est une idée qui doit être dans le domaine public, ça ne se dépose pas ! »

15

Ils avaient ri, complices.

C'était en septembre 1967. C'est ainsi qu'ils avaient fait connaissance, au soleil du premier jour de classe d'hypokhâgne, grâce à *La Conspiration* de Paul Nizan.

Peut-on parler de coup de foudre, quand on parle d'amitié masculine ? Il faudrait pouvoir. Il ne faudrait pas réserver cette expression à la rencontre d'un homme et d'une femme, avec ce que cela peut comporter de sensualité, de désir. D'ailleurs, n'y aurait-il pas de sensualité, d'une certaine façon, même épurée, transcendée, dans l'amitié masculine ? Peut-on imaginer une amitié virile durable, traversant les orages de la vie, sans quelque chose de charnel ?

En tout cas, on peut raisonnablement parler de coup de foudre pour évoquer l'amitié née ce jour-là entre Elie Silberberg et Daniel Laurençon.

Il n'y avait pas que ce goût commun de *La Conspiration* et de quelques autres livres : *Le Sang noir*, *Paludes*, *L'Espoir*... Bon, on ne va pas en faire l'inventaire complet sur-le-champ ! Il y avait la même exigence violente, déchirée, dans leur rapport aux idées, aux jeunes filles, à l'Histoire, à leur propre famille.

La mère d'Elie, Carola Blumstein, était revenue d'Auschwitz en 1945, à vingt ans, seule survivante d'une famille exterminée. Elle avait épousé deux ans plus tard David Silberberg, jeune survivant lui aussi. Mais c'est à la Résistance que David avait survécu, l'un des rares rescapés des groupes de combat de la M.O.I.-F.T.P. à Paris. Il était communiste et – comme on dirait plus tard, transformant en signe d'opprobre un qualificatif qui avait fièrement sonné naguère comme un titre de gloire – stalinien convaincu. Rien ne l'en fit démordre, ni l'antisémitisme déferlant dans les années cinquante sur le mouvement communiste, à partir du virage stratégique de l'U.R.S.S. dans la question d'Israël; ni les révélations du XXᵉ Congrès et les révolutions populaires de Hongrie et de Pologne.

David Silberberg resta buté, bloqué, figé dans la foi de sa jeunesse, n'admettant aucune remise en cause, même partielle, de plus en plus seul de son espèce, monolithique dans un monde d'incertitudes. Au point de briser son ménage par son intransigeance doctrinale.

Daniel Laurençon était le fils posthume d'un grand résistant qui avait été arrêté et envoyé à Buchenwald. Il était né en 1948, trois mois après que son père fut mort des suites de sa déportation. A travers la figure de cet inconnu, sans doute idéalisée, Daniel avait un rapport passionnel, contradictoire, douloureux, avec l'histoire de cette époque. Il semblait vouer une haine affreuse au deuxième mari de sa mère, qui avait été un camarade d'études et de résistance de son propre père. Mais il refusait d'en parler, de s'en expliquer : c'était un sentiment à la fois tranchant et informulé.

Peut-être informulable.

Plus tard, lorsqu'ils connurent Marc Liliental – qui se fit appeler bientôt Marc Laloy –, et qu'à ce trio vinrent s'agréger Julien Serguet et Adriana Sponti, qui n'avaient pas eu le même cursus universitaire et qui n'étaient pas à Normale Sup, comme eux, mais avec lesquels ils fondèrent, après 1968, l'Avant-Garde prolétarienne, ils citaient une autre phrase de Nizan pour parler de leur groupe : « C'étaient cinq jeunes gens qui avaient tous le mauvais âge, entre vingt et vingt-quatre ans; l'avenir qui les attendait était brouillé comme un désert plein de mirages, de pièges et de vastes solitudes... »

Ça leur allait comme un gant, pensa Elie Silberberg, après le coup de téléphone intempestif de Luis Zapata.

– Désert plein de mirages, de pièges et de vastes solitudes, répéta-t-il à mi-voix.

La fille de Luis Zapata avait gardé son prénom, Sonsoles.

Elle l'aimait bien, même prononcé à la française, avec l'accent tonique là où il ne faut pas. Elles sont comme des soleils, en effet, les syllabes de ce prénom castillan. Mais elle avait changé de nom, se faisait appeler par celui, Alberdi, d'une mère qu'elle n'avait pas connue. Dont son père ne parlait jamais, refusant avec une colère désespérée toute confidence à son sujet.

Mais elle n'avait pas changé de nom à cause des plaisanteries de potache qui l'avaient accompagnée pendant ses études. « Viva Zapata », criaient pour l'accueillir ceux de ses camarades qui étaient cinéphiles. Ceux qui étaient cons l'appelaient Zavatta, croyant peut-être la vexer. Ce n'était pas pour ça qu'elle se faisait appeler par le nom de sa mère. C'est parce qu'un jour, à l'occasion d'une enquête sur une vieille affaire, Luis Zapata avait été convoqué à la P.J. juste comme ça, une heure, en tant que témoin d'un passé révolu. Mais un journal en avait parlé et Sonsoles avait découvert le passé de son père.

Jusqu'à ce jour, Sonsoles avait imaginé à ce propos un roman familial plutôt gratifiant. Héroïque, même. Des réticences de Luis, de certains récits tronqués qu'elle lui arrachait par des questions insidieuses et répétitives, la jeune fille avait déduit avec ferveur que son père avait participé aux activités clandestines de la résistance antifran-

18

quiste, époque et épopée dont il ne voulait plus parler, pour des raisons qui lui échappaient. Elle tomba de son haut lorsqu'elle découvrit, partiellement du moins, le passé de truand de son père.

Soudain, cet homme qu'elle adorait, dont elle idéalisait la biographie au point d'avoir choisi pour sujet de sa maîtrise d'Histoire la résistance anti-franquiste – comme si elle avait obscurément espéré, au détour d'un document inédit, rencontrer le personnage d'un Luis Zapata légendaire –, ce père s'effondrait, tel un ange déchu, dans l'univers de la criminalité.

Paradoxalement, au lieu de s'en prendre à ce passé trouble et délictueux, c'est le présent huppé et respectable de l'homme d'affaires en pleine réussite que Sonsoles se mit à détester avec violence, sans concessions. C'est la haine du bourgeois que réveilla en elle la découverte du truand chez son père.

A sept heures vingt-cinq, ce matin-là, lorsque celui-ci sonna à sa porte, Sonsoles Zapata était à sa table de travail, car c'était une bûcheuse, matinale de surcroît. Elle avait déjà pris un café très fort et feuilleté le journal qu'elle était allée acheter au kiosque le plus proche. Sonsoles habitait boulevard Edgar-Quinet un grand studio, à un étage élevé : vue imprenable sur le cimetière Montparnasse. Elle lisait *Libération*, comme tout le monde. Et comme tout le monde piquait parfois des crises d'indignation à lire les pages culturelles ou le courrier des lecteurs.

Ce jour-là, le mercredi 17 décembre 1986, *Libération* consacrait un dossier au Sida, dont deux pages centrales exposant, texte et dessins *hard* à l'appui, le tableau des voies de transmission du virus, aussi bien dans les rapports hétéro qu'homosexuels.

Sonsoles venait de replier le journal et de s'installer à son bureau – elle travaillait ce matin-là sur un livre espagnol d'Antonio Téllez, publié par les Editions Ruedo Ibérico en 1974, à propos de la guérilla urbaine anarchiste sous la dictature du général Franco – lorsqu'on sonna à sa porte.

C'était son père.

Et c'était la première fois que celui-ci se permettait une entorse semblable aux règles non écrites de leurs relations. Jamais il ne se présentait chez elle, et encore moins à une heure aussi indue, sans y avoir été expressément invité. La jeune fille en faisait autant, n'allant jamais à l'improviste dans le somptueux appartement qu'il possédait à l'orée du bois de Boulogne, avenue du Maréchal-Maunoury.

Luis Zapata était un homme de taille moyenne, avec un beau visage de médaille romaine, des cheveux grisonnants aux tempes, très brun et au teint mat, trapu : une force de la nature, ça sautait aux yeux. Il avait salué Sonsoles d'un signe de tête, comme à son habitude. Il n'avait jamais été très expansif. Puis il avait traversé le studio, pour s'approcher de la large baie vitrée. D'où il avait contemplé le cimetière. La jeune fille n'avait pas posé de questions, sachant bien que c'était inutile. Elle avait attendu, c'est tout.

Son père s'était retourné au bout d'un certain temps, en haussant les épaules.

– Quelle idée, marmonnait-il, un cimetière pour tout horizon !

Elle avait réagi au quart de tour.

– Toi, les morts, tu ne vas pas me dire que ça t'impressionne !

Il avait eu un rire bref, un peu las, un geste de commisération qui l'avait irritée.

Luis Zapata, ce matin, n'avait pas l'air de s'intéresser aux sentiments de sa fille, même exprimés agressivement. Il était grave. Ni tendu, ni fébrile, non : calme et grave. Comme quelqu'un, avait-elle pensé ensuite, qui avait dépassé l'angoisse du danger, qui serait installé dans l'irrémédiable. Sans espoir mais sans crainte. Avec la lucidité triste d'une situation assumée : on y est, on y va. Une expression espagnole était venue à l'esprit de Sonsoles, pour caractériser l'attitude de son père : *dar la cara*. Faire face, littéralement. Mais il faudrait y ajouter la connotation tauromachique : faire face au taureau. C'est bien de celui-ci qu'il s'agissait : taureau de combat, métaphore du destin. Et il fallait toujours lui faire face, en effet, dans une arène. Ne jamais perdre sa face, ni la face.

– Voici des clefs, disait Luis Zapata, en tendant un trousseau à sa fille. Elles ouvrent un coffre-fort, caché derrière la *Vue de Constantinople*, à Fromont, dans le petit salon. Et voici le chiffre de la combinaison. Apprends-le par cœur...

Il avait regardé sa montre.

– S'il m'arrive quelque chose, aujourd'hui, il faudra y aller tout de suite. Tu m'entends, tout de suite !

Un sourire soudain avait éclairé son visage.

– A propos, s'il m'arrive vraiment quelque chose, ne m'enterre pas là en face... Je sais bien que ce serait pratique, tu m'aurais sous la main ! Mais je préfère Fromont, le cimetière du village !

Sonsoles avait haussé les épaules, furieusement.

– Tu te trouves drôle, vraiment ? De quoi tu parles ? Je ne comprends rien à tes histoires !

Mais il avait poursuivi, sans autre explication.

– Dans le coffre, il y a du fric, un paquet... Francs suisses et deutsche marks... Planque-le, pas la peine que ça rentre dans les comptes de la succession, ils t'en prendront assez comme ça! Et il y a aussi une grande enveloppe marquée Marroux... Il s'agit du commissaire principal Roger Marroux, de la P.J. Des documents pour lui, c'est urgent...

Son regard devenait songeur, perdu dans le vague d'un souvenir.

– J'ai fait un voyage avec lui, autrefois. En Espagne... On s'est bien amusé.

Il regarda l'heure de nouveau.

– Je t'ai noté le téléphone du commissaire avec la combinaison du coffre...

Il commençait à marcher vers la porte du studio.

– Je compte sur toi, Sonsoles... Tu diras à Marroux que c'est drôlement urgent...

Il faisait un geste, effleurant l'épaule de sa fille.

– Tu lui diras que ça concerne Netchaïev... Il comprendra...

Elle réagit, surprise.

– Netchaïev? s'exclama-t-elle. Comme le vrai? Je veux dire, le Russe du siècle dernier?

Il hocha la tête.

– Tu connais? Je croyais que tu travaillais sur l'histoire de l'Espagne contemporaine...

Elle se rengorgea :

– Justement! J'ai travaillé sur le mouvement anarchiste espagnol. Sur Bakounine, donc, qui l'a inspiré à ses débuts. Et c'est là que je suis tombée sur Netchaïev!

Il sourit.

– Bien sûr! s'écria-t-il. J'aurais dû y penser!

Alors, d'une voix scandée, bien timbrée, Sonsoles Zapata avait déclamé l'un des articles du *Caté-chisme révolutionnaire* de Sergheï Gennadievitch Netchaïev.

– « Le révolutionnaire méprise toute doctrine; il

22

a renoncé à la science du monde, qu'il laisse à la prochaine génération. Il ne connaît qu'une seule science : celle de la destruction ! »

– En effet, marmonnait Luis Zapata, la destruction !

Ils étaient sur le pas de la porte. Sonsoles avait l'impression qu'ils pouvaient enfin parler ensemble. Que quelque chose semblait se dénouer, entre eux. Mais Luis Zapata jetait un dernier regard à sa montre.

– Je file, disait-il. Je t'appelle entre midi et midi un quart. Tu ne sors pas, avant ?

Non, elle ne sortirait pas.

– Salut ! disait-il.

Il était parti.

A huit heures, Zapata arrivait par la rue Froidevaux, au volant de sa Jaguar, seul.

Il continua à rouler lentement, puis arrêta sa voiture en deuxième file, laissa tourner le moteur et quitta son siège. Debout sur la chaussée, appuyé contre la portière entrouverte, Zapata scruta les alentours. Pas seulement le bout de trottoir où Silberberg aurait dû se tenir. Son regard explora ensuite le côté du square, dans un lent mouvement de gauche à droite : chaque banc, chaque recoin, les minces haies.

Il allait atteindre le point où Silberberg se tenait caché, tant bien que mal. Celui-ci avait décidé de se montrer, désormais. Fini de jouer aux gendarmes et aux voleurs. Il allait quitter sa cachette et se montrer.

C'est à ce moment que Luis Zapata fut abattu.

Luis était debout, l'avant-bras droit appuyé sur le bord supérieur de la portière ouverte de la Jaguar ; le regard aux aguets, cherchant à débusquer la présence de Silberberg, peut-être aussi d'autres présences, suspectes celles-là.

Soudain, dans cette image quasiment fixe, dans ce fragment de durée figée dans l'immobilité du pur présent, à peine interrompue ou brisée par le long mouvement de la tête de Zapata, subitement Silberberg perçut des incidents divers.

Une jeune femme apparaissait, dans le cadre étroit de sa vision. Deux, plutôt : deux femmes. Aussitôt après la première, qui marchait sur la chaussée, le long des voitures en stationnement, vers Zapata, une deuxième jeune femme se montrait, en effet, s'avançant sur le trottoir, elle.

Silberberg n'eut pas le temps de distinguer leurs visages. Mais les deux femmes étaient habillées des fringues habituelles aujourd'hui : jupes longues, chemises par-dessus la jupe, châles, vestes trois-quarts, tout ça en couches superposées; fringues, oui, hardes chichiteuses, dans les tonalités ternes de la mode : des gris grisâtres, des verts passés, des mauves édulcorés, des fuchsias délavés. Instantanément, sans même distinguer leurs traits, sans même y réfléchir, il avait conclu que les deux femmes étaient jeunes, à cause de cette sorte de déguisement, à constater aussi l'assurance de leur démarche, l'impression qu'elle donnaient d'avoir un but.

Voilà, un but. Encore mieux, une cible.

La première jeune femme, celle qui marchait sur la chaussée, était parvenue à l'endroit où se trouvait Luis Zapata. Alors, de sous ses vêtements, elle sortit une arme, tira sur l'ancien truand à bout portant. On n'entendit que deux détonations sourdes, comme si on avait fait sauter des bouchons de champagne. Quelque chose comme ça : flop, flop! Le revolver était certainement muni d'un silencieux, ce qui expliquait, à y penser ensuite, la dimension inhabituelle du canon.

La jeune femme continua sa marche du même pas, sans tourner la tête, sans se hâter : machine vivante, meurtrière, robot en marche. Zapata s'affaissa, disparut, roulant sur la chaussée, à côté de la Jaguar, dérisoire symbole de réussite, désormais.

C'est alors que la deuxième jeune femme, se faufilant entre deux voitures, descendit du trottoir, s'approcha du corps de Zapata, invisible maintenant, et lui tira dans la tête le coup de grâce. Elie entendit une troisième détonation. Il distingua le geste de cette deuxième jeune femme, le bras tendu, pointé vers le sol, puis le bras replié, enfouissant l'arme sous une veste informe en coton matelassé.

Pour conclure, le bruit d'une voiture qui démarrait brutalement.

Une BMW noire surgit dans le cadre de cette vision épouvantée, fascinée, de Silberberg. Des portières s'ouvrirent, au moment où la voiture freina brusquement. Les deux femmes, qui avaient poursuivi leur marche, du même pas, sans tourner la tête, sans regarder autour d'elles, montèrent dans l'automobile qui fila à toute allure vers la place Denfert-Rochereau.

Plus rien : du silence, des pigeons, les bruits de la ville, le ciel d'hiver matinal, au-dessus du cimetière Montparnasse.

Silberberg resta dans le square Georges-Lamarque, incapable de bouger. A travers la haie, il observait le corps de Zapata, foudroyé. Il se disait qu'il fallait fuir, s'éloigner au plus vite, mais ses jambes ne pouvaient pas le porter. Très peu de temps après le meurtre, une petite Peugeot freina brutalement, faisant crisser ses pneus. Le conducteur avait dû voir le corps affaissé sur la chaussée, près de la portière ouverte. Une femme blonde se trouvait à côté du conducteur, le visage tourné vers Silberberg. Leurs regards se croisèrent, il eut quasiment l'impression d'un contact physique. Mais la voiture était repartie aussitôt, en trombe.

Elie avait repris ses esprits, il quitta le square. Personne n'avait encore découvert le cadavre. Personne n'avait crié au secours. Il n'y avait que les pigeons, la vie, un ciel limpide au-dessus des tombes voisines du cimetière Montparnasse.

II

– DANIEL est revenu!

Roger Marroux se réveilla en sursaut... Juliette, sa femme, le secouait par l'épaule pour le tirer de son sommeil.

D'un coup d'œil, il constata qu'il était cinq heures du matin et que Juliette avait le regard fou, la mâchoire crispée des pires moments de crise. Elle avait dû échapper à la surveillance de la jeune femme qui dormait auprès d'elle, pour éviter tout accident.

Il se redressa, la prit contre lui.

– Il est revenu? Raconte-moi, Juliette...

Il ne fallait surtout pas la brusquer, la contredire, proclamer d'emblée l'impossibilité de ce retour. Douze ans auparavant, lors de la disparition de son fils, Juliette avait tout d'abord considéré l'événement avec calme, décidé que Daniel avait éprouvé le besoin de changer d'air, de prendre celui du large, pour se sortir de l'impasse de ses activités militantes du moment. Mais il reviendrait bientôt, guéri de ses illusions nihilistes, prêt à démarrer de nouveau dans la vie. Doué comme il l'était, tout lui serait facile : tout lui était ouvert, tout l'univers.

Deux mois plus tard, cependant, une lettre de

Daniel, postée quelque part en Amérique centrale, annonçait sa décision de mourir, de disparaître d'une existence désormais sans intérêt. Il s'excusait auprès de sa mère et avait même un mot amical pour Marroux, son beau-père. Ce qui était vraiment inhabituel.

D'abord, Juliette espéra violemment, avec désespérance, que Daniel ne mettrait pas à exécution son intention de se suicider. Mais trois semaines après, le consul de France à Ciudad Guatemala leur faisait parvenir une communication officielle. Le corps de Daniel Laurençon avait été retrouvé, à moitié carbonisé, dans un précipice où sa voiture s'était écrasée. Le consul renvoyait également quelques objets et papiers personnels : la montre-bracelet que sa mère lui avait offerte pour célébrer son succès au concours d'entrée à Normale Sup, une chaînette en or que son père avait portée, des choses comme ça. Dans son passeport, en partie consumé par le feu, la page de la photo d'identité était demeurée intacte.

Juliette avait longuement pleuré devant cette image de son fils, de qualité médiocre, mais qui laissait pourtant éclater l'insolente blondeur de Daniel, beau comme un jeune dieu nordique.

Roger Marroux avait entrepris des démarches pour faire rapatrier le corps de son beau-fils, mais elles s'étaient avérées inutiles. Accidentelle ou délibérée, la chute de la voiture de Daniel s'était produite dans une région de guérilla. Le cadavre avait été enterré à la va-vite dans la fosse commune d'un cimetière montagnard et il était hors de question de l'y identifier.

Au fil des mois qui suivirent, privée de la présence de Daniel – même hargneuse, insolente et agressive, comme elle l'avait été les dernières années –, Juliette avait sombré dans une mélanco-

28

lie dépressive. Elle commença à passer des semaines entières cloîtrée dans sa chambre, allongée ou assise dans un fauteuil, immobile, l'œil vague. Sa seule occupation, pendant ces périodes-là, consistait à trier inlassablement les photos de famille où Daniel apparaissait dès son plus jeune âge, pour les coller dans des albums selon des critères mystérieux et changeants, dont la raison – la déraison, plutôt – échappait à quiconque.

Ces périodes dépressives furent de plus en plus longues et fréquentes, entrecoupées de crises de fureur se terminant généralement par des tentatives de suicide, d'où la nécessité d'une surveillance discrète mais constante. Habituellement, les crises étaient annoncées par Juliette elle-même : elle prétendait soudain que Daniel était revenu, qu'elle avait parlé avec lui, à l'insu de tous.

En cette nuit d'hiver, la femme de Roger Marroux était parvenue à sortir de sa chambre sans attirer l'attention de sa jeune garde-malade. Elle frissonnait dans les bras de son mari, murmurant que Daniel était revenu, qu'elle avait parlé avec lui : ce n'était pas un rêve, non, comme tant d'autres fois, c'était vraiment Daniel, aujourd'hui !

Roger Marroux la tint serrée contre lui, lui parlant longuement à l'oreille avec la douceur désespérée qu'avaient forgée toutes ces années de plomb. Juliette glissa de nouveau dans une sorte de sommeil ou d'inconscience rêveuse. Il la prit dans ses bras, légère et tiède comme une plume d'oiseau de passage, la porta dans la chambre du rez-de-chaussée qui donnait sur le grand jardin. Il la mit au lit, constata que la porte-fenêtre était ouverte, la ferma. Il aperçut au loin, en tirant les rideaux, les lumières de Paris, la silhouette éclairée de la tour Eiffel, se détachant sur l'horizon d'une nuit claire et froide.

Quelques années auparavant, il avait acheté cette maison, sur la colline qui joint Montlignon à Saint-Leu, au nord de la capitale, en bordure de la forêt de Montmorency. Pour que Juliette y vive au calme, à l'orée des vents et des arbres. Mais aussi parce que c'était à Saint-Leu, plus de quarante ans auparavant – en 1942, très exactement –, qu'il avait connu Juliette Blainville. Au cours d'une fête pour l'anniversaire d'une amie commune, la sœur d'un camarade de khâgne.

Ils avaient tous vingt ans, plus ou moins : le mauvais âge.

Michel Laurençon avait vingt ans. Il était à Saint-Leu, lui aussi. Il était toujours là où se trouvait son meilleur copain, Roger Marroux. Ce fut Michel, probablement, qui connut le premier Juliette Blainville : bibliquement, s'entend. Mais la jeune fille allait de l'un à l'autre, amante velléitaire, indécise, mais également passionnée. Eux, Michel et lui, attendaient que le destin tranchât cette situation, qui les plongeait dans les affres du bonheur fou.

Ce fut la mort qui trancha.

Roger Marroux avait traversé l'Europe, des années auparavant – mais n'étaient-ce pas des siècles ? n'était-ce pas dans un autre temps, un autre paysage de l'Histoire ? – à la suite de la IIIᵉ armée américaine du général Patton qui s'enfonçait au cœur de l'Allemagne nazie. Les villes étaient en ruine, les femmes blafardes (« *Deutschland, bleiche Mutter* », avait écrit le poète), des milliers de prisonniers de toutes sortes libérés par l'avance alliée encombraient les routes : c'était une assez vraisemblable représentation de l'Apocalypse.

Le 11 avril 1945, l'armée Patton, l'une de ses avant-gardes blindées, contournait les collines proches de Weimar où se trouvait le camp de concentration de Buchenwald. Le lendemain, Marroux arrivait en voiture jusqu'à l'entrée du camp, avec les deux autres membres, des Britanniques, d'une mission militaire chargée de retrouver au plus vite la trace des agents des services d'action et de renseignement alliés déportés par les nazis. A Buchenwald, il devait y en avoir plusieurs, mais étaient-ils encore en vie ? Quoi qu'il en fût, il avait accepté de faire partie de cette mission pour arriver au plus tôt auprès de Michel Laurençon.

La dernière fois qu'il avait vu Michel, c'était en février, l'année précédente, 1944. Michel arrivait de l'Yonne, lui de Bretagne. Ils s'étaient retrouvés à Paris pour aller ensemble, au théâtre de l'Atelier, à l'une des premières représentations de l'*Antigone* de Jean Anouilh. Début février, croyait-il se souvenir. Avant le 15 du mois, en tout cas, car c'était ce jour-là que Michel s'était fait prendre par la Gestapo.

Toute la nuit, après *Antigone*, ils avaient parlé. Le réseau disposait d'une planque, rue Blainville. Ça tombait bien : c'était le nom de famille de Juliette et c'était le quartier de leur adolescence. Ils avaient ri. A deux pas, rue Thouin, se dressait le réverbère qui les aidait à faire le mur du lycée Henri-IV, l'année de philo où ils avaient été internes. Ils avaient ri aussi de la distinction culturelle qui auréolait leur engagement. On se serait cru dans quelque illustre vie de Plutarque! En hypokhâgne, en effet, leur vieux professeur de grec avait consacré une partie de l'hiver à une explication de Sophocle. De la tragédie, en général. Non sans intentions morales ouvertes aux problèmes d'une époque d'occupation étrangère, de Créons hypocrites et provisoirement triomphants.

L'année suivante, en 1943, ils avaient fêté leur adieu aux lettres, leur entrée définitive et à part entière dans l'univers de la clandestinité, en allant voir en bande *Les Mouches* de Jean-Paul Sartre. Le mois de juin emplissait Paris d'odeurs champêtres et d'espoirs incertains, recouvrant la ville de la soie bleue d'un ciel d'indifférente éternité. Juliette avait pleuré : elle n'arrivait pas à se décider pour l'un d'entre eux, qu'elle aimait à tour de rôle, qui l'aimaient de même, et voilà qu'ils disparaissaient ensemble !

Un an plus tard, c'était l'*Antigone* d'Anouilh qui leur offrait matière à discussion. « Une époque vraiment idéale pour khâgneux érudits et combattants ! » disait Laurençon, cette nuit-là, rue Blainville.

Roger Marroux avait traversé l'Allemagne défaite et blafarde, au printemps 1945, dans le sillage des blindés de Patton, pour retrouver Michel, pour le tirer du gouffre de l'absence, de l'oubli. Quelques jours après la soirée à l'Atelier, Michel s'était fait prendre. Dans cette planque de la rue Blainville, justement. On avait su qu'il avait été torturé de façon abominable. Qu'il avait été envoyé en Allemagne, à Buchenwald, dans un convoi spécial d'agents des réseaux franco-britanniques. Certains d'entre eux avaient été fusillés après leur arrivée au camp, croyait-on savoir. Le sort des autres était incertain. D'où l'urgence de la mission de recherche.

Le matin du 12 avril 1945, Marroux descendait de voiture devant les bureaux de la *Politische Abteilung*, la section de la Gestapo du camp de Buchenwald. La porte d'entrée monumentale, avec sa grille de fer forgé, se trouvait à quelques dizaines de mètres, au bout de la longue avenue bordée de colonnes surmontées d'aigles hitlériennes qui reliait la gare de Buchenwald et le camp proprement dit.

Un type jeune – mais il était difficile d'évaluer son âge exact : une vingtaine d'années, calcula-t-il – montait la garde à la porte de la baraque de la Gestapo. Il portait des bottes russes, en cuir souple, une défroque disparate. Il avait des cheveux ras. Mais une mitraillette allemande pendait sur sa poitrine, signe évident d'autorité. Les officiers de liaison américains leur avaient dit, à l'aube, que la résistance antifasciste de Buchenwald avait réussi à armer quelques dizaines d'hommes qui avaient participé à la phase finale de la libération du camp, après la percée des avant-gardes motorisées de Patton. Il en faisait sans doute partie, ce jeune type. Qui les regardait sortir de la jeep, s'étirer au soleil du printemps, dans le silence épais, étrange, de la forêt de hêtres qui bordait l'enceinte barbelée du camp. Marroux se sentit pris dans la froideur dévastée de ce regard, brillant dans un visage osseux, émacié. Il eut l'impression d'être observé, jaugé, par des yeux d'au-delà, ou d'en deçà de la vie. Comme si le rayon neutre, plat, de ce regard lui parvenait d'une étoile morte, d'une existence disparue. Comme si ce regard avait voyagé jusqu'à lui à travers les steppes d'un paysage morne, minéral, pour lui parvenir imprégné de froideur barbare. De solitude irrémédiable. Il se tourna vers ses deux compagnons, deux officiers des services spéciaux britanniques plus âgés que lui et il devina qu'ils éprouvaient un malaise identique, une même inquiétude.

Le jeune type avait remarqué l'écusson tricolore,

33

surmonté du mot « France », sur le blouson militaire de Marroux. Il lui parla en français :

– Vous avez l'air sidéré... C'est quoi ? Le silence du lieu ? Il n'y a jamais d'oiseaux, dans cette forêt... La fumée du crématoire les en a chassés, semble-t-il...

Il avait eu un rire bref.

– Mais le crématoire s'est arrêté hier... Il n'y aura plus jamais de fumée... Plus jamais l'odeur de chair brûlée sur le paysage.

Il avait ri de nouveau.

Marroux eut un haut-le-cœur. Il jeta un coup d'œil à ses compagnons, qui étaient défaits.

– Peut-être les oiseaux ne reviendront jamais..., murmura encore le jeune déporté.

Il avait un regard fou, ou éteint, mort, effacé, obnubilé par d'atroces visions, et il leur avait parlé d'une voix monocorde, brutale. Persuadé sans doute qu'ils ne pouvaient pas comprendre, qu'ils resteraient à jamais de l'autre côté d'une frontière invisible, mais infranchissable.

Cette violence, pourtant, cette arrogance désespérée de la voix du jeune type était encore un signe de vie, une preuve de vitalité. Marroux l'avait compris une heure plus tard, lorsqu'il eut retrouvé Michel Laurençon.

Celui-ci était allongé dans un châlit du block 56, l'un des baraquements du « Petit Camp » où s'entassaient par milliers les détenus qui n'étaient pas incorporés à la machine productive de Buchenwald, soit qu'ils fussent en transit ou quarantaine, soit inaptes au travail. Le 56 était un block d'invalides, une sorte de mouroir puant, dont la plupart des occupants, incapables de bouger, grouillaient de vermine et se décomposaient, victimes de la dysenterie.

Ainsi, à la fin d'une matinée d'avril radieuse –

quelques nuages très légers, floconneux, dérivaient au loin, sur l'horizon bleu-vert des monts de Thuringe –, ayant traversé l'Europe juste après la pluie de fer et de feu, il avait retrouvé Michel.

Il ne l'avait pas reconnu, certes. On lui avait montré ce corps martyrisé, vêtu de haillons, on lui avait dit que ce tas misérable d'os et de peau jaunie était bien Michel Laurençon, son numéro matricule en faisait foi. Alors, il avait posé la main la plus amicale, une main légère comme l'espoir et la tendresse, sur l'épaule de ce cadavre qui bougeait encore, décharné par la faim, les fièvres, la chiasse. Il avait murmuré son prénom. Michel avait ouvert les yeux, l'avait reconnu. Rien, jamais, quoi qu'il arrivât, ne pourrait effacer le souvenir du cri de joie que Michel avait sans doute poussé de toute sa force, toute l'énergie dormant encore dans ses entrailles, et qui ne fut qu'un murmure, une sorte de rauque soupir. Rien, jamais, non, n'effacerait ce cri chuchoté. Michel pleurait maintenant, en silence, et il lui parla à l'oreille, doucement, à voix très basse mais distincte.

Il dit à Michel toutes les raisons de vivre pour lesquelles ils avaient risqué la mort; la liberté retrouvée, les cerisiers en fleur, les copains morts et les copains vivants, les larmes et les rires de Juliette qui l'attendait – car il lui fallait s'effacer, désormais : abandonner Juliette, la rendre à l'amour de Michel, rendre à celui-ci la douceur des mains de Juliette – il lui dit les noms des nouveaux journaux, des derniers livres : les proses de Camus, les poèmes de René Char.

Michel l'avait écouté, buvant ses paroles, littéralement, les laissant irriguer lentement son âme, sa mémoire, son corps, s'ouvrant à elles, s'en ravivant à vue d'œil. Mais il avait gardé le silence, se bornant à quelque rauque et brève injonction à poursuivre, chaque fois que le monologue de Roger Marroux s'était interrompu, coupé net par la vision de l'horreur environnante, lorsqu'il levait le regard sur les morts-vivants allongés dans les châlits et dont les yeux le fixaient avec une sorte d'hébétude paralysante.

Michel n'avait parlé que le lendemain, vers le soir.

C'était à Eisenach, dans un hôtel réquisitionné et aménagé en hôpital de campagne et centre de transit par les diverses missions de rapatriement. Marroux l'avait veillé toute la journée, aidant les infirmières qui s'occupaient de lui. Vers la fin de l'après-midi, Michel avait ouvert les yeux, l'avait aperçu à son chevet. Il avait dit quelques mots qui demeurèrent incompréhensibles, tellement sa voix était faible. Marroux s'approcha de son visage, pour saisir ces premières paroles. Michel faisait un effort surhumain pour se faire entendre. Il parvint à articuler sa pensée, très lentement, avec d'angoissants espaces de silence entre certains mots.

« La question de Dieu... est tranchée... son existence... »

Les lèvres de Michel étaient sèches, gercées par la fièvre. Il lui donna à boire, quelques gouttes seulement, se souvint de leurs discussions de khâgne, lorsqu'ils avaient décidé d'approfondir leur connaissance de la philosophie thomiste.

« Impossible à concevoir... après ça... »

Michel ramassa toutes ses forces, pour une dernière affirmation.

« Dieu... est impensable... Ou alors fou... Un tyran fou... »

Il en fut épuisé, sa tête retomba sur l'oreiller.

Pendant trois ans, ensuite, Michel Laurençon avait gardé le silence sur sa vie à Buchenwald. Il avait fui systématiquement toutes les occasions –

réunions d'anciens déportés, commémorations – de se rappeler ce passé. Mais soudain, alors qu'il semblait se rétablir, recouvrer une santé à peu près convenable, alors que Juliette attendait un enfant de lui, alors, en somme, qu'on commençait à croire que son existence retrouvait un sens, un avenir, évacuant l'horreur jamais dite, soudain Michel Laurençon se mit à se souvenir. A raconter ses souvenirs, du moins. A en faire le récit détaillé, prolixe même, comme s'il était pressé de rappeler le moindre petit fait, le plus insignifiant en apparence, de crainte que le temps ne lui fût compté. Comme s'il était angoissé à l'idée d'en oublier la moindre bribe, d'en laisser perdre le moindre affreux chatoiement de la mémoire. Tout dire, jusqu'à l'épuisement, la nausée, la répétition obsessive, sembla désormais sa seule préoccupation. Jusqu'à une nuit du mois d'avril 1948 où il mit fin à ses jours, laissant une grande enveloppe cachetée à remettre à son fils – c'est du moins un fils qu'il espérait avoir – quand celui-ci atteindrait sa seizième année.

Des siècles auparavant, lui sembla-t-il, il avait traversé l'Europe en ruine pour ramener Michel Laurençon et il n'avait pas réussi à le garder en vie. Mais peut-être Michel était-il déjà mort, à Buchenwald, peut-être n'avait-il ramené de là-bas qu'un rêve posthume de Michel.

Roger Marroux tira les rideaux, vérifia que sa femme avait replongé dans le sommeil fiévreux, plein de murmures et de plaintes étouffées, qui était le sien depuis de longues années et quitta la pièce.

– Je suis navrée, disait Véronique, dans l'antichambre où elle avait son lit de garde-malade. J'ai été aux aguets toute la nuit, car elle semblait très agitée. Et là je venais de m'effondrer comme une masse, je n'ai rien entendu!

Il la rassura d'un sourire et d'un geste. Des incidents comme celui-là étaient inévitables, lui dit-il.

Soudain, sous la paume de sa main posée sur l'épaule de Véronique, il sentit la chaleur de la jeune femme.

Comme si ce geste avait fait naître un corps, avait donné du corps, une présence sensible, et sensuelle, à un être jusqu'alors pratiquement réduit à sa fonction utilitaire de garde-malade ou demoiselle de compagnie. Il regarda les yeux levés vers lui, dont il ignorait la couleur : remarqua la beauté des seins dans l'échancrure d'une chemise de nuit de popeline blanche, ornée au col et aux manches de guipure à l'ancienne. Une sorte de bonheur l'envahit, irraisonné. Un appétit de vivre, presque oublié. Il n'avait connu depuis longtemps que des amours à la va-vite, souvent vénales. Presque toujours, à vrai dire, quelle que fût la manière d'en payer le prix.

Sa main pesa sur l'épaule de Véronique, glissa sans qu'il le décidât véritablement vers l'aisselle et la rondeur du sein. Il la sentit faiblir. Il l'attira vers lui, leurs désirs se mêlèrent, s'incendièrent mutuellement. Ils tombèrent sur le lit étroit. Elle s'ouvrit aussitôt, gémissant de plaisir dès qu'il l'eut pénétrée, sans autre préambule ni cérémonie.

Il resta longuement en elle, de toutes sortes de façons.

Une chose entraînant l'autre, l'amour, la conversation, un petit déjeuner réparateur, Roger Marroux se mit en retard, ce matin-là. A huit heures et demie, lorsque le téléphone sonna, il était encore chez lui.

– Commissaire, dit la voix d'un jeune inspecteur qui lui parut fébrile. J'ai reçu un message pour vous, tout à l'heure. C'était urgent... C'était Luis Zapata qui parlait... Vous vous souvenez de Zapata?

S'il se souvenait de Luis? Il faillit éclater de rire mais se retint.

– Je me souviens, Dupré, je me souviens fort bien... Je verrai ça en arrivant au bureau...

L'autre l'interrompit d'une voix agitée.

– Commissaire... Le message de Zapata, c'était à sept heures quinze... Et à l'instant, voilà pourquoi je vous appelle, la nouvelle est tombée... Zapata s'est fait descendre square Lamarque, près de Denfert !

Le sang de Marroux se mit à battre la chamade.

– Il a été enregistré, ce message, Dupré ?

– Je vous branche le magnétophone, dit l'inspecteur.

Il y eut des buissements confus, des déclics, puis la voix de Luis Zapata se fit entendre, assourdie, précipitée, transpirant l'inquiétude.

– « Faites écouter mon message au commissaire principal Roger Marroux. C'est urgent. Qu'il prenne contact avec moi dans la matinée. Vraiment urgent. Des vies humaines en dépendent. Ça concerne '' Netchaïev ''... »

Marroux sursauta, devint livide.

Après un bref silence, la voix de Zapata s'adressa directement à lui.

– « Faites-le en souvenir du voyage à Madrid, commissaire... »

La bande magnétique défila encore une seconde, dans un ronron métallique. Puis l'inspecteur Dupré reprit la parole. Sa curiosité était perceptible, le faisant presque bégayer.

– Vous avez fait un voyage avec Zapata, commissaire?

Il coupa court.

– J'arrive, Dupré...

Véronique lui servait une nouvelle tasse de café, l'œil intrigué par l'émotion visible sur le visage de Marroux. Il sourit à la jeune femme, lui caressa la jambe, toute proche, remonta le long de la cuisse.

– « *J'ai pesé de tout mon désir – sur ta beauté matinale...* », murmura-t-il.

Depuis combien d'années avait-il oublié ces vers qui revenaient soudain à sa mémoire? Depuis combien d'années nulle femme n'avait-elle réveillé son désir dans le clair-obscur du matin, dans la voix de gorge du jour nouveau?

– Comment, quoi? dit Véronique, ouverte à sa caresse, les yeux embués.

Il comprit pourquoi les mots de René Char renaissaient des cendres du temps passé. Le livre avait paru en février 1945 et c'est à cette occasion qu'il avait découvert la poésie de Char. Deux mois plus tard, il emportait le mince volume dans sa musette, lorsqu'il traversa l'Allemagne vaincue à la suite des blindés de Patton.

Il en avait lu des poèmes à Michel, à l'hôpital d'Eisenach et sur le chemin du retour, quelques jours plus tard. Michel, à l'agonie, toutes amarres larguées au fil d'une eau funèbre, lui avait demandé par des gestes, d'un regard implorant, qu'il lui récite encore et encore *La liberté* :

Elle est venue par cette ligne blanche pouvant tout aussi bien signifier l'issue de l'aube que le bougeoir du crépuscule...

Prenaient fin la renonciation à visage de lâche, la sainteté du mensonge, l'alcool du bourreau...

D'un pas à ne se mal guider que derrière

l'absence, elle est venue, cygne sur la blessure,
par cette ligne blanche...

Mais la beauté matinale d'un autre poème de *Seuls demeurent*, c'était celle de Juliette, bien sûr.

Ils l'avaient partagée, Michel et lui, comme on partage le pain, le vin, l'avenir. Leur double désir avait pesé sur elle. Mais Juliette s'était évanouie, désormais. Et il n'avait pas réussi à garder Michel en vie. Ni Daniel, le fils de Michel et de Juliette.

III

ELIE SILBERBERG s'était retenu de courir, en quittant le square Georges-Lamarque.

Il avait dépassé le croisement de la rue Victor-Schoelcher et avait poursuivi son chemin par la rue Froidevaux. Un peu plus loin, au premier feu de la circulation, il avait tourné à droite pour gagner l'une des entrées du cimetière Montparnasse.

Trop pressé de s'éloigner du lieu du meurtre, il ne remarqua pas un motocycliste vêtu de cuir noir, casqué. L'homme se tenait à califourchon sur sa machine à l'arrêt, de l'autre côté, au coin de la rue Boulard.

Quand Silberberg quitta le square à pas précipités, l'homme mit en marche sa moto, qui démarra aussitôt, dans un ronflement sourd. A petite vitesse, le motocycliste commença à suivre Silberberg, d'assez loin. Mais on pouvait facilement filer le train à ce dernier aujourd'hui. Il portait une longue veste d'un vert vif, aisément repérable.

A leur époque de Normale Sup, ils avaient beaucoup fréquenté les cimetières parisiens. C'étaient des lieux privilégiés pour les rencontres, les promenades, la méditation. Des espaces paisibles dans le cœur tourmenté de la ville. De surcroît, il y avait partout des tombes amies autour desquelles se retrouver, se recueillir. A Montmartre, bien sûr, celle d'Henri Beyle. A Montparnasse, où elles étaient relativement nombreuses, ils avaient eu une prédilection pour celle d'un grand poète péruvien, César Vallejo. « L'un des plus grands du XXᵉ siècle en langue espagnole », disait Julien Serguet. Qui leur récitait certains de ses poèmes.

> *Car je mourrai à Paris, un jour d'averse*
> *prochain dont j'ai déjà le souvenir...*

C'était Julien, parmi eux, l'hispanisant.

C'est lui qui avait avec l'Espagne, sa littérature, sa folie, sa sobriété, sa grandiloquence, ses mesquines laideurs, sa beauté quasi surnaturelle, un rapport passionné qui remontait à l'enfance.

Son père, Robert Serguet, avait fini à l'université d'Aix-en-Provence une longue carrière de professeur de littérature espagnole. Auteur d'essais faisant autorité sur l'œuvre de Góngora et de Baltasar Gracián, d'une thèse monumentale sur le roman picaresque, le père de Julien avait été militant du parti communiste, auquel il avait adhéré pendant l'occupation nazie. Il y était resté, d'ailleurs, bien après que ses convictions, ou ses croyances, se fussent évanouies, à la suite des révélations de Khrouchtchev et des événements de Pologne et de Hongrie, en 1956. De fait, il n'avait abandonné le parti qu'en 1968, lors de l'invasion de la Tchécoslovaquie.

C'est cette année-là également que Julien Serguet monta à Paris pour préparer le concours de l'E.N.A. et c'est lors d'une assemblée étudiante du mois de mai – juste avant l'expédition de Flins – que Silberberg, Laurençon et Liliental le connurent.

Bientôt, ils devinrent inséparables.

L'hiver d'après, Daniel Laurençon, Marc Liliental – jamais Serguet ne s'habituera à l'appeler Laloy, du moins dans son for intérieur ! – et Elie Silberberg vivaient rue d'Ulm, à l'Ecole, ayant tous trois brillamment réussi le concours d'entrée. Julien Serguet, pour sa part, louait une chambre rue Lhomond, chez des profs à la retraite. Mais il passait son temps dans les turnes de ses copains, à Normale Sup.

Comme ils étaient quatre, et toujours ensemble, on les appelait les trois mousquetaires. Ou la troïka, plus brièvement. Mais cette dernière appellation de groupe était réservée aux assemblées des mouvements gauchistes issus de Mai 68. Ils intervenaient de concert aussi bien dans les séminaires sur Marx et sur Platon que dans les réunions politiques. Avec la même érudition, la même pugnacité caustique. Le même goût de l'absolu, hélas aussi !

C'est ensemble qu'ils séduisaient les filles. Ou plutôt, celles-ci tombaient d'abord en arrêt, souvent en pâmoison, devant le groupe qu'ils constituaient, avant de faire un choix. Ou d'être soumises à un choix de leur part : à un partage machiste, en vérité, comme dans les sociétés primitives.

Ils n'étaient pas identiques, pourtant. Pas du tout interchangeables. Mais l'addition de leurs charmes physiques et intellectuels provoquait un effet multiplicateur dont chacun pouvait, à l'occasion, bénéficier individuellement.

Marc Liliental, qui se faisait appeler Laloy, était probablement le plus aigu, le plus brillant : sa pensée était méthodique et rigoureuse, d'une précision implacable, comme un scalpel chirurgical. Il était aussi le plus séduisant – ou le plus séduit par les femmes – avec ses yeux verts, son allure ténébreuse d'archange noir.

Elie Silberberg était sans contestation possible le plus cultivé d'eux tous : il avait tout lu, dans tous les genres et toutes les langues littéraires. Frêle, mince, avec de souples cheveux blonds retombant en longues mèches sur le front, il avait un regard bouleversant derrière ses lunettes de myope. Avec les filles, c'était lui le plus timide : le moins cynique, en tout cas.

Daniel Laurençon avait hérité de son père une silhouette de Viking, un corps fait pour la nudité et le soleil : large d'épaules, étroit de hanches, aux muscles déliés. D'eux tous, en dépit de son allure sportive (« Dans les années trente, disait Claudine Dupuy, une jeune délurée dont ils se partageaient à Normale Sup les faveurs, Daniel aurait pu jouer au cinéma les rôles de Pierre-Richard Willm! »), il était le plus systématique, sur le plan des idées : le plus doctrinaire.

Quant à Julien Serguet, moins éclatant, moins doué que ses copains, il était fait pour le long cours et le long terme : sa ténacité, sa capacité de travail étaient inépuisables; sa mémoire et sa tendresse aussi. Sur le plan sentimental, malgré des efforts sporadiques pour paraître aussi libertin que Marc ou Daniel, il ressemblait plutôt à Silberberg : il croyait au grand amour exclusif. Impossible, par définition.

C'est lui, Julien Serguet, à la fin de cette mémorable année 1968, qui introduisit dans leur groupe Adriana Sponti, qu'il avait connue à Aix-en-Provence. Elle était la petite-fille d'un communiste italien réfugié en France à la fin des années vingt, un camarade de Giorgio Amendola.

Dès qu'elle apparut parmi eux, avec la splendeur troublante d'une beauté androgyne, adolescente au regard de flamme, à l'esprit subtil, ils en tombèrent amoureux.

Mais Elie Silberberg était trop courtois pour avoir la moindre chance de réussir à l'enlever. Il lui récitait des poèmes, des pages entières de *La Conspiration* : « Catherine, qui avait remis, pour aller déjeuner à Martin-Eglise, un costume des villes, rassembla son sac, ses gants : un mouvement qu'elle fit découvrit sa jambe jusqu'au gonflement cruel de la cuisse au-dessus de l'ourlet de son bas. Bernard rougit, sentit battre son cœur, devant cette découverte de tant de dure nudité dans les nuages confus de la soie et de la laine... »

Peine perdue, pourtant. Adriana l'écoutait sans déplaisir, mais ne voulait rien entendre à son appel chuchoté.

C'est finalement par Marc Liliental qu'Adriana se laissa conquérir. Sans doute avait-elle deviné que, d'eux tous, c'est Marc qui pouvait lui faire connaître l'ineffable brutalité de la passion. Elle en avait le goût, le désir obscur.

En 1971, lorsqu'ils fondèrent ensemble l'Avant-Garde prolétarienne – qui n'était qu'une scission de la Gauche du même adjectif charismatique, organisation où ils avaient tous fait leurs premières armes mais qu'ils jugeaient incapable dorénavant d'un élan vraiment léniniste – Julien Serguet les conduisait souvent sur la tombe de César Vallejo, au cimetière Montparnasse. C'est lui qui leur récitait certains poèmes du Péruvien. Dont le sonnet prémonitoire : *Car je mourrai à Paris, un jour d'averse...* Et Vallejo est réellement mort à Paris, réellement un jour d'averse, dont il avait déjà eu, réellement, le souvenir anticipé.

Aujourd'hui, cependant, sous un ciel limpide de décembre, il serait exagéré de prétendre qu'Elie Silberberg s'est souvenu des poèmes de César Vallejo que Julien déclamait autrefois.

Il avait marché très vite dans les allées du cimetière.

Ses pas, sans qu'il l'eût prémédité, l'avaient porté jusqu'à la tombe du Péruvien. Arrivé là, à cette place familière, il s'arrêta, s'assit sur une dalle mortuaire, essayant de réfléchir à ce qui venait de se passer.

Luis Zapata était inquiet, ça s'entendait à sa voix fébrile. D'autant plus frappant que ce n'était pas un homme à se laisser impressionner. Et cette inquiétude avait un rapport avec la vieille histoire, l'exécution de Daniel Laurençon. Luis ne l'avait pas nié, lorsqu'il lui avait directement posé la question.

Voilà deux faits sur lesquels il fallait réfléchir.

Mais ça bouge, soudain, ça l'interrompt dans ses pensées.

Ça fait du bruit, d'abord. Silberberg entend le ronronnement d'un moteur. Il lève la tête. Là-bas, à vingt ou trente mètres, dans l'allée du cimetière perpendiculaire à la travée qu'il a suivie pour venir jusqu'à la tombe de Vallejo, roule un motocycliste.

Mais non : ce n'est pas ce qu'il voit.

Il ne voit qu'un torse d'homme vêtu de cuir noir, casqué, qui semble glisser dans l'air, flottant au-dessus de la perspective des tombes alignées. Il ne voit pas la moto, il la suppose. Seul un motocycliste, en effet, logiquement, peut se déplacer ainsi. Un bruit sourd et régulier de moteur confirme d'ailleurs cette déduction. Il semble bien que ce motocycliste soit une hypothèse vérifiable. Une réalité empirique.

48

Dangereuse, même.

Elie Silberberg s'est redressé, pour mieux observer l'approche du motard, inquiet, vaguement. Jusqu'alors, il était adossé à un monument funéraire proche de la tombe de Vallejo. Affalé quasiment sur du marbre poli, au pied d'une croix imposante. Il se redresse, pour mieux voir.

Le bruit de moteur vient de cesser, le motocycliste immobilise sa machine. Comme dans un cauchemar – ou dans un film policier, qui est souvent la réalité visible la plus proche du cauchemar – Elie voit le motard tirer sur une fermeture Eclair de sa veste de cuir et extraire de sous son aisselle gauche un lourd pistolet automatique. Il le voit empoigner l'arme à deux mains et la pointer sur lui.

Comme à la parade, à l'exercice de tir.

Il a le temps de penser, dans une sorte d'éclair coléreux, que ça va comme ça! Il n'y a même pas dix minutes, il a été témoin du meurtre de Zapata : il va être témoin du sien, maintenant. Ça le fait chier, il n'y a pas d'expression plus polie, ni plus exacte, pour qualifier ses sentiments. Ça le fait prodigieusement chier d'être le témoin de son propre meurtre. Il aurait bien aimé, en revanche, survivre une fois à sa propre mort, pour pouvoir en parler, en rapporter l'expérience vécue. Mais être témoin de son meurtre, non : rien à foutre. Et dire que Zapata prétendait qu'il n'était pas sur la liste des attentats!

Tout va très vite, tout se passe en même temps.

Le motard a appuyé deux fois sur la détente de son arme. On entend le chuintement bref, presque obscène, des détonations assourdies par un silencieux. Presque simultanément, le marbre de la croix à laquelle s'adossait Silberberg s'étoile en deux endroits sous l'impact des projectiles.

Mais une fraction de seconde avant l'instant où les deux balles auraient dû lui fracasser le crâne, Silberberg a plongé. Il s'est effondré, plutôt, comme une masse. Comme quelqu'un de mortellement touché : comme un cadavre. C'est ce qui va le sauver, d'ailleurs, cette façon de s'effondrer. Le motard croira qu'il a fait mouche et son attention va s'émousser pendant quelques minutes.

Elie Silberberg a plongé par une sorte de réflexe de défense, de survie. L'idée de mourir ainsi a dû lui sembler insupportable. Mais c'est aussi de saisissement qu'il s'effondre tout d'une pièce. Ce salaud qui lui tire dessus devait être placé en couverture de l'opération Zapata. Il l'aura vu quitter le square, aura supposé qu'il avait assisté au meurtre et décidé sur-le-champ de l'éliminer. Silberberg comprend maintenant pourquoi Luis Zapata avait l'air inquiet : c'étaient des tueurs fous, ces mecs! Les gonzesses, d'ailleurs, n'étaient pas mal non plus!

Elie commence à ramper entre les pierres tombales, s'éloignant de l'allée où le motard est apparu. Il regrette de ne pas avoir pris le Smith et Wesson 11.43 que son père lui avait donné, autrefois, avec tout un lot d'armes de la Résistance.

A la fin des années soixante, David Silberberg avait convoqué son fils. « Je ne veux pas savoir ce que tu fais exactement, avait-il dit, d'ailleurs tu ne me dirais rien. Mais tu milites dans les groupes d'extrême gauche, c'est évident! Il suffit de t'entendre. Il y a un point sur lequel je suis d'accord avec vous, avait poursuivi David Silberberg. Pas de quartier dans la lutte de classe, pas de trêve pour la bourgeoisie impérialiste! » A la fin, il avait proposé à son fils de leur donner, à lui et à ses copains, un stock de la Résistance qu'il détenait encore.

Il y avait une dizaine d'armes de poing, dont trois Smith et Wesson au long canon peint au minium : des machins superbes, parachutés par les Anglais pendant la Résistance. Quelques mitraillettes un peu anciennes aussi, mais en parfait état. Amoureusement entretenues, graissées, nettoyées. C'est avec ça qu'ils avaient fait leurs premières opérations. Plus tard, bien sûr, par l'entremise des Palestiniens, ils avaient eu accès à des armes de l'Est, tchèques en particulier, du dernier modèle.

Elie avait conservé, il ne savait plus très bien pourquoi, l'un des lourds revolvers Smith et Wesson. Il l'avait caché dans le fond d'un placard d'où il le sortait une fois par an pour le nettoyer. Ce matin, au moment de partir au rendez-vous de Zapata, il avait failli l'emporter.

Après avoir rampé pendant quelques dizaines de mètres, Elie se redresse d'un bond et se lance dans une course éperdue, en zigzag, parmi les monuments funéraires.

Il entend très distinctement un cri, un juron. Il lui semble que c'est en italien que le tueur a crié.

Il se retourne à demi, tout en courant. Le type s'avançait à pied vers l'endroit où Elie s'était effondré. Sans doute pour vérifier qu'il était bien mort, lui donner le coup de grâce, le cas échéant. Surpris par l'apparition subite de ce cadavre supposé, sa course éperdue, il hésite. Puis revient en arrière, afin de reprendre sa moto.

Elie fonce, choisissant un itinéraire qui le cache à la vue du motard, ne fût-ce que quelques secondes, lorsqu'il disparaît derrière les monuments funéraires. Il entend à présent le rugissement du moteur qui s'emballe, pleins gaz. L'autre s'est lancé à sa poursuite.

Mais Silberberg a conservé assez d'avance pour parvenir à la sortie du cimetière Montparnasse qui donne sur une chaussée traversière dont il ignore le nom, mais qui joint le boulevard Edgar-Quinet et la rue Froidevaux. Il espère qu'il y aura du monde : des voitures, des passants. Peut-être son poursuivant n'osera-t-il pas tirer s'il y a trop de témoins, trop d'obstacles possibles à sa fuite.

Silberberg est content de lui, de son corps, de sa course, de son souffle maîtrisé. Il est encore en forme, nom de Dieu !

Un cortège assez nombreux s'avance sur la chaussée, au moment où Elie y débouche au pas de course. Les premiers rangs sont déjà en train de tourner pour s'engager dans la section juive – israélite, dit la plaque indicatrice – du cimetière Montparnasse, de l'autre côté.

Elie Silberberg entend de nouveau le bruit de la motocyclette, grondant derrière lui. Il court vers le cortège mortuaire, s'y faufile, s'y fraye un chemin à coups de coude, au grand scandale muet des gens qu'il bouscule. Il se retrouve bientôt au milieu de la petite foule, bien au chaud, protégé. Il constate alors que le cortège est précédé d'un groupe de porteurs de drapeaux. Il y en a des rouges, en majorité, mais aussi des bleu et blanc, avec l'étoile de David.

Une main s'abat sur son épaule, il entend une voix rêche.

– Elie, je suis heureux que tu sois là !

Il tarde à reconnaître l'homme à cheveux blancs, au visage ravagé par la vie, qui lui sourit avec une joie visible. Ou plutôt : il sait parfaitement qu'il connaît ce vieil homme, mais il ne sait plus pourquoi, ni d'où.

52

Silberberg hoche la tête, prend un air de circonstance.

– Il fallait bien, chuchote-t-il.

L'autre le prend par le bras, protecteur.

– Tu sais que ton père m'a carrément craché à la gueule, quand je lui ai demandé de venir à l'enterrement de Max ? Je n'ai rien à voir avec les renégats, même morts ! m'a-t-il proclamé.

Ça y est, Elie a compris.

Il assiste à l'enterrement de Max Reutmann, l'un des chefs des groupes de choc de la M.O.I.-F.T.P. communiste pendant la Résistance. L'un des camarades de combat de son père, mais qui avait, lui, Reutmann, rompu avec le P.C. La presse a annoncé sa mort, en effet. Et c'est aux côtés de Maurice Zehrfluss qu'il se trouve. Du coup, plus personne ne le regarde avec suspicion. Sa précipitation un peu discourtoise, violente même, s'explique par la hâte qu'il avait de rejoindre ce vieil ami, car Zehrfluss est une figure légendaire dans le petit monde des anciens résistants.

– Carola, demande ce dernier, comment va-t-elle ?

Elie hausse les épaules. Il n'y a rien à dire, Maurice doit le savoir.

– Je suis content qu'il y ait quand même un Silberberg ici, dit Zehrfluss, en lui serrant le bras.

Il est vraiment content, ça se voit.

Elie jette un coup d'œil alentour.

Le motard est resté à l'entrée de la section juive du cimetière. Il n'a pas suivi le cortège plus loin. Au moment où Elie se retourne, l'autre est en train de soulever la visière de son casque. Un visage apparaît, un regard : anonymes, comme la mort qu'ils incarnent.

« ... poussez quatre membres de votre groupe à tuer le cinquième sous prétexte qu'il moucharde; aussitôt qu'ils auront versé le sang, ils seront liés... »

Il y avait eu des discours, des éloges funèbres, on avait évoqué les hauts faits de Max Reutmann et le temps avait passé. On en était arrivé à la prière des morts en hébreu.

C'est alors qu'Elie Silberberg, bras croisés, immobile, plongé dans ses pensées, se souvint de cette phrase de Dostoïevski. Une phrase des *Démons*, le roman inspiré par l'affaire Netchaïev.

Silberberg avait le chic, en effet, de se rappeler en toute circonstance des fragments de poème, des phrases d'écrivain qui tombaient bien, à pic et à point. On avait l'impression qu'il ne pouvait pas vivre les moments qui passent, fugitifs, sans les insérer dans un système de références littéraires. Comme si le vécu n'était vivable qu'ainsi, confirmé, enrichi, illuminé par les beautés de la littérature.

Mais le sang de Daniel Laurençon, douze années plus tôt, ne les avait pas liés. Pas du tout. C'était pour se délier, bien au contraire, qu'ils avaient décidé de le faire disparaître. Se délier de la folle idée de la lutte armée, certes. Mais se délier aussi les uns des autres : se lier à la société civile, à leur propre individualité.

En 1974, à l'Avant-Garde prolétarienne, ils étaient arrivés à la conviction qu'il fallait radicalement changer de stratégie politique. La révolution dont ils avaient rêvé, qu'ils avaient cru voir mûrir dans les profondeurs de la société française, n'était pas pour demain. Elle n'aurait même jamais lieu, du moins selon le projet qu'ils avaient conçu, à l'instar des autres organisations extrémistes, par les coups de boutoir d'une attaque frontale. Ils avaient mal analysé la signification réelle du mouvement de Mai 68, qui n'annonçait pas une révolution de type léniniste – masses en fusion pour des raisons hétérogènes, mais momentanément unifiées par une avant-garde résolue, minoritaire, forcément autoritaire –, mais bien plutôt une réforme libertaire de l'entendement politique, des rapports sociaux, de la culture et des mœurs dans une démocratie de masse.

En fin de compte, le nom qu'ils avaient donné à leur organisation, Avant-Garde prolétarienne, symbolisait parfaitement leur erreur de perspective. Car le temps des avant-gardes était révolu; celui du prolétariat comme classe universelle également. En deux mots, ils désignaient eux-mêmes l'impasse où leur entreprise se fourvoyait. Il fallait dissoudre leur organisation clandestine, liquider l'appareil militaire qu'ils avaient commencé à mettre sur pied en vue d'actions violentes, retrouver le grand large de la société civile, de la démocratie politique, dont ils avaient sottement – criminellement ? – sous-estimé les valeurs et la vitalité.

Telles furent les conclusions auxquelles ils parvinrent, au cours de leurs discussions de l'année 1974.

Mais Daniel Laurençon s'y était violemment opposé. Il affirmait que leur attitude n'était pas le résultat d'une analyse objective mais le fruit pourri de leur pusillanimité. Il fallait continuer sur la voie tracée, disait-il, accentuer et accélérer le passage à la lutte armée, réveiller les masses par l'exemple d'une stratégie sans concessions.

C'est à ce point de leur discussion que Julien Serguet – dans leur groupe de direction c'était lui le responsable des activités clandestines – découvrit le projet de Laurençon. Celui-ci, avec un petit nombre d'irréductibles, avait préparé une série d'attentats spectaculaires, inévitablement sanglants, contre des services de police, des sociétés capitalistes multinationales et des personnalités du monde industriel et militaire.

Cette action terroriste aurait provoqué une riposte implacable des forces de l'ordre, bien évidemment. Du coup, toute possibilité de retour à la vie civile, de réinsertion dans les institutions démocratiques, leur aurait été fermée. Ils seraient acculés à l'affrontement, ne fût-ce que pour se défendre des violences policières.

Il fallait neutraliser Laurençon.

Mais ils reculaient devant les conséquences pratiques de cette décision. Devant le passage à l'acte. Neutraliser? Plus facile à dire qu'à faire. Sur ces entrefaites, Daniel rompit tout contact avec eux, ne donna plus signe de vie. Il s'évanouit dans la nature. C'est Julien Serguet qui fut chargé de le retrouver avant qu'il ne fût trop tard, avec l'aide de Pierre Quesnoy, son adjoint dans l'appareil clandestin de l'organisation.

Au cours de l'enquête qu'il mena pour mettre la main sur Laurençon, Serguet apprit un fait qu'ils avaient tous ignoré jusque-là : Daniel était le beau-fils d'un commissaire principal de la P.J. ayant trempé dans toutes sortes de barbouzeries politiques depuis la Libération. Or il n'en avait jamais parlé à personne. Même Elie Silberberg, son plus proche ami, son *alter ego* dans la bande, n'en avait jamais rien su.

Pourquoi Daniel avait-il caché cet aspect décisif de sa biographie?

Fort de son amitié pour Daniel, de la connaissance qu'il pensait avoir des moindres replis de son intimité, Elie essaya de trouver une explication plausible à ce silence ou cet oubli de son copain.

Fils posthume d'un résistant mort en 1948 des suites de la déportation, Daniel avait vu occuper la place du père par le meilleur ami de celui-ci, son compagnon depuis les années d'études à Henri-IV. Non seulement cet homme avait glorieusement survécu à la Résistance qu'il avait faite dans le même réseau que Michel Laurençon, mais encore avait-il pris la place toute chaude de ce dernier dans le lit de sa femme. N'y aurait-il pas là, demandait Silberberg, de quoi traumatiser jusqu'au silence angoissé d'une censure intime, implacable et haineuse – honteuse aussi, qui sait ? – un adolescent sensible comme l'était Daniel ?

Mais cette tentative de justification d'Elie fut repoussée par les autres. Que prétendait-il ? Qu'une psychanalyse de salon prenne le pas sur l'épaisseur historique, les motivations contondantes de la lutte de classe ? Pas question ! L'oncle Sigmund Freud fut renvoyé à ses limbes londoniens.

Il faut dire que la découverte de l'identité du beau-père de Daniel était providentielle. Elle permettait de traiter le cas d'une façon claire, expéditive certes, mais fondée sur une longue tradition révolutionnaire. Il y avait des livres là-dessus, des pièces dramatiques, des centaines de pages écrites. Sans aller chercher bien loin, dans *La Conspiration* de Nizan, qui était l'un de leurs livres de référence, il y avait justement Pluvinage, le mouchard.

Daniel Laurençon était leur Pluvinage, voilà tout.

Or on sait comment agir avec les traîtres et les provocateurs dans les organisations révolutionnaires qui veulent changer la société, le monde. Qui agissent au nom de l'homme nouveau. C'est même l'une des choses que l'on y sait le mieux ! Daniel lui-même ne leur avait-il pas rebattu les oreilles avec l'exemple de Serge Netchaïev, de son *Caté-*

chisme révolutionnaire? Eh bien, Netchaïev avait justement montré la voie à suivre, en faisant exécuter le traître Ivanov. Car l'aventurisme extrémiste de Laurençon n'était pas seulement le fruit d'une mauvaise analyse politique, mais aussi celui des manipulations machiavéliques du beau-papa flic. C'est ce dernier qui tirait les ficelles : la technique de la provocation policière est vieille comme l'Etat lui-même !

Ainsi, Daniel Laurençon, une fois retrouvé, fut condamné à mort.

Mais le sang versé ne les avait pas liés, bien au contraire. Il les avait déliés de leur folie, de leur arrogance : Daniel avait été le bouc émissaire qui leur avait permis le retour à la vie.

On en était toujours à la prière des morts en hébreu. Tête basse, Elie Silberberg écoutait les envolées gutturales du *Kadish*. Il pensa soudain à son père.

Puis les discours furent discourus, les chants chantés, les prières priées, les drapeaux repliés. La petite foule commença à se disperser. On saisissait des bribes de conversation en français, en polonais, en yiddish. La nouvelle qu'il était le fils de David Silberberg avait dû se propager parmi les assistants. Des inconnus lui disaient bonjour, venaient lui serrer la main. La fille d'une dame dont Elie ne se rappelait plus le nom, mais qui rendait encore visite à sa mère, boulevard de Port-Royal, une belle de vingt ans aux grands yeux noirs, aux lèvres pulpeuses, sautait sur l'occasion pour le questionner sur les romans qu'il avait écrits sous le pseudonyme d'Elias Berg. Elle les trouvait drôlement bien, mais drôlement osés ! Oui, disait Elie, crûment, ça baise beaucoup dans mes livres, mais c'est aussi comme ça dans la vie, non? La jeune fille rougissait, riait nerveusement, demandait tout de go si on baisait vraiment autant dans sa vraie vie à lui. La mère détournait la tête, un peu scandalisée par les propos qu'elle entendait, mais enfin, on ne sait jamais, un mariage c'est toujours bon à prendre! Elie répondait que non, hélas! Il aimerait bien, mais il était trop timide, trop romantique pour les temps qui couraient. La jeune fille affirmait qu'elle adorait les romantiques, c'était son rêve! Il en profitait pour lui susurrer son numéro de téléphone, qu'elle enregistrait mentalement, les yeux extasiés. Elie était tout étonné de sa propre audace. Mince, pensa-t-il, les jours où on me tire dessus, je sais parler aux femmes!

Maurice Zehrfluss interrompait cet aparté.

– Où vas-tu, Elie? Je peux te raccompagner?

Il avait l'intention d'aller place des Victoires, dans les bureaux d'Action, l'hebdomadaire que dirigeait Julien Serguet. Le motard n'était plus à l'entrée du cimetière, Elie venait de le vérifier d'un coup d'œil, mais il pouvait se planquer quelque part, attendant que Silberberg fût de nouveau seul.

Elie entraîna Zehrfluss à l'écart et lui expliqua son problème. Enfin, il lui en dit quelques mots, suffisants pour que le vieux lutteur s'excitât. « J'ai été suivi par un motard archisuspect, ce matin, dit Elie. Sans doute veut-on m'empêcher de témoigner dans une certaine affaire. Il faut que je gagne sans encombre le journal de mon copain Serguet. Tu t'en souviens, Maurice? Tu l'as vu à la maison, autrefois, quand nous étions encore jeunes! » Maurice riait, déclarant qu'il n'était pas gâteux. Oui, il s'en souvenait parfaitement. D'ailleurs, il était abonné à *Action*. Il appréciait les éditos de Serguet, qui arrivait à rester de gauche sans être obtus : un tour de force !

Zehrfluss adoptait maintenant un ton paternellement sévère. « T'as une raison valable pour ne pas aller trouver la police, plutôt ? » demandait-il.

Elie hochait la tête. « Une raison parfaitement valable », murmurait-il. L'affaire en question concernait le terrorisme, expliquait-il. Avec toutes les bisbilles entre les différents services policiers à ce propos, il ne savait pas à qui s'adresser pour être efficace. Serguet serait de bon conseil.

Maurice Zehrfluss était convaincu. Il rameuta quelques-uns de ses vieux compagnons, leur glissa des explications auxquelles Elie ne comprit pas grand-chose, car il parlait yiddish, très vite. Et voilà Silberberg en marche vers la sortie du cimetière et la voiture de Zehrfluss encadré par quelques survivants des groupes de combat de la M.O.I., l'œil aux aguets, les poings serrés.

Elie se rappela soudain un mot de Zapata, tout à l'heure. « Serguet est en train de partir pour Genève », avait-il dit. Un colloque sur le terrorisme, c'est vrai. Ça tombait bien ! Julien lui en avait parlé la semaine dernière. Mais Fabienne savait certainement où le joindre.

Cinq minutes après, alors qu'ils roulaient sur le boulevard Raspail, vers la Seine, le motard réapparut.

Il fut là, subitement, à hauteur de Zehrfluss, qui conduisait. Il ne regarda même pas la voiture, ne tourna même pas la tête casquée vers ses occupants. Il était là, sans plus, centaure noir, roulant à la même vitesse qu'eux, démon gardien.

Elie Silberberg cria, pour avertir Maurice Zehrfluss. « C'est lui, le voilà ! »

Quelques secondes plus tôt, après avoir franchi le carrefour du boulevard Montparnasse, la voiture était passée devant une boutique d'objets d'art africains. Elie avait pensé à Marc Liliental. Il y avait des masques nègres de toute beauté, dans l'appartement de celui-ci, place du Panthéon. Elie avait pensé à Marc, qui passait son temps aux Etats-Unis, ces derniers mois. Sans doute avait-il une bonne raison pour tous ces voyages.

L'apparition du motard l'avait tiré de cette songerie.

Elie avait crié, pour avertir les autres. « C'est à l'arrivée qu'il faut surtout faire gaffe, quand on sortira de la bagnole ! » avait répondu Maurice Zehrfluss. Il parlait à voix basse, comme s'il craignait que le tueur motocycliste saisît ses paroles.

Celui-ci tourna la tête vers eux, lentement.

Derrière l'étroite visière du casque, son regard scruta l'intérieur de la voiture. Il cherchait à repérer la place exacte d'Elie, probablement. Enfin, la place de ce type vêtu d'une longue veste de couleur verte qu'il avait vu quitter le square, aussitôt après le meurtre de Zapata.

Elie était à l'arrière, du côté de la portière de droite.

Soudain, le motard disparut de leur champ de vision. Il avait freiné, avait laissé la voiture le dépasser de quelques longueurs. Puis, accélérant de nouveau, il avait faufilé sa machine entre la voiture de Zehrfluss et le trottoir. Il fut de nouveau à leur hauteur, sur le côté droit cette fois-ci. Et il avait le gros automatique à la main, à cinquante centimètres de la tempe d'Elie.

Zehrfluss n'avait rien pu voir, occupé qu'il était à conduire. Il avait un œil sur le rétroviseur, mais c'était du côté gauche, ça ne servait à rien. Il ne put donc pas tenter de déstabiliser le motard en déportant brusquement l'automobile, pour heurter la machine.

Quelqu'un cria à Elie de se coucher. Mais ce dernier était paralysé, fasciné par le spectacle, comme la gerboise du désert par le serpent. Il regardait le canon pointé sur son crâne, se demandant s'il allait voir la vitre de la portière s'étoiler sous l'impact, comme au ciné. Assez étrange comme préoccupation.

Ce fut Ramirez qui lui sauva la vie. Plutôt : la canne de Ramirez.

Pepe Ramirez était l'un des rares survivants espagnols des détachements de combat parisiens de la M.O.I. communiste. Tous ses meilleurs copains étaient morts. On avait vu leurs visages sur les affiches nazies : fusillés au Mont-Valérien. Après 1975, Ramirez était rentré en Espagne, avait essayé d'y vivre. Il était originaire d'une petite ville castillane où il avait encore de la famille. Le premier soir de son retour, il alla s'asseoir sur un banc, pour prendre le frais. Pendant plus de trente ans, il avait rêvé de cette place ombragée : la fontaine, la façade sévère du palais épiscopal, les arbres centenaires. Il s'installa sur un banc, tout seul. Il n'avait pas souhaité qu'on l'accompagnât, cette première fois. Il avait des petits-neveux et nièces de vingt ans qui l'écoutaient raconter sa vie, sans se lasser. Et après? demandaient-ils avec insistance. L'oncle leur apportait le vent de l'Histoire, le récit épique et aventureux de l'exil espagnol. Les jeunes gens écoutaient l'histoire des années rouges et sombres, le cœur battant.

Mais Pepe Ramirez avait voulu être seul, ce premier soir. Il s'assit sur le banc de pierre, des cloches sonnaient les vêpres, quelque part. Il fut envahi par une bienheureuse envie de pleurer. Oui, pourquoi n'aurait-il pas cédé à ce trouble désir, presque enfantin, de larmes de bonheur? Mais soudain, au bout de la place, il distingua la silhouette d'une statue équestre qu'il n'avait pas connue dans son enfance. Saisi d'un pressentiment funeste, il se leva, pour observer de plus près. C'était bien ça, hélas! C'était la statue du général Franco, dressant sa courte taille sur un grand cheval de bronze, le bras tendu portant le bâton de commandement. C'était la statue du Généralissime.

Pepe Ramirez quitta la place, écœuré.

Bientôt, il comprit que personne ne songeait à déboulonner ce monument. La statue du général Franco resterait là, comme un vestige du passé, dans l'indifférence générale. Et sans doute était-ce normal, n'y avait-il rien à dire. Il ne disait rien, d'ailleurs, Pepe Ramirez. Il admettait volontiers que l'Histoire se déroulât ainsi. Que la transition vers la démocratie en Espagne n'eût pas besoin de feux de joie ni de revanche, d'autodafés d'aucune sorte. Mais c'était insupportable, néanmoins. L'idée que la statue équestre du Généralissime lui survivrait était insupportable. Il s'imagina dans le caveau de famille, mangé par les vers, il imagina sa place vide sur le banc habituel, sous le regard de bronze, immortel, du général Franco : c'était insupportable.

Il revint vivre à Paris où il n'avait de comptes personnels à régler avec aucune des nombreuses statues équestres.

Mais ce jour-là, le mercredi 17 septembre, Ramirez s'était réveillé avec une atroce souffrance à la jambe gauche. Il était coutumier du fait, ces derniers temps. Ça avait commencé par des douleurs anodines, mais persistantes, au talon. Une jeune femme qui tenait dans son quartier une consultation de pédicure et de podologie avait vaticiné la poussée d'une épine calcanéenne. Vaticination qui s'avéra pronostic approprié après les radiographies pertinentes. A l'hôpital, il avait demandé à la rhumatologue qui s'occupait de lui si ce petit os surnuméraire, cette épine calcanéenne qui lui poussait au talon ne pourrait pas, dûment traitée et cajolée, devenir une nouvelle Eve. La doctoresse avait bien ri à l'idée que Ramirez évoquait : une femme idéale sortant de son talon pendant son sommeil.

On lui avait dit qu'une fois terminée la poussée de l'épine calcanéenne, les douleurs cesseraient. Il attendait donc, patiemment, que l'Eve nouvelle finît de grandir dans son corps. Parfois, il souffrait beaucoup : sa jambe gauche en était quasi paralysée.

C'était le cas, ce matin-là. Mais pour rien au monde il n'aurait manqué l'enterrement de Max, son copain de toujours. Il prit la canne prévue pour de semblables occasions et se rendit au cimetière Montparnasse, à l'heure dite.

Et c'est la canne providentielle de Ramirez qui allait sauver la vie d'Elie Silberberg.

Dans un réflexe instantané, Pepe appuya sur le bouton de la commande électrique qui baissait la vitre de la portière et y glissa la canne dès que l'ouverture fut suffisante. D'un coup sec sur le poignet du motard, il le désarma. Le lourd automatique tomba dans le caniveau.

Au même moment, Maurice Zehrfluss se rendit compte de ce qui était en train. Il freina sèchement, en braquant. L'avant de la voiture heurta la moto. Mais le tueur était un conducteur émérite. Il parvint à garder le contrôle de sa machine, la cabra pour monter sur le trottoir, rompre le contact et filer comme une flèche par la rue de Fleurus.

Elie Silberberg sortit une seconde de la voiture à l'arrêt, pour ramasser l'automatique tombé sur la chaussée, contre le bord du trottoir. Ensuite, ils se regardèrent, un peu défaits tous les cinq. « Eh bien, s'écria Ramirez avec son accent inimitable, on est encore en état de marche, les copains! »

Ils rirent nerveusement.

IV

Le commissaire principal Roger Marroux avait branché sirène et gyrophare et roulé comme un dingue sur l'autoroute du Nord. A La Chapelle, il avait pris le périphérique Est qu'il avait quitté avant la porte d'Orléans, à la sortie du boulevard Jourdan et de la rue de la Tombe-Issoire.

Les inspecteurs Dupré et Lacourt l'attendaient square Georges-Lamarque, sur les lieux du meurtre.

« Ça concerne Netchaïev. »

Il tournait et retournait dans tous les sens cette phrase du message de Zapata. La seule phrase vraiment importante, significative. Mais on ne pouvait pas la prendre au pied de la lettre, puisque « Netchaïev » était mort, en 1974. Puisque Daniel Laurençon, le fils de Juliette, son beau-fils, était mort douze ans plus tôt, au Guatemala. Zapata avait donc voulu dire, sans doute, que son message concernait, à travers l'histoire de cette mort, le groupe de l'Avant-Garde prolétarienne. Ce qui était assez énigmatique, puisque tous les dirigeants de ce groupe s'étaient brillamment recyclés dans la société civile et le monde des affaires. A moins que l'un d'entre eux, ou plusieurs, eussent conservé des liens occultes avec les milieux terroristes?

Marrou avait hâte d'être sur place, de commencer à agir.

Autrefois, au début de sa carrière, quand on s'étonnait qu'il fût devenu policier, quand on l'interrogeait sur ses raisons, le commissaire principal Roger Marroux répondait aussitôt que c'était par goût de la philosophie. Goût contrarié, du moins en partie.

A dix-neuf ans, il avait abandonné une khâgne dont les suites s'annonçaient brillantes pour plonger dans l'aventure de la Résistance. Ensuite, on sait que ce que c'est : la vie, de fil en aiguille. En 1945, survivant d'un réseau de renseignement et d'action allié, il se trouva faisant partie d'une commission chargée d'analyser des dossiers de la Gestapo et de l'Abwehr, d'en pourchasser les agents encore en liberté et d'établir la vérité sur certaines affaires troubles de l'Occupation. Ce qui le conduisit, par commodité plutôt que par vocation, à accepter un poste temporaire dans les services du contre-espionnage de l'époque. Puis, toujours le fil à fil de la vie, à se présenter à un concours d'entrée dans la police judiciaire.

La philosophie dans tout ça ?

Roger Marroux répondait – au début de sa carrière, aujourd'hui plus personne ne l'interrogeait à ce propos – que la question centrale de la philosophie est, comme chacun sait, celle de la vérité. La seule vraie question, même, qui gouverne toute interrogation philosophique. Quitte à la rendre inutile, ou dérisoire, du moins sous sa forme métaphysique, si on parvient à la conclusion qu'il n'y a pas de critère fondé, et encore moins fondateur, de vérité. Tout au plus des critères formels de vérification.

« Donc, et c'est là que je veux en venir, disait Marroux à son interlocuteur – ou se disait-il à lui-même, soliloquant, lorsqu'on cessa de lui poser des questions – donc, si la vérité c'est bien l'essentiel, on peut comprendre le métier de flic : c'est l'un des rares où l'on s'occupe et s'inquiète encore de la recherche de la vérité, de son fondement. Où il s'agit encore – bouleversante expression ! – de faire éclater la vérité. Connaissez-vous le mot d'Aristote ? Non, ils ne connaissaient pas, ses interlocuteurs, en règle générale, le mot d'Aristote disant que nous sommes devant l'évidence des faits comme les chauves-souris devant l'éclat du jour, aveuglés ?

Faire éclater l'évidence de la vérité, même si elle nous éblouit, le cas échéant : voilà mon métier. »

L'application conséquente de ce précepte avait rendue orageuse, pleine de hauts et de bas, de bruit et de fureur, la carrière de Roger Marroux. A présent, à peu de temps de la retraite, il naviguait à vue dans les eaux calmes d'un poste de la Brigade criminelle où l'esprit d'initiative n'était pas nécessaire. Ni souhaité. Il se laissait vivre, en somme, grand personnage en dehors des normes, sur le compte de qui les jeunes inspecteurs entendaient des avis contradictoires. Mais tous admiratifs, respectueux du moins : quoi qu'on pensât de ses opinions, l'homme était légendaire.

Mais jusqu'à présent, son goût de la vérité avait été frustré, dans l'affaire Netchaïev. Ou plutôt, l'évidence des faits ne lui avait jamais semblé vraie : trop aveuglante.

En 1974, lorsque le consul de France à Ciudad Guatemala avait renvoyé les papiers de Daniel, Roger Marroux avait obtenu un congé d'un mois.

Il était parti sur les traces de son beau-fils, à l'aide des quelques renseignements que les services diplomatiques français lui avaient fournis sur place.

Etrange voyage, celui qu'il avait fait dans les régions montagneuses du pays, à l'ouest de la capitale! De Quezaltenango à Huehuetenango, gros bourgs commerçants, puis de village indien en village indien perdus dans la zone volcanique, le parcours de Daniel avait été relativement aisé à reconstituer, malgré ses itinéraires capricieux, ses va-et-vient sans rime ni raison apparentes. Avec sa stature et sa blondeur de Viking, Daniel Laurençon n'était pas passé inaperçu.

Mais personne n'avait rien à dire de lui, personne ne semblait lui avoir parlé vraiment. Oui, il était passé par là. Que faisait-il? Comment savoir? répondaient les propriétaires des bars et des hôtels, les serveuses et les femmes des marchés indiens.

Quien sabe? en effet.

Une seule chose semblait à peu près certaine. Pendant toute une partie de son périple, Daniel – *el Rubio* – avait été accompagné par un autre homme. Les descriptions de ce deuxième homme étaient totalement diverses. Et floues. Il en ressortait en tout cas que ce compagnon de voyage de Daniel s'exprimait couramment en castillan. Ce qui pouvait correspondre aussi bien à Luis Zapata qu'à Julien Serguet. Une réponse plus précise sur l'âge du deuxième homme aurait permis de trancher cette question, mais Roger Marroux ne l'obtint jamais.

A San Juan Sacatepéquez, après la procession catholique où Marroux avait vu défiler des personnages de carnaval montés sur échasses, revêtus de longues tuniques blanches, portant les masques des idoles ancestrales et coiffés de bizarres chapeaux de paille enrubannés, il avait réussi à questionner une jeune femme indienne qui se souvenait fort bien de Daniel. Elle acceptait de parler en castillan, ne se réfugiant pas, comme la plupart des témoins précédents, dans une ignorance feinte ou réelle de la langue des conquérants. Il avait fallu, cependant, que Marroux lui arrachât les mots un par un.

Oui, c'est vrai, *el Rubio* était passé à San Juan, deux mois plus tôt. Non, il n'était pas seul, un homme l'accompagnait. L'âge de cet homme ? L'âge qu'ont les hommes, en général. Non, elle n'avait jamais parlé avec cet homme. Ils étaient là, ensemble, à se balancer pendant des heures sur des chaises, au frais. Oui, il était resté quelques jours à San Juan. Pourquoi ? Comment savoir ? Il était resté, c'est tout. Pourquoi était-il en route, d'ailleurs ? Il avait été là, il était parti, comme ça. Mais il attendait quelque chose. Ou quelqu'un, c'était visible. Peut-être pas à San Juan Sacatepéquez, peut-être ailleurs, mais il avait un rendez-vous. Il s'y rendait, à sa façon, en prenant son temps, par des chemins à lui, détournés.

Rendez-vous ? Avec qui ? avait demandé Marroux. La jeune Indienne hochait la tête, refusait de parler. Finalement, elle s'était recouvert le visage avec un pan du châle brodé qui lui entourait les épaules. Seul son regard de flamme noire demeurait visible.

Con la muerte, murmura-t-elle, s'enfuyant aussitôt dans un tourbillon de tissus empesés autour de son corps souple et sensuel.

Deux semaines plus tard, Roger Marroux atteignait l'ultime étape du parcours terrestre de Daniel Laurençon. C'était à San Francisco el Alto, petite ville à près de trois mille mètres d'altitude, sur la vallée de Samalá. C'était là que celui-ci avait passé ses trois derniers jours dans une *posada* proche du quartier indien, avant de partir pour l'expédition fatale. De la fenêtre de la chambre qu'il avait occupée on pouvait voir la masse conique, souvent entourée de nuages, du volcan de Santa María.

Roger Marroux avait donné un gros pourboire au patron de la petite auberge pour qu'on le laissât se recueillir dans cette chambre. Il avait tiré une lourde chaise en bois auprès de la croisée.

Un peu plus tôt, après de longues palabres, des circonlocutions obscures et des allusions répétitives à un objet qui pourrait l'intéresser, le tenancier lui avait apporté un agenda qui avait appartenu à Daniel et que celui-ci avait laissé dans un tiroir de sa chambre, le jour où il avait péri en tombant avec sa voiture dans un précipice. La servante de l'auberge ne l'avait trouvé qu'en faisant le ménage à fond (il fallait laver à grande eau, blanchir à la chaux la chambre d'un mort : c'était la coutume) après qu'on eut déjà envoyé les effets personnels du disparu au consulat de France.

Roger Marroux s'était assis devant la fenêtre où s'encadrait le volcan couronné de flocons nuageux. Il avait ouvert l'agenda de Daniel. C'était un carnet rouge, cartonné, de format rectangulaire 11 × 18, *made in China*, où ce dernier avait noté une suite de réflexions et d'aphorismes, parfois datés, d'autres fois pas, mais qui concernaient, à de rares exceptions près, le personnage de Sergheï Genna-dievitch Netchaïev. Ou bien, à travers lui, à son propos, la question des rapports entre terrorisme et révolution.

Marroux avait lu d'une traite les notes de Daniel, comme on lit la dernière lettre d'un homme qui a choisi de se donner la mort, en essayant d'y déceler les raisons de cette décision. Mais de ce point de vue-là, le texte de Daniel était indéchiffrable, n'apportait aucune lumière nouvelle. Il brouillait plutôt les pistes, au contraire. La mort dont il était parfois question dans le carnet rouge était en effet celle dont on accepte le risque dans la lutte, celle qui nourrit de ses fastes et ses présages une aventure collective. Une mort chargée de signification, donc, bourrée de sens et de sang sacrificiel et glorieux, tournée vers la vie, vers l'épiphanie révolutionnaire. Pas du tout la mort de la défaite et du désespoir individuels à laquelle Daniel avait fait allusion dans la lettre qu'il avait envoyée à sa mère, quelques semaines plus tôt.

Roger Marroux avait refermé le carnet, avec l'impression qu'il tournait la page d'une partie essentielle de sa vie, sur laquelle il ne saurait jamais toute la vérité.

Vingt-six ans après la mort de Michel Laurençon, Daniel s'évanouissait à son tour dans le néant. Marroux était resté longtemps immobile dans la chaise au dossier raide et dur, accablé par un sentiment de culpabilité. Il n'avait pas su garder Michel en vie. Il n'avait pas su préparer à la vie le fils de Michel et de Juliette, qu'il avait aimé comme son propre fils. Et qui lui avait, jusqu'à son adolescence, rendu cet amour.

Qu'adviendrait-il de Juliette, désormais ?

Longtemps, transi d'inquiétude, il était resté devant la fenêtre ouverte sur le paysage du volcan et de la vallée de Samalá.

De retour à Paris, il était allé voir Luis Zapata, pour essayer de savoir si c'était lui qui avait accompagné Daniel au Guatemala. Mais Luis nia catégoriquement. Il ne connaissait même pas Daniel Laurençon, affirma-t-il. Le seul ami de Marc Liliental qu'il eût connu était Julien Serguet. D'ailleurs, il pouvait prouver qu'il n'avait pas quitté la France, à l'époque de la disparition de Laurençon. Et en effet, il en avait la preuve. Avec tant de détails et un tel luxe de précisions que ça devenait suspect. Ça sentait la mise en scène, toute cette histoire. Mais il n'y avait rien à faire. Marroux n'avait aucun moyen de forcer Luis à lui dire la vérité.

Ils s'étaient quittés plutôt fraîchement. Et ne s'étaient plus revus depuis lors. Plus aucune nouvelle de Zapata jusqu'à l'appel à l'aide de ce matin.

Square Georges-Lamarque, les inspecteurs Lacourt et Dupré avaient bien travaillé.

Ils avaient eu de la chance, aussi. C'était un jour faste, ça arrive! Les gardiennes d'immeuble, les promeneurs solitaires et matinaux, on aurait dit que tout le monde s'était donné le mot, aujourd'hui, pour se trouver là où il fallait au moment opportun. Les inspecteurs avaient pu recueillir plein de témoignages partiels. Mis bout à bout, minute par minute, ils composaient un tableau cohérent.

– Ce sont des femmes qui semblent avoir descendu Zapata, disait l'inspecteur Dupré. Deux jeunes femmes...

Roger Marroux avait hoché la tête.

– Ça n'a pas l'air de vous surprendre! s'écriait l'autre inspecteur.

– Non, pas tellement, disait Marroux, laconique.

– Pourtant!

On pouvait comprendre l'étonnement de l'inspecteur Lacourt. Ce n'étaient pas des femmes, en effet, qui réglaient les comptes, dans les guerres des gangs. Il ne manquerait plus que ça! Les femmes restaient au foyer ou faisaient le trottoir – parfois les deux, alternativement – dans l'empire

74

du milieu, encore plus machiste que la société dite normale. L'égalité des hommes et des femmes dans l'exercice du droit de mort et de l'assassinat considéré comme moyen d'action politique était une conquête de l'esprit révolutionnaire.

– Voyons les faits, d'abord, dit Marroux. Je vous dirai ensuite quelle est mon hypothèse.

L'inspecteur Lacourt était nouveau dans le service et il avait entendu dire le plus grand bien de son chef. Mais il faillit réagir. Sans connaître les faits, Marroux avait déjà une hypothèse? C'était inouï! Il préféra néanmoins attendre la suite.

Dupré avait sorti d'une poche son habituel carnet. Marroux le soupçonnait de n'en avoir nul besoin. Il savait par expérience que la mémoire de son adjoint était fantastique. Le carnet devait lui donner une contenance. Ou alors il avait piqué ce geste au lieutenant Colombo, ce n'était pas impossible.

– Zapata arrive dans sa Jag, à huit heures précises. Il arrête la voiture en double file, en sort, regarde autour de lui... Une gardienne d'immeuble l'a remarqué... On dirait qu'il attendait quelqu'un pour le faire monter dans sa bagnole... C'est pour ça qu'il ne l'a pas bien garée... C'est le commentaire de la gardienne...

Il tourna la page de son petit carnet à spirales. Oui, comme Colombo, c'était bien ça!

Ils étaient sur le trottoir, à l'endroit du meurtre. La Jaguar de Zapata était toujours là, mais le cadavre avait été enlevé. Des policiers passaient encore la zone au peigne fin, à la recherche d'indices, de traces de n'importe quelle sorte.

– Et puis, la gardienne a vu arriver les deux femmes, poursuivait Dupré. L'une marchait sur le trottoir, l'autre sur la chaussée... Jeunes, a-t-elle dit. Vêtues comme des hippies...

Dupré leva la tête.

– C'est le mot qu'elle a employé, commenta-t-il. Plus personne ne l'utilise à ma connaissance, mais cette dame a l'air assez vieux jeu!

Aucun des autres ne réagit à cette considération sémantique.

– Bon! Vêtues comme des hippies, avec des fringues achetées aux Puces... Là, le temps de pousser une poubelle sous le portail de l'immeuble, elle n'a plus rien vu... Mais elle a entendu trois détonations assourdies... Deux groupées, d'abord... Une plus tard, isolée... Comme des bouchons de champagne qui sautent, a-t-elle dit... Lorsqu'elle est ressortie pour prendre la deuxième poubelle, l'homme de la Jaguar avait disparu... Et les deux femmes étaient en train de monter, presque à la voltige, dans une BMW noire qui a démarré en trombe!

Il poursuivit, après un bref silence.

– Une minute plus tôt, rue Froidevaux...

Dupré faisait un geste de la tête, dans la direction qu'il venait de nommer.

– ... juste avant le débouché de la rue Boulard, les deux femmes sont descendues de la BMW... Un type qui promenait son chien les a remarquées... Leur jeunesse, leurs fringues... Sa description recoupe absolument celle de la gardienne... A part que le mec les a trouvées bien habillées... Tout à fait mode! Question d'âge et de goût... Il est plus jeune que la gardienne. Ce qui l'a frappé également, c'est que la voiture dont elles sont descendues a continué à rouler derrière elles, au pas... Il n'a plus rien vu, il marchait dans l'autre sens, vers l'avenue du Maine...

L'inspecteur Dupré rangeait son petit carnet.

– Vous permettez, commissaire? dit le jeune Lacourt.

Il se racla la gorge, intimidé. Marroux l'incita d'un geste à parler.

– On dirait que l'équipe de tueurs suivait Zapata de très près, sans prendre de précautions particulières pour passer inaperçue... Vous avez remarqué? Les filles ont sauté de la BMW pratiquement sous les yeux de Zapata! Comme si elles n'avaient pas une minute à perdre... Elles ont profité de la première occasion propice pour l'abattre... Il s'est arrêté, elles ont foncé, jouant sur l'effet de surprise... Ça n'a pas l'air d'un guet-apens, mais presque d'une improvisation!

Marroux hoche la tête, approbateur.

– C'est tout à fait possible, Lacourt! Probable, même...

Il regarda autour de lui.

– Luis était armé?

– Non, répondirent les deux inspecteurs, d'une même voix.

– Combien de balles a-t-il pris?

– Trois, dit Dupré. Deux dans la région du cœur... Une dans le crâne...

– Le coup de grâce, murmura Marroux.

Il s'ébroua.

– Nous savons que Zapata voulait me parler... Et nous savons pourquoi...

Aux derniers mots, les deux inspecteurs sursautèrent, se regardant entre eux. On savait pourquoi, vraiment?

– ... il nous reste à trouver à qui il avait donné rendez-vous ici... Précisément ici... Ce n'est pas sans raison...

Il ne s'adressait à personne, visiblement. Il pensait à haute voix.

– Vous savez pourquoi il voulait vous parler? demandait Dupré, interloqué.

Marroux commençait à marcher vers sa voiture.

– Venez, dit-il brièvement. Je vous attends dans mon bureau... On fait le point...

Lacourt le regardait s'éloigner. Il a une démarche d'acteur de western, pensait-il.

L'inspecteur Lacourt était tout excité. Il avait le pressentiment que l'affaire allait être passionnante. C'était un jeune homme, pas encore blasé. Peut-être avait-il le goût de l'aventure. Ou celui de la vérité. Pourtant, on ne jurerait pas qu'il eût lu Aristote.

V

Il était huit heures du matin, on allait bientôt sonner à sa porte.

Tous les jours, à cette heure-là, depuis que Marc Liliental était parti aux Etats-Unis, la semaine dernière, elle recevait un télégramme de lui.

Fabienne Dubreuil était dans sa salle de bain, en train de se coiffer devant une glace à pied. Nue, quasiment. Drue, dorée, seins dressés dans la fraîcheur d'une douche récente, elle ne portait que des collants d'un noir lumineux, qui soulignaient la longueur des jambes, la minceur de la taille, la courbe harmonieuse des hanches.

Elle cessa de brosser ses cheveux, rêva fugacement que c'était Marc qui allait sonner à sa porte. Rêva d'aller lui ouvrir, de s'ouvrir à lui. Des images traversèrent sa mémoire, bulles qui chatoyaient. Des images? Plutôt des sensations intimes, des pulsions corporelles, suffocantes.

Elle jeta un coup d'œil dans la glace en pied. Elle se plut. Mais elle se plaisait, à l'occasion. Sans complaisance aucune, son corps l'excitait quand il devenait double, reflet d'elle-même : elle-même.

Si belle en ce miroir, c'était vieux comme le monde, se dit-elle. On appelle ça l'éternel féminin.

Les miroirs, déjà, l'autre jour. Le premier jour.

Marc l'avait emmenée dans une maison de rendez-vous du quartier de l'Alma. Un hôtel particulier au fond d'un jardin. Le bar du rez-de-chaussée, qui semblait donner son nom à l'endroit, s'appelait *Les Rives du Styx*. Fabienne avait trouvé cela un peu précieux. Kitsch, même. Mais enfin, l'endroit était d'un luxe et d'un calme surprenants.

Dans l'ascenseur, Marc lui avait caressé d'un doigt léger l'arcade sourcilière, la tempe, le profil du visage, de la pommette au coin de la bouche. Elle s'était tournée vers lui.

– Combien de temps as-tu? demandait-il.

– Du temps?

Elle avait eu un rire bref, plutôt gai.

– Une heure, une sorte d'heure... Oui, avant d'aller au journal... C'est aujourd'hui qu'on boucle.

Une chambrière les attendait sur le palier, jeune femme que Marc avait l'air de bien connaître. Il l'avait appelée Iris. Ça lui allait bien, ce prénom, dans un tel lieu. Messagère des petits bonheurs; l'eau froide du Styx dans ses mains! Iris tenait la porte, l'observant : l'air de jauger cette nouvelle conquête de Marc, avait pensé Fabienne.

Ça l'avait irritée, soudain, l'idée des habitudes de Marc, ici. Car il donnait l'impression d'y avoir des habitudes. Bien sûr, elle ne pouvait pas supposer être la première. Qu'il inaugurât un nouvel endroit de rendez-vous pour elle. Mais elle se promit de ne pas récidiver. Il était passionnant, Marc, c'était vrai. Elle allait se donner à lui, se laisser prendre. Pourquoi pas? Elle était libre, disponible, bien dans sa peau. Petite mort, petit bonheur : on verrait bien. Sans lendemain, en tout cas. Le regard d'Iris – elle était belle, la garce, de surcroît! – la remettait à sa place. Ou plutôt : à une place qu'elle ne tenait pas à occuper, dans une série. Elle ne serait pas la dernière conquête de Marc Liliental.

La chambrière ouvrait une porte, maintenant, s'effaçait pour les laisser entrer.

A la réception, Marc avait demandé l'appartement bleu. C'était luxueux, quelque peu extravagant. Fabienne se retourna, ébahie. Marc donnait un gros billet à Iris, à la porte de l'appartement. Puis, il lui frôlait d'une main la hanche, le ventre plat, l'arrondi d'un sein. Sans doute était-ce un geste aussi habituel que le pourboire. Toutes sortes de promesses, de défis, de défaites sournoises brillèrent dans le regard de la jeune chambrière, comme un paysage luisant après la pluie, avait pensé Fabienne.

Elle avait traversé le salon, somptueusement rétro, chef-d'œuvre dans le style des années trente. Elle se tenait à l'entrée de la chambre à coucher. Alors, elle avait émis un son presque inarticulé, quelque peu barbare. Une sorte d'onomatopée de surprise joyeuse, juvénile. Houais! Quelque chose comme ça, la voix traînant longuement sur la fin, apache.

Il y avait des glaces partout, en effet. Leur couple se multipliait à l'infini.

Elle avait lancé son sac à main et son manteau sur un fauteuil, se déchaussait, envoyant promener ses souliers au bout de la pièce. Une fermeture Eclair avait glissé, la jupe tombait de ses hanches. Elle avait fait un pas, enjambant le tissu souple en tas sur le tapis. D'un geste harmonieux qui adoucissait la hardiesse du propos, elle avait enlevé son pull de cachemire. Seins nus, durs, dorés – *dur désir de durer* –, elle n'était plus vêtue que d'une culotte ouvragée, gris fumé, bien évidemment de chez *Sabbia bianca*, et de bas à jarretières, entretissées, d'un noir lumineux : noir de nuit étoilée.

Elle contemplait son image, bougeant devant les mille reflets d'elle-même, qui avaient bougé. S'était tournée ensuite vers lui, bras ballants.

Voilà, me voici, avait-elle l'air de dire, disait-elle, montrant son corps, l'offrant dans l'infini de ses reflets, le présentant comme un reflet. Elle détestait les premiers moments, Fabienne, leurs ruses, leurs rites souvent minables, les mots pour ne rien dire, puisqu'on contournait la seule chose à nommer : le désir.

Elle n'aimait pas les premiers gestes osés des hommes qui n'osent pas l'être jusqu'au bout, qui en deviennent par ce tâtonnement, cette incertitude, grivois, risquant d'assécher le désir, sentiment fragile : impérieux mais fugitif. Alors, pour couper court aux simagrées, elle faisait parfois le premier geste, brutal, sans équivoque, même au milieu d'une conversation sur Wittgenstein. Au risque de paraître facile, nympho, sauteuse et saute-au-paf, ou tout autre gentillesse utilisée par les mâles pour qualifier les femmes qui osent envahir leur territoire, se comporter comme eux, en conquérants et prédateurs, sachant ce qu'elles veulent, tout simplement. Et l'obtenant.

Me voici, avait-elle l'air de dire.

Marc avait fait deux pas vers Fabienne. Son regard brillait.

– « Black illusion », avait dit Fabienne, écartant les bras.

Elle avait l'air de mettre les mots entre guillemets, à les prononcer soigneusement en anglais.

– C'est le nom de cette marque de bas, avait-elle ajouté. Je trouve que ça tombe bien !

Ensuite, elle avait cherché un interrupteur qui lui permît de régler l'éclairage, de le réduire. D'être presque nue, sa démarche en devenait encore plus dansante, un régal pour l'œil et pour l'âme.

Fabienne avait trouvé, la lumière devint douce, s'irisa d'ombres bleues. Le contour de son corps, multiplié par les glaces, s'estompait, y gagnant en mystérieuse densité.

Une sorte d'incertitude semblait avoir envahi Marc Lilental, une tristesse sourde. Pouvait-elle comprendre que sa beauté lui semblait, à ce moment, inaccessible? Elle s'approcha de lui.

La vague avait déferlé, ils avaient roulé sous la vague, le corps sans attaches, la peau à vif, piquée de milliers d'éclats d'étoile de mer.

Ils avaient roulé sur le lit, s'écartant l'un de l'autre, se refermant comme des animaux blessés sur le déchirement de leur jouissance, l'aspirant à grandes goulées, puis revenant chacun vers le corps de l'autre, tâtonnant, se frôlant de partout, ajustant leurs membres rompus à tous les ancrages que l'autre lui abandonnait : les chevilles, l'ossature des hanches, la rondeur de la croupe, le creux de l'épaule, son sein à elle, dressé, dont il remplissait une main avide et tendre, son sexe à lui dont la force évanouie brûlait encore dans le tréfonds de son corps à elle.

Du temps avait passé.

Ils avaient murmuré des mots sans âge, démunis de précautions oratoires, dépourvus de toute espèce de vanité, de tout esprit de possession, de mesquine forfanterie; innocents comme les gestes d'une profanation originelle : fraternité de l'amour, altruiste violence de l'invention du sexe.

Du temps s'était écoulé, dans le chuchotement.

Ils étaient nus, rejetés par la vague sur la blancheur du grand lit défait, tremblants encore.

– Je t'ai détesté tout à l'heure, murmurait Fabienne.

Marc avait suivi le contour de son corps, d'une main légère, de la pointe de l'orteil au lobe de l'oreille, à la douceur veinée de la tempe.

– J'ai senti ça, disait Marc. C'était assez tonique.

Elle l'avait regardé, perplexe. Avec une bouffée d'inquiétude confuse, soudain.

– Avant de te laisser aller, de flotter dans ton plaisir, tu m'as eu l'air d'avoir un instant de révolte, en effet, poursuivait-il.

– Tu as compris ça aussi? disait Fabienne.

Non seulement mon corps, avait-elle pensé : ses joies, son avidité, le rythme de sa jouissance, son éclat, que tu es allé chercher au plus loin, à sa source, tu as compris aussi ma révolte? L'instant où j'ai eu envie de refuser ce plaisir justement qui s'annonçait?

Il s'était excusé d'un geste.

– Rien ne me passionne autant que les mystères de l'âme féminine! disait Marc en riant. Je dis bien l'âme... Le corps n'a aucun mystère... Seulement des secrets, des réflexes, des turpitudes... Le corps est une question de patience... L'âme d'intuition...

– « Et la tendresse, bordel? » avait demandé Fabienne.

En riant aussi, gouailleuse.

Il l'avait retournée sur le ventre, pour caresser son dos, ses reins.

– La tendresse est à l'origine de tout! Même de son envers, la cruauté... Quelle joie aurait-on à dominer ou à humilier un être pour lequel on n'aurait pas eu un élan de tendresse?

Elle avait frémi, autant à ses paroles qu'à son attouchement.

Il lui avait fait garder ses bas noirs. Le galbe de ses hanches en était souligné.

— La femme est-elle l'avenir de l'homme, avait-il dit, enjoué, ou l'avenir d'une illusion ? D'une *black illusion* ?

Elle gémissait sous une caresse plus pressante.

— Ou l'illusion d'un avenir ? murmurait-elle.

Elle avait mordu le drap, lorsqu'il roula sur ses reins.

Il était huit heures du matin, on sonnait à la porte. Le télégramme de Marc, voilà.

Elle rit, enfila un T-shirt de coton noir qui lui tombait à mi-cuisse. Bon, j'ai l'air d'un rat d'hôtel, désormais.

Sur le palier, ils étaient deux, aujourd'hui.

Le jeune télégraphiste, comme tous les jours. Mais aussi Pierre Quesnoy, qui dirigeait le service photo d'*Action*. Les deux hommes étaient côte à côte. Ils ne se parlaient pas, ne se regardaient pas non plus.

En revanche, ils regardaient Fabienne, avec des yeux qui se voyaient sur leur figure, exorbités.

La jeune femme prit le télégramme, glissa au préposé la pièce de dix francs qu'elle avait préparée, comme chaque matin. Le garçon tourna les talons en criant un « à demain, mademoiselle ! » cordial et complice.

Elle se trouva seule devant Pierre Quesnoy.

Celui-ci avait sous le bras un paquet de journaux. Sans doute les avait-il ramassés sur le paillasson de Fabienne. Tous les jours, en effet, le marchand de journaux du boulevard Saint-Germain, en face de *La Hune*, déposait une demi-douzaine de quotidiens devant sa porte. Un français, *Libération*, un espagnol *El País*, un allemand, la *Frank-*

furter Allgemeine Zeitung, un italien, *La Repubblica,* et deux de langue anglaise, le *Daily Telegraph* et le *New York Herald Tribune.*

— Tu lis vraiment tout ça? demanda Pierre Quesnoy, en lui tendant le paquet.

Il continuait de lorgner la silhouette de Fabienne.

— Remarque, ajouta-t-il aussitôt, avec *Libé* tu ne perdras pas ton temps aujourd'hui! Sous prétexte d'information sur le Sida, ils publient un vrai petit catalogue des positions érotiques. Tu savais ce que c'est, le cunilingus?

— C'est pour me dire des cochonneries que tu viens chez moi à huit heures du matin? cria-t-elle.

Fabienne était réellement excédée.

Elle avait hâte d'être seule, en paix, pour lire le télégramme de Marc. Les relire tous, à la suite l'un de l'autre.

L'attitude de Quesnoy changea du tout au tout.

— Excuse-moi, dit-il. C'est très sérieux! Mais tu m'as distrait... T'es vachement bandante, tu sais?

Tout en lui parlant, il lui touchait l'épaule, d'un geste qui voulait dissiper toute équivoque. Comme on touche l'épaule ou le bras d'un copain, d'un mec qu'on aime bien.

A *Action,* dès le premier jour, les rapports qu'elle avait eus avec Pierre avaient été sans équivoque. Chaleureux, confiants, intimes parfois, mais dénués de toute implication sexuelle, puisque c'est cela que l'on considère équivoque, curieusement. Comme si le rapport le plus naturel, le plus spontané entre homme et femme pouvait se qualifier ainsi. Mais sans doute est-ce vrai, d'un autre point de vue. Sans doute n'y a-t-il rien de plus riche, de plus insolite, de plus trouble – équivoque, en fin de compte – que le sexe : le plus transparent rapport entre homme et femme, dont dépend non seulement la survie de l'espèce mais aussi celle de son imaginaire, de sa culture.

– Sérieux? demanda Fabienne. Entre, alors!

Elle l'installa dans la grande pièce, alla s'habiller.

Les deux fenêtres donnaient sur la rue de l'Abbaye et les arcs-boutants extérieurs de la nef de Saint-Germain-des-Prés. Fabienne avait loué l'appartement à un vieux monsieur charmant qui était propriétaire d'une bonne partie de l'immeuble, au coin de la rue Furstemberg. Et qui possédait la plus belle bibliothèque de livres illustrés et d'éditions originales qu'elle eût jamais vue. Le vieux monsieur voulait vendre ce deux-pièces sous les combles pour s'acheter une collection de poèmes érotiques manuscrits de Paul Valéry, mais Fabienne l'entortilla tellement qu'il lui loua l'appartement à un prix tout à fait déraisonnable, bien au-dessous des normes pratiquées dans un quartier aussi prisé. Il s'acheta quand même les manuscrits de Valéry : c'était un vieux monsieur qui n'était point dépourvu de moyens.

Fabienne revenait avec du café. Elle portait une jupe et un pull à col roulé.

– Ça va mieux comme ça? demanda-t-elle. Tu débandes?

Pierre trouva qu'elle abusait un brin, à jouer avec le feu. Mais enfin, c'était de bonne guerre. Il rit avec elle.

Un an plus tôt, Fabienne Dubreuil s'était présentée dans les bureaux d'*Action*. Un secrétaire de rédaction l'avait reçue, l'avait trouvée intelligente. Belle de surcroît, ça ne gâchait rien. L'avait envoyée illico à son directeur. Pourquoi voulez-vous faire du journalisme? avait demandé Julien

Serguet, en consultant la fiche préparée par son collaborateur. Elle avait répondu avec brio, avec une pertinence agrémentée de juste ce qu'il fallait de désinvolture, une assurance sans forfanterie. Son langage lui avait plu. Pas de tics, pas de modismes, pas d'onomatopées post-modernes et passe-partout, nulle affectation ni afféterie. C'est vrai que vous êtes agrégée de philo? avait demandé Serguet, incrédule. C'était vrai. A vingt-deux ans, elle avait réussi le concours de l'agrègue, haut la main. Son premier poste avait été à Montpellier, où elle s'était retrouvée dans une terminale pleine de zombies. Un tiers d'illettrés, un deuxième tiers de débranchés, un dernier de veaux. Elle comprit très vite qu'on lui avait appris à enseigner la philosophie à des élèves censés s'y intéresser. Mais comment faire avec ceux, la quasi-totalité de la classe, qui n'en avaient rien à cirer? Rien à branler? (Fabienne devenait grossière, chaque fois qu'elle y pensait!) Qui avaient, en outre, presque le même âge qu'elle? Elle se battit, se débattit, s'évertua vaguement, se fâcha, sévit et finit par naviguer à vue dans une sorte de brouillard idéologique.

Là-dessus, au moment des vacances de février de sa première année d'enseignement, elle eut des papiers administratifs à remplir. A cette occasion, elle découvrit avec angoisse que la date exacte de son départ à la retraite était déjà fixée. Le jour et l'heure précis de l'an de grâce deux mille vingt et quelque où elle cesserait d'avoir à assurer ses cours étaient déjà inscrits au calendrier de son avenir. Prise de panique devant une vie trop balisée, trop assistée, elle démissionna pendant les vacances d'été de l'Education nationale et se retrouva à la recherche d'un boulot.

Pas pour longtemps : Julien Serguet l'avait aussitôt engagée.

A *Action*, Fabienne Dubreuil s'était fait en quelques mois une place de premier plan – elle dirigeait désormais les pages culturelles de l'hebdomadaire – sans la moindre intrigue ni vacherie. Sans avoir couché non plus avec aucun des responsables de la rédaction : une sorte de tour de force.

– Alors ? demandait-elle à Pierre Quesnoy.

Celui-ci savourait une gorgée de café. Fabienne le préparait très fort, à l'italienne.

– Il faut que je parle avec Julien, de toute urgence !

Il posait sa tasse.

– Je viens d'avoir sa femme au téléphone. Elle dormait, ne comprenait rien, comme d'habitude ! De plus en plus demeurée, la pauvre... Elle m'a raconté une salade, la voix pâteuse... Que Julien est à Grenoble, à un colloque sur les télés privées... Mais Grenoble, c'était la semaine dernière... J'en ai déduit que notre ami faisait une fugue... Et que toi seule devait savoir où le trouver, comme d'habitude !

Il y avait une pointe de jalousie dans sa voix. Fabienne regardait sa montre-bracelet.

– A l'heure qu'il est, Julien est dans un vol Paris-Genève... Pas Grenoble, Genève... Il assiste à un colloque, en effet... Mais pas sur les télés privées, sur le terrorisme...

Quesnoy l'interrompait.

– Merde, ça tombe bien !

Elle commençait à être intriguée.

– Tu veux dire quoi ?

– Il revient quand ?

– Il ne revient pas tout de suite, disait-elle. Il fait une fugue de quarante-huit heures, comme tu dis... En Suisse italienne... A partir de ce soir, après le colloque...

– Avec sa Bettina ?

Elle ne répondait pas. Ça semblait évident.

— Tu peux le joindre? disait Quesnoy, pressant.

Elle fixa son regard.

— Je peux le joindre, comme d'habitude, dit-elle avec un peu de provocation. A midi, à Genève... A Ascona, ce soir... A Lugano, demain...

— Et tu es sûre que tu ne couches pas avec lui?

— Si je couchais avec lui, Julien se débrouillerait pour que je ne puisse pas le joindre, voyons!

Ils riaient ensemble.

— Ne te sous-estime pas! s'écriait Pierre Quesnoy. T'es quand même un tout petit peu mieux et moins conne que la pauvre Engels!

En 1969, saisi par la fièvre populiste de ces années de plomb et de rêve, Julien Serguet avait renoncé à l'E.N.A., ses pompes et ses œuvres, pour aller travailler pendant de longs mois dans le nord de la France, en milieu ouvrier. Il y avait connu et épousé une jeune militante du syndicat du Textile, Suzanne Engels. Celle-ci avait ému Julien par sa blondeur souffreteuse, sa maladresse d'opprimée, qu'elle compensait par un langage d'un radicalisme flamboyant faisant merveille dans les assemblées populaires.

Pierre Quesnoy, qui vivait depuis Mai 68 dans l'ombre et le sillage de Serguet, bien qu'il fût son aîné de six ans, avait essayé de le dissuader de cette aventure conjugale, qu'il tenait pour une sottise vouée à l'échec. Lui qui était vraiment d'origine ouvrière ne comprenait rien à l'engouement de Serguet. « Mais regarde-la, Julien! Elle est moche, et triste... Je mets ma bite à couper qu'elle est chiante au lit, le genre de fille à migraines, dont les règles durent huit jours! »

Parfois, Quesnoy élevait le débat, essayait de généraliser. « Le rêve d'un vrai prolo, Julien, disait-il à son copain, le seul vrai rêve, crois-en ma vieille expérience, c'est de quitter la condition ouvrière... En la trahissant, au besoin! En la supprimant, individuellement ou collectivement, par la promotion sociale ou la révolution. Et toi, pauvre nouille, non seulement tu plonges dans le monde ouvrier – tu ne risques rien, au fond! tu peux reprendre tes billes quand tu veux, mon salaud! –, mais en plus tu veux épouser la nana la plus tarée qu'ait produite la classe ouvrière la plus arriérée de Roubaix-Tourcoing! Tu vas le payer cher, mec! »

Serguet l'avait payé cher, en effet. Surtout qu'il ne pouvait pas se résoudre à se séparer légalement de sa femme : le divorce aurait été une sorte d'assassinat.

– D'ici midi, tu peux me dire de quoi il s'agit, Pierre? demandait Fabienne.

Il hochait la tête.

– Il faut que je te dise tout de suite, même si je ne peux pas! J'ai besoin de ton aide.

Il ouvrait la sacoche de cuir qu'il trimbalait partout avec lui, bourrée d'appareils, de rouleaux de pellicule, d'objectifs de toute sorte. Il en sortait une enveloppe de papier kraft qui contenait des agrandissements photographiques.

Pierre Quesnoy s'était réveillé à six heures du matin, en sursaut. Il était trempé d'une sueur de cauchemar.

Ce n'était pas la première fois qu'il faisait un rêve analogue. Ça se reproduisait régulièrement, ces derniers temps. Mais c'était la première fois que les péripéties du rêve avaient une telle précision. Que ça allait aussi loin. La première fois aussi qu'il se souvenait de tout, même plusieurs minutes après le réveil.

Il était dans le noir, le cœur battant, il se souvenait de tout.

Ils étaient quatre ou cinq, en uniforme. Ils torturaient une femme qui s'appelait Thérèse, dans son cauchemar. Qu'ils appelaient Thérèse, du moins, les uns et les autres. Mais il savait, lui, que c'était Duras, Marguerite Duras. Non pas que cette femme qu'ils torturaient fût reconnaissable, qu'elle ressemblât à Marguerite Duras, pas du tout. Mais c'est lui, Pierre Quesnoy, qui maniait la gégène et il savait que Thérèse était Marguerite Duras.

Ils torturaient cette femme qui s'appelait Thérèse pour la faire avouer. Mais quoi ? Ils ne savaient plus, c'était horrible. Ils la cognaient, lui appliquaient du courant électrique aux endroits sensibles du corps, mais ils ne savaient plus ce qu'ils cherchaient à savoir. Ils avaient oublié. Thérèse gémissait : « Si je savais au moins ce que vous voulez de moi ! » Non, ils ne savaient plus. Mais ils savaient qu'elle devait avouer. Qu'elle avoue une vérité, n'importe laquelle. Pour qu'ils aient la paix, ensuite, elle et eux. Sa vérité ? Thérèse connaissait-elle quelque vérité cachée qu'elle aurait pu leur livrer comme un trésor ? Ils continuaient à frapper, il n'y avait rien d'autre à faire. Il n'y avait pas de fin à cette horreur.

Pierre Quesnoy se réveilla tout à fait, alla boire un grand verre d'eau fraîche. Il connaissait ce cauchemar, ses origines : ses tenants et ses aboutissants.

Pendant la guerre d'Algérie, jeune prolo dénué de conscience de classe – la chose au monde la moins bien partagée par les ouvriers modernes ! –, Quesnoy avait participé avec d'autres soldats du contingent à des équipes qui interrogeaient des suspects du F.L.N. Il avait, pour dire les choses par leur nom, assisté à des séances de torture. Il lui était arrivé d'y participer activement, pas seulement d'être spectateur. A plusieurs reprises, des sous-officiers lui avaient donné l'ordre, auquel il avait obéi, de manier la gégène lorsqu'on appliquait aux détenus le supplice de l'électricité.

Quand Julien Serguet l'avait connu, des années plus tard, une nuit de mai 1968 illuminée par la flambée des affrontements, rue Gay-Lussac, Pierre Quesnoy – qui avait été incapable de se réadapter à la vie civile, à son ancien métier de mécanicien de garage – vivait encore dans l'horreur de ce souvenir. Dans la haine de soi-même que ce souvenir provoquait et qui le poussait à saisir systématiquement toutes les occasions de gâcher son existence.

Au Quartier latin, en 68, Quesnoy faisait partie de la plèbe de révoltés et de casseurs (l'une de ces bandes devint célèbre sous l'appellation de « Katangais ») qui écumait les rues chaudes à cette époque, manifestant une haine nue de tout ordre social, un goût définitif de la destruction.

Ce soir-là, Julien Serguet le distingua dans la foule pour sa bravoure dans la bagarre. Il l'approcha, parvint à lui parler. A l'écouter, plutôt. L'une des principales qualités de Julien Serguet, en effet, était sa disponibilité aux récits des autres, sa capacité illimitée d'écouter attentivement ce que les autres avaient à dire. Ou à dédire, ou à médire. Il écoutait tellement bien, avec une telle passion, que ses interlocuteurs avaient parfois l'impression de l'avoir entendu leur dire des choses pertinentes. Son silence était d'or, en somme : vraiment parlant.

Il avait écouté Pierre Quesnoy, cette nuit-là, en Mai 68.

Jamais personne ne l'avait écouté ainsi. Jamais Quesnoy n'avait pu dire à quiconque, jusqu'au bout, jusqu'à se déchirer dans l'horreur de son propre récit, ce qu'il avait à dire : l'histoire cruciale de sa vie, autour de laquelle sa vie tournait dans l'obsession, le cauchemar d'un inutile remords, d'un sentiment stérile de culpabilité.

Depuis lors, Quesnoy avait vécu dans le sillage de Julien Serguet. Il avait réappris à vivre, à lire, à aimer, auprès de Julien. Il avait été son adjoint dans l'appareil clandestin de l'Avant-Garde prolétarienne. Habile, doué d'un doigté extraordinaire, patient et perfectionniste, Quesnoy était devenu le faussaire attitré de l'organisation. Il fabriquait de faux papiers à toute épreuve dont la réputation avait franchi les frontières françaises. Ensuite, après l'autodissolution de l'Avant-Garde, il avait suivi Serguet à *Action*, où il s'était lancé dans le métier de photographe.

Et voilà qu'il était tombé, quelques mois plus tôt, sur un livre de Marguerite Dumas, *La Douleur*. Il ne lisait pas beaucoup d'œuvres de littérature, Quesnoy. Surtout des livres d'Histoire, des documents. Ainsi, il avait lu tout ce qui avait été publié sur la guerre d'Algérie. Mais l'une des filles du standard d'*Action* lui avait prêté *L'Amant*, au moment du Goncourt. Au journal, toutes les secrétaires, les standardistes avaient mouillé pour ce livre. Bon, il avait cédé à leur enthousiasme, il avait lu. Il ne l'avait pas regretté, d'ailleurs. C'était court, c'était facile, écrit comme on parle, dégingandé : enfin, comme parlaient les filles et les garçons plus jeunes que lui et qu'il fréquentait au journal. Avec leurs tics, leurs façons de dire : pas désagréable. Cool, en somme.

Sur la lancée de ce bon souvenir de lecture, quelque temps après, il avait emprunté *La Douleur*, toujours à la copine du standard. Une grande fille épatante, qui avait des malheurs : folle amoureuse d'un type qui la faisait souffrir, délibérément. Quitte-le ! conseillaient les autres filles. Mais c'était sa vie, cet homme ! Peut-on quitter sa vie ?

Bon, *La Douleur*.

Quesnoy avait commencé à lire ces récits avec un intérêt mitigé. C'était à la fois plus rude et plus prétentieux que le petit roman précédent. Visiblement, elle ne se prenait pas pour n'importe qui, Duras. Il sursauta soudain, un soir, en découvrant un bref avertissement à deux textes groupés dans un même chapitre du bouquin : *Albert des capitales* et *Ter le milicien*. « Thérèse c'est moi. Celle qui torture le donneur, c'est moi. De même celle qui a envie de faire l'amour avec Ter le milicien, moi. Je vous donne celle qui torture avec le reste des textes. Apprenez à lire : ce sont des textes sacrés. »

Celle qui torture ? Quesnoy avait sursauté. Il avait lu le bref récit, *Albert des capitales*, avec une horreur grandissante. A la fin, il avait été obligé d'aller vomir, il était resté longtemps prostré, pantelant. Ça racontait une histoire qui se passait à Paris, quelques jours après la Libération, dans un groupe de résistants. « Depuis deux jours, ils ne se battaient plus, il n'y avait plus rien à faire au groupe. Que dormir, manger, commencer à s'engueuler à propos des armes, des voitures, des filles. » On voit le genre. Bon, on signale aux chefs de ce groupe la présence d'un type qui travaillait pour la police allemande. Ils vont le chercher, l'enferment dans leur local, décident de le faire parler. C'est un vieux, ce présumé donneur, un minable. On l'oblige à se déshabiller, on choisit des mecs costauds, qui le frappent, méticuleusement. « Ils ne frappent pas n'importe comment. Peut-être qu'ils ne sauraient pas interroger, mais ils savent frapper. Ils frappent intelligemment... » C'était écrit, Quesnoy n'en croyait pas ses yeux. Duras avait fait ça? Enfin, Thérèse. Car c'est Thérèse qui commandait, qui dirigeait la séance de torture. Mais « Thérèse c'est moi », avait écrit Duras. Fallait-il la croire? Quesnoy en avait la bouche sèche, à mesure qu'il s'enfonçait dans l'horreur sordide de cette description minutieuse de la torture.

Non pas qu'il trouvât ça indécent, qu'on écrive sur un événement semblable. Il savait bien, Quesnoy, que des choses comme ça avaient eu lieu. Les femmes tondues, les exécutions sommaires, les vengeances : il connaissait, il en avait entendu parler. Ça ne l'inquiétait pas que ça remonte à la surface, des épisodes pareils : bulles de vase dans les eaux stagnantes de l'Histoire. Au contraire, il aurait bien voulu savoir écrire, lui-même, pour raconter la gégène. Pour se libérer de ce souvenir en le mettant par écrit. Comment il avait participé, jeune soldat du contingent, horrifié mais passif, à la torture de certains suspects du F.L.N. Il aurait d'autant plus voulu écrire cela que personne ne l'avait fait. Aucun soldat du contingent, à sa connaissance du moins, n'avait écrit à ce sujet.

Non, le récit de cette horreur que racontait Duras ne l'indignait pas, en lui-même. L'histoire de cette absurdité ne le choquait pas, en elle-même. Car avouez que torturer un minable pour lui faire dire quelle était la couleur de sa carte de la Gestapo, c'est absurde. Complètement débile! Comme si les petits donneurs de la Gestapo avaient eu des cartes! Remarquez qu'elle était verte, la carte des donneurs de la Gestapo. Thérèse le savait d'avance. Peut-être avait-elle fréquenté des donneurs de la Gestapo assez complaisants pour lui montrer leurs jolies cartes, au lieu de la dénoncer. Mais elle était verte, encore une chance. De quoi aurait-elle eu l'air, Thérèse, si elle avait été orange ? La carte orange des petits donneurs de la Gestapo, chouette.

Ce n'est pas qu'elle rappelât ce souvenir ignoble qui l'horrifiait, Pierre Quesnoy. La mémoire de l'ignoble est nécessaire. Elle peut être purificatrice. Non, c'était le ton, le point de vue de ce rappel. Car Duras ne décrivait pas un souvenir ignoble, pas du tout. Sa mémoire – celle de Thérèse – était glorieuse, satisfaite, assurée de sa justice. « Il n'y aura plus jamais de justice dans le monde si on n'est pas soi-même la justice en ce moment-ci », écrivait-elle. Plus jamais de justice si on ne torture pas ce pauvre minable. Si on ne s'attribue pas le droit de faire justice, expéditive sans doute mais révolutionnaire. Bien sûr, on connaît la rengaine ! Et c'était elle, la justice, Thérèse. « Elle est petite. Elle n'a envie de rien. Elle est calme, et sent une colère calme lui dicter de crier avec calme les paroles de la nécessité puissante comme un élément. Elle est la justice comme il n'y en a pas eu depuis cent cinquante ans sur ce sol. »

Le livre lui échappa des mains, Pierre Quesnoy hurla de rage, à cette phrase.

Cent cinquante ans, en 1944, c'est facile de compter à rebours, c'est la Révolution française. Depuis 89, il avait fallu attendre que Thérèse torturât un petit salaud de donneur – et encore, rien ne permettait de conclure que ce pauvre type en était vraiment un; ce n'est pas le fait qu'il dît un mensonge à propos de sa carte de la Gestapo pour qu'on cessât de le battre qui prouvait qu'il était vraiment un donneur ! – il avait fallu attendre la glorieuse et révolutionnaire séance de torture que Thérèse avait mise en scène et par écrit pour que la justice renaisse de ses cendres, dans ce pauvre pays de France !

Pierre Quesnoy s'était précipité aux toilettes, pour vomir.

Mais le plus grave pour lui n'avait pas été cette lecture. Le plus grave avait été l'indifférence générale que son indignation provoquait. Bon, c'était du roman, de la fiction, pas de quoi fouetter un chat! Quesnoy en parlait autour de lui, faisait campagne. Il avait même écrit des lettres circonstanciées à des critiques littéraires connus, ayant rubrique fixe et pignon sur rue. Rien n'y avait fait, aucune réaction.

Même Julien Serguet l'avait déçu, à cette occasion.

Julien ne s'intéressait pas à Duras, comme écrivain. Il s'intéressait un peu au phénomène, à la mode, à l'impact : au look Duras, comme elle dirait elle-même. Il trouvait cela significatif. Il lut *La Douleur*, sur les instances pressantes de Quesnoy, il trouva dégueulasse cette apologie de la torture au nom d'une justice populaire. Et c'est tout! Mais enfin, criait Quesnoy, tu ne vas rien faire dans le canard? Manifestement, Serguet n'avait aucune intention de faire quoi que ce soit. Qui prend Duras au sérieux? demandait-il. L'autre s'étranglait d'indignation. Mais enfin, elle pérore, elle nous fait la leçon, elle interviewe le président, elle parle au nom de la gauche! s'exclamait-il. Serguet haussait les épaules. Tant pis pour le président, disait-il. Tant pis pour la gauche! Je n'en ai rien à foutre!

Et l'histoire en resta là. Mais Pierre Quesnoy en faisait des cauchemars.

A sept heures du matin, donc, ce mercredi 17 décembre, ne parvenant plus à dormir, Quesnoy passa des jeans, un pull, s'installa dans l'ancienne cuisine de son appartement, aménagée en labo-photo.

Il avait des clichés à développer. Des photos prises la veille, subrepticement, dans le hall et les salons d'un palace parisien proche de l'Alma.

A *Action*, ils étaient sur la piste d'un trafic d'armes au bénéfice de l'Iran qui faisait partie des magouilles officieuses de la grande manœuvre diplomatique tendant à normaliser les relations de la France avec le régime de Khomeiny. Serguet avait mis Quesnoy sur cette affaire, sachant qu'il pouvait avoir en lui une confiance totale, qu'il n'y aurait pas de fuites. Et ce dernier avait déjà réussi à repérer l'un des intermédiaires principaux, un homme d'affaires libanais à passeport saoudien. Quesnoy avait planqué sous toutes sortes de déguisements dans toutes sortes de bars, salons de palace, restaurants de luxe et maisons de passe idem, afin de saisir sur le vif et sur pellicule le visage de ceux que le Saoudien rencontrait au cours de ses tractations. Le dossier qu'il avait rassemblé était explosif : encore fallait-il qu'il ne leur pète pas à la gueule !

Bien entendu, Serguet avait été confidentiellement branché sur cette affaire par un commissaire divisionnaire de la section antiterroriste de la P.J., excédé par les atermoiements, les louvoiements machiavéliques et foireux de certains services officiels français, qui croyaient jouer au plus fin avec les Iraniens et qui se faisaient en réalité entuber comme des enfants de chœur.

Soudain, Quesnoy sursauta.

Ce n'était pas une image, une métaphore, une façon de parler. Il sursauta, littéralement. Au point d'en laisser tomber un flacon de produit chimique qui se fracassa sur le carrelage. Il nettoya les dégâts, en jurant atrocement.

Puis revint au négatif sur lequel il travaillait.

Il était en train de faire des agrandissements de certains détails d'un cliché pris la veille. Le Saoudien dont il suivait les pas disait au revoir à un groupe de personnes, dans le hall d'un hôtel de luxe. Par recadrages et agrandissements partiels successifs, Quesnoy essayait d'obtenir de ces visiteurs des portraits utilisables.

Et c'est au cours de cette série d'opérations qu'il lui avait semblé reconnaître une silhouette d'homme, au fond de l'image.

Debout, légèrement de profil, appuyé au comptoir de la conciergerie de l'hôtel en question, se tenait Daniel Laurençon.

De quoi sursauter, certes. De quoi en laisser tomber un flacon de verre.

Pierre Quesnoy travailla sur cette partie du cliché. Il fit des agrandissements, en noir et blanc d'abord pour aller plus vite. Mais il avait utilisé de la pellicule couleur, il y revint, une fois qu'il eût trouvé le bon cadrage.

Légèrement empâté – douze ans s'étaient passés, quand même! –, portant moustache très britannique, c'était bien Laurençon. Ou son sosie. C'était sa carrure, sa blondeur, son élégance, son sourire carnassier, pas de doute!

Quesnoy accrocha tous les agrandissements, pour les faire sécher correctement. Il revint dans son studio, se prépara du café sur un réchaud, le but arrosé d'un verre de calva. Ses mains tremblaient, le cauchemar de la nuit affleura dans sa mémoire. Tous les cauchemars de toutes les nuits affleurèrent dans sa mémoire.

C'est lui, Pierre Quesnoy, qui avait retrouvé « Netchaïev » – c'était le nom de guerre de Daniel Laurençon, à l'époque – lorsque celui-ci avait rompu le contact avec l'organisation, en 1974, pour mettre à exécution ses projets d'attentat. C'est lui qui avait réussi à repérer le domicile d'une dénommée Christine, la petite amie de Daniel. A partir de là, en collant au train de la fille, ils avaient piégé Laurençon. Le reste, l'enlever, l'enfermer dans l'une des caches déjà préparées pour y recevoir des otages de marque – « prisons du peuple », disaient-ils, quelle dérision abjecte ! – ne fut plus qu'un jeu d'enfant.

La fin de l'histoire, il n'y avait pas pris part. C'est Julien Serguet qui la lui avait racontée.

Condamné à mort par l'organisation s'il restait en France, Daniel Laurençon aurait accepté de tenter sa chance dans une guérilla d'Amérique centrale. Où il se donna la mort quelques mois plus tard.

Quesnoy avait toujours eu des doutes sur cette version de l'affaire. Du moins sur sa fin. Il pensait que le voyage en Amérique centrale et le suicide au Guatemala étaient une mise en scène destinée à cacher la vérité.

Mais enfin, d'une façon ou de l'autre, Daniel Laurençon aurait dû être mort. Il n'avait rien à faire, mais vraiment rien, douze ans après sa disparition, dans le hall d'un palace parisien !

Pierre Quesnoy mit dans une enveloppe tous les agrandissements qu'il venait de tirer. Il était sept heures et demie. Il appela Julien chez lui. Ce fut Suzanne qui répondit, vaseuse. Il n'y avait plus qu'une solution pour annoncer à Serguet cette nouvelle qui devrait le faire bondir : aller trouver Fabienne, elle savait toujours où le joindre.

VI

« FAITES écouter mon message au commissaire principal Roger Marroux... C'est urgent. Qu'il prenne contact avec moi dans la matinée... Vraiment urgent... Des vies humaines en dépendent... Ça concerne Netchaïev... Faites-le en souvenir du voyage à Madrid, commissaire! »

Marroux appuya sur une touche et interrompit le défilement de la bande enregistrée.

Le patron du service les avait convoqués tous les trois : Roger Marroux et les deux inspecteurs, Dupré et Lacourt. Il voulait se tenir au courant de l'enquête.

Il avait l'air incrédule, peut-être même scandalisé.

— Vous avez fait un voyage avec Zapata? s'écria-t-il.

Les deux inspecteurs regardaient Marroux, eux aussi. Celui-ci savait qu'ils auraient voulu lui poser cette question depuis le début. Ils n'avaient pas osé.

— Oui, monsieur, dit-il.

— Mais quand? En quel honneur?

Marroux se retint d'allumer une cigarette : jamais le matin. Il lui en coûtait particulièrement aujourd'hui.

Mais il ne se retint pas de faire un mot.

– En l'honneur de la France, monsieur. De sa liberté, du moins.

Il avait parlé d'un ton neutre. Mais il ajouta aussitôt quelques détails, ne tenant pas à irriter inutilement le Patron par trop de solennité.

– Cet épisode était couvert par le secret-défense, dit-il.

Il fit un clin d'œil à Dupré.

– Mais un quart de siècle est passé. Sauf moi, tous les protagonistes en sont morts. Ou ne valent guère mieux : à la retraite, gâteux !

L'inspecteur Dupré pouffait de rire, se reprenait. Lacourt était sidéré.

– Dites-nous, commissaire, disait le Patron.

– Il s'agissait d'une mission en Espagne, monsieur. A l'époque de l'O.A.S. On m'avait chargé d'éliminer physiquement un ancien lieutenant-colonel, l'un des chefs des commandos Delta. Ce type avait, semble-t-il, un informateur dans l'entourage même du Général, que les spéciaux ne parvenaient pas à débusquer. Et il mijotait aussi un énième plan d'attentat contre de Gaulle... Qu'on craignait beaucoup à cause de cette taupe... Bref, il a été décidé d'être radical, d'aborder le problème à sa racine... C'est-à-dire de liquider l'ex-officier félon. Et on m'a confié cette mission...

Le regard des trois autres était sur lui.

Marroux passa la main droite dans ses cheveux blancs.

Il n'avait jamais été gaulliste. Il avait méprisé la façon dont le Général s'était imposé à la France en 1958. Ou peut-être la façon dont la France s'en était laissé imposer par lui. Il n'aimait pas non plus la rhétorique nationale, ni le pathos de la grandeur. Mais dans les circonstances de l'époque, il était prêt à préserver le Général d'un attentat de l'O.A.S. Quelles que fussent ses réserves sur l'homme et sa politique, il savait bien que le Général était, pour l'heure, et pour paradoxal que cela pût paraître, le rempart de la démocratie. L'un des remparts, du moins; peut-être le plus important.

Or le critère pour juger de la légitimité d'une action formellement illégale – contraire même à la morale des jours paisibles – était bien celui-ci : servait-elle ou ne servait-elle pas à la sauvegarde – au rétablissement, le cas échéant – de la démocratie, de l'Etat de droit? Ce n'était pas plus compliqué que ça.

Marroux avait donc accepté cette mission, après réflexion.

– Mais Zapata? demandait le Patron. Pourquoi Zapata?

– Quelqu'un, je ne sais qui, ni dans quel service, a eu l'idée de me le donner pour compagnon. C'était une très bonne idée! Zapata était courageux, déterminé, avec un flair et une fougue de bête fauve. De surcroît, étant espagnol, il connaissait parfaitement la région où se trouvait la planque du type à abattre. Et il pouvait compter sur l'appui inappréciable d'un véritable clan familial...

Il sourit, à l'évocation de quelque péripétie d'autrefois.

– On a même braqué une banque ensemble, à la fin, lorsque notre expédition s'est trouvée à court de fonds... Il faut dire que Paris nous avait oubliés!

C'était pire qu'un oubli, de fait. Mais il ne voulait pas entrer dans les détails.

Le Patron et les deux inspecteurs avaient eu un rire homérique. Ils redevenaient sérieux.

– Sans Zapata, je ne m'en serais pas sorti, dans

cette putain d'Espagne franquiste, concluait Marroux.

Son chef appuya sur une touche du magnétophone. On entendit de nouveau, pendant quelques secondes, la voix de Zapata, précipitée, rauque.

– Il n'était pas facile à impressionner, le grand Zorro! dit le Patron. Pourtant, là, il a l'air de paniquer!

Marroux hochait la tête.

– Il n'avait pas tort, avouons! murmura-t-il.

Il y eut un instant de silence. A quoi réfléchissaient les autres. Marroux ne s'en préoccupait pas trop. Lui, fugacement, mais avec une jubilation qu'il n'avait pas connue depuis longtemps, se rappela le corps de Véronique.

– A votre avis, Marroux, pourquoi? disait le Patron. Luis était garé des voitures depuis dix ans. Nous en avons la certitude. Qui aurait intérêt à ranimer les guerres d'antan?

– C'est peut-être une nouvelle guerre, monsieur!

L'œil du Patron fut aussitôt aux aguets.

– Vous avez une idée? demanda-t-il.

– J'ai une sorte d'idée... Et des indices...

Marroux refoula de nouveau une envie de fumer. Mais il était dix heures du matin, trop tôt pour se laisser aller.

– Le premier indice. Davantage même : il s'agit d'une véritable indication... c'est Zapata lui-même qui nous l'a fourni...

Marroux manipula les touches du magnétophone, choisit le passage qu'il voulait faire entendre.

Ça grésilla, on entendit la voix de l'ancien truand.

– « ... des vies humaines en dépendent... Ça concerne Netchaïev... »

– Ah oui, justement! s'écria le Patron. Je voulais vous demander... C'est qui, Netchaïev?

Roger Marroux n'avait pas envie de parler de Daniel. Pas encore, en tout cas. Il ne souhaitait pas que son lien personnel avec ce « Netchaïev » apparût dès l'abord.

Tout à l'heure, en quittant la maison de Saint-Leu, Marroux avait cherché le carnet rouge que Daniel avait oublié douze ans auparavant dans sa chambre de San Francisco el Alto. Oublié? Soudain le cœur de Roger Marroux se mit à battre très fort. Et si Daniel n'avait pas oublié le cahier rouge? S'il l'avait laissé délibérément, comme un message? Il devait supposer que Marroux viendrait à sa recherche, le contraire eût été impensable. A la recherche de ses traces, du moins. Il avait peut-être laissé le carnet rouge pour que Marroux le trouvât, pour qu'il sût à quoi s'en tenir. A quoi, en effet? Il fallait relire les notes du carnet attentivement, dans cette nouvelle optique.

Il porta sa main droite vers la poche intérieure de sa veste de tweed irlandais. Le carnet de Daniel y était, il l'avait emporté, ce matin. Ce n'était sans doute pas le moment d'y jeter un œil.

– Serghëi Gennadievitch Netchaïev, dit-il d'un ton neutre, était un révolutionnaire russe du XIXᵉ siècle... Un jeune nihiliste, ami de Bakounine...

Mais son chef l'interrompait, interloqué.

– Du XIXᵉ siècle, Marroux! En quoi ça nous concerne?

En tout, faillit-il répondre. Mais c'était vrai qu'il avait des raisons particulières de s'y intéresser, depuis longtemps.

C'était Daniel qui avait introduit Netchaïev dans la vie de Roger Marroux. Dans la vie, vraiment. Comme un contemporain vivant, obsédant. Qui finit par vous fasciner. Comme peut parfois vous fasciner l'idée du mal.

Avant, Marroux avait déjà quelque idée de Netchaïev, forcément. Il en était question dans les histoires du XIXᵉ siècle. Karl Marx y avait consacré toute une partie de la brochure destinée à combattre les idées de Bakounine dans la Première Internationale, en 1873. Que Marx avait écrite en français, d'ailleurs : *L'Alliance de la démocratie socialiste et l'association internationale des travailleurs*. Le titre de la traduction allemande par Kokosky était bien plus explicite : *Ein Complot gegen die Internationale Arbeiter-Assoziation*. Quoi qu'il en soit, Marx consacrait toute une partie de ladite brochure à une attaque en règle contre Netchaïev, considéré comme l'exemple même du faux révolutionnaire, l'incarnation néfaste de la folie destructrice du terrorisme et du putschisme. Plus tard, bien plus tard, Albert Camus avait lui aussi parlé de Netchaïev dans l'un des chapitres de *L'Homme révolté*. Et puis il y avait eu le bouquin de Venturi, la correspondance et les papiers de Bakounine à propos du jeune nihiliste, dont il avait été pendant plusieurs années quasiment amoureux.

Quatre ans après la disparition de Daniel, en 1978, c'est à cause d'Aldo Moro que le commissaire Marroux s'était de nouveau occupé de Serghéï Gennadievitch Netchaïev.

Sur commission rogatoire de la justice romaine, il avait, en effet, à l'époque de l'enlèvement du chef de la démocratie chrétienne, recherché des Italiens soupçonnés d'y avoir participé et probablement cachés en France. Un jour, dans un document, Marroux avait appris qu'Aldo Moro, peu avant son enlèvement, avait décidé d'étudier dans son ensemble la question du terrorisme politique.

A cette fin, il avait établi pour l'un de ses secrétaires une liste d'ouvrages qu'il souhaitait qu'on lui procurât.

En tête de cette liste, Moro avait placé *Les Possédés* de Dostoïevski.

Roger Marroux avait repris dans sa bibliothèque un exemplaire du roman. C'était une édition reliée – où le livre s'appelait d'ailleurs *Les Démons*, les deux titres étant usuels – qui avait l'avantage de contenir aussi les carnets tenus par Dostoïevski pendant son travail d'écriture.

Il avait seize ans lorsqu'il avait lu ce roman pour la première fois. C'était l'âge normal pour le lire. « Comme la découverte de l'amour, comme la découverte de la mer, celle de Dostoïevski marque une date mémorable de notre vie. Elle correspond généralement à l'adolescence : la maturité cherche et trouve des écrivains plus sereins. »

Cette opinion de J. L. Borges, Marroux la connaissait et y souscrivait entièrement. Mais en 1939, pendant les grandes vacances, juste avant que n'éclatât une guerre mondiale – « Adieu, vive clarté de nos étés trop courts... » – quand il avait dévoré *Les Démons*, Marroux ne s'était pas intéressé au personnage historique de Netchaïev, au fait divers réel de l'assassinat de l'étudiant Ivanov et du procès postérieur qui avaient inspiré Dostoïevski. Il s'était contenté de la réalité sombre et rutilante de la fiction romanesque. L'intérêt pour les sources, pour les fictions et métaphores de la réalité, n'est pas une affaire d'adolescents.

Mais depuis que Daniel avait introduit Netchaïev dans sa vie, Roger Marroux n'avait cessé d'y penser.

– En quoi ça nous concerne ? disait-il. D'une certaine façon, monsieur, Netchaïev incarne mieux que d'autres personnages comparables, et ce malgré la distance historique, les circonstances bien différentes, la figure du terroriste moderne. L'ancêtre, en quelque sorte, des hommes des Brigades rouges ou d'Action directe. On lui attribue un texte, le *Catéchisme du révolutionnaire*, qui pourrait presque avoir été écrit hier, par l'un de nos marxistes-léninistes !

Marroux écarta d'un geste de la main ces considérations.

– Mais ce n'est pas le plus important, poursuivit-il. Du moins dans le cas concret qui nous occupe... « Netchaïev » était aussi le surnom d'un militant d'extrême gauche, au début des années soixante-dix... Il appartenait au groupe de l'Avant-Garde prolétarienne, dissous par le ministre de l'Intérieur, et qui avait continué à agir dans l'illégalité... Ils prônaient la lutte armée contre la bourgeoisie impérialiste... Enfin, toutes ces sanglantes sornettes. Et Luis Zapata a été en rapport avec eux, précisément...

Ils ouvraient de grands yeux, les trois autres.

– Zapata ? En contact avec les gauchistes ? s'écriait le Patron.

Alors, Marroux disait en quelques mots l'histoire de l'Avant-Garde. Juste l'essentiel, sans entrer dans les détails ni les liens familiaux. Il insistait, en revanche, sur l'amitié entre Luis Zapata et Marc Liliental, dit Laloy, depuis leur séjour en prison.

– Laloy ? s'exclamait le Patron. Le type de *Média-Monde* ? Il a été en prison ?

Il n'en revenait pas. C'est vrai qu'il était trop jeune pour avoir vécu cette époque à un poste assez important pour en connaître ce genre de détail.

Marroux racontait : en 1970 ou 71, il faudrait vérifier la date exacte, Luis était en prison, à la Santé. Il venait de tomber une nouvelle fois pour un hold-up sensationnel, dont il n'était peut-être pas coupable. Mais on ne prête qu'aux riches. En tout cas, il avait fait parvenir un message à Marroux (Déjà, vous voyez!) : « Commissaire, je n'y suis vraiment pour rien (hélas!). Mais vos collègues de la Criminelle sont comme des chiens enragés. Parlez-leur, en souvenir de notre voyage à Madrid. » (Décidément! s'exclamait le Patron. C'est un voyage dont il n'arrêtait pas de se souvenir!) Marroux s'enquit de l'affaire, en effet, mais ses collègues l'envoyèrent rudement sur les roses. De toute façon, ce voyage à Madrid avec Zapata, il ne pouvait pas en faire état : c'était classé secret-défense.

C'est à cette occasion que Luis connut en prison Marc Lilienthal. Ce dernier était l'un des dirigeants de l'Avant-Garde prolétarienne. Il avait fait quelques mois de préventive, en attendant un procès qui n'eut jamais lieu, les poursuites étant finalement abandonnées. Et Luis était ce qu'il était : le grand Zorro, comme on disait, à l'apogée de son pouvoir dans l'empire du milieu.

Tous les témoignages indiquaient que les deux hommes avaient été séduits l'un par l'autre. Le grand caïd qu'était Zapata, son autorité naturelle sur les événements, les détenus et les matons; ses pyjamas de soie et ses flacons de Guerlain; ses foucades généreuses; ses femmes, nombreuses, éplorées et fidèles : toute sa vie flamboyante avait épaté Marc Laloy.

Fils de petits commerçants de la rue du Roi-de-Sicile, celui-ci avait essayé de rompre par les voies de l'utopie planétaire de la révolution avec une mémoire juive qui lui semblait étriquée, étouffante, parce qu'elle dilapidait – pensait-il, déraciné, mais refusant, abhorrant même, ses seules racines possibles – en piécettes de petits malheurs familiaux, de moroses lamentations, l'héritage du grand désastre historique de la Shoah. Il finit par en chasser le souvenir, pour ne pas avoir à en dégager du sens. Ni une éthique personnelle. Zapata, lui, était au-delà de cette angoisse innommable de chaque instant; ailleurs, dans une autre vie étrangement plus calme, malgré les risques pris, parce que le vent de l'Histoire n'y soufflait point.

Quant au grand Luis, il apprit de Marc, avec émerveillement, que sa truanderie était une révolte justifiée contre une société injuste, à détruire de toute façon, quoi qu'il arrive, sans commisération. Son goût du risque, des armes, du quitte ou double, devint par la grâce des discours de Marc une pulsion de destruction fondamentale et fondatrice, qui anoblissait ses instincts les plus maléfiques. Ainsi, Luis admira l'aisance de son nouvel ami dans l'univers obscur des signes. Il l'écouta refaire le monde, des heures durant, avec un délice inédit.

Plus tard, une fois tous les deux en liberté – il s'avéra que Luis n'était pour rien, en effet, dans ce fameux braquage –, ils restèrent liés. Roger Marroux était convaincu que c'était Liliental qui avait aidé Zapata à se reconvertir, à quitter définitivement le monde du grand banditisme pour celui des affaires, dans le maquis duquel ce n'étaient plus les inspecteurs de la Criminelle mais seulement ceux du Fisc qui trouveraient désormais quelque chose à élucider, ou à redire, à son sujet.

– Vous allez interroger le plus vite possible ce « Netchaïev », j'imagine, Marroux? demandait le Patron, après un silence.

– « Netchaïev » est mort, monsieur! Il y a douze ans... Suicidé...

– Mais alors? A quoi rime le message de Zapata?

– Je pense, disait Marroux, qu'il a voulu me faire comprendre que ça concernait l'Avant-Garde prolétarienne... Les survivants de sa direction.

Il hésitait une seconde.

– Le vrai nom de « Netchaïev » était Laurençon, Daniel Laurençon... Quant aux quatre autres... Marc Laloy est aux Etats-Unis depuis huit jours... Il semble qu'il va rentrer demain... Julien Serguet, lui, a quitté Paris ce matin même pour Genève... A l'heure du meurtre, il était à Roissy... Il nous reste à connaître les alibis d'Elie Silberberg et d'Adriana Sponti...

Le Patron sifflotait entre ses dents.

– Les alibis? s'écriait-il. Allez-y doucement, Marroux! Faites gaffe où vous mettez les pieds!

Il approuvait son chef du chef, Marroux. Certainement, il ferait gaffe, il avait affaire à du beau linge, il le savait. Il n'en pensait pas moins. Ça faisait douze ans qu'il essayait de faire éclater la vérité de cette affaire. Tant pis si le reste éclatait avec!

VII

Le ciel d'hiver était d'un bleu profond. Lapis-lazuli, pensa-t-il.

Marc Liliental sourit, se souvenant de Béa. Non, elle détestait qu'il l'appelât ainsi. Béatrice, sa fille de quatorze ans. « Ma petite merveille, ma princesse. » Quelques jours avant son départ pour les Etats-Unis, Béatrice lui avait lu une dissertation qu'elle venait d'écrire. A Henri-IV, la professoresse de français de la classe de troisième avait demandé à ses élèves de commenter des mots dont la sonorité les aurait émus, inspirés, séduits, avant même d'en connaître le sens exact. Et Béa – Béatrice – avait divagué fort joliment sur une série de mots, à commencer par « alizés » et terminer par « lapis-lazuli », avec « Alyscamps » au beau milieu.

Lapis-lazuli, le ciel de décembre au-dessus de la petite ville d'Ellsworth, dans le Maine, U.S.A., à huit heures du matin. Transparent et diaphane comme le saphir des sphères célestes dans *Le Livre de la connaissance* de Maïmonide. Il sourit. Fabienne est en train de lire mon télégramme, pensa-t-il. Elle a dû le recevoir à l'instant. Mais non. J'oublie le décalage horaire. Il est déjà quatorze heures à Paris !

Il fut troublé à l'idée que Fabienne était beaucoup plus près que lui du rendez-vous qu'il lui avait donné pour le soir même. Elle était déjà à mi-chemin de cette journée d'attente; il l'avait encore tout entière devant lui! Tous les jours, il avait envoyé à Fabienne un télégramme, pour qu'elle le reçoive le lendemain, vers huit heures. Dans son dernier message, il lui annonçait qu'il avançait son retour, lui donnait rendez-vous pour souper, chez *Lipp*, aujourd'hui, le mercredi 17 décembre.

Marc Lilienthal traversa la rue centrale d'Ellsworth. Il faisait un froid sec. La *gazoline alley* était bordée de stations-service, supermarchés, magasins de fringues, de meubles, d'électro-ménager, de vidéo-cassettes : l'Amérique profonde du ciné, en somme. Il voulait entrer une minute dans la librairie-papeterie qui portait le nom approprié de *Mister Paperback*, pour y acheter des cartes postales que Béatrice lui avait demandées. Le magasin faisait partie d'une chaîne. Une demi-heure plus tard, à l'aérogare de Bangor, il constaterait qu'il y avait la même. Une autre, plutôt, avec le même nom.

En ressortant, son regard fut attiré par un rayon où s'exposaient des ouvrages de philosophie en format de poche. Il y fureta, en sortit certains pour les feuilleter et, oubliant qu'il était pressé, tomba sur un volume qui portait un titre délicieux : *Portable Plato*!

Il rit tout seul, constata que le choix des dialogues rassemblés dans ce Platon portatif était fort judicieux, lut la brève introduction au *Gorgias*.

Soudain, il eut une sorte d'éblouissement.

Il ne sut plus où il était, ni avec qui, ni qui lui-même, ni à quel âge de la vie. Comme si tous les systèmes de référence s'étaient évanouis. Il n'y avait plus que cette chose molle, visqueuse, informe : la vie. La certitude d'exister, brutale mais brute, remplie d'une vacuité totale, ne menant à rien. A rien d'autre qu'elle-même : la vie toute bête.

Ensuite, sortant de cette espèce de gouffre, d'immobile tourbillon, il se retrouva rue d'Ulm.

Mais ce n'était pas un souvenir, une évocation de la mémoire, le temps retrouvé. Pas du tout, il était rue d'Ulm, au présent, comme on est présent dans la réalité d'un rêve. Et il assistait à un séminaire sur Platon, avec Elie Silberberg et Daniel Laurençon.

Daniel venait de se tourner vers lui, mais il n'avait pas de regard. Pas de visage, même. Il savait que c'était Daniel, aucun doute à ce sujet. Mais il ne voyait qu'une surface rugueuse, à la place des traits de Daniel. Comme de la pierre ponce, de la lave refroidie.

Alors, dans la lumière aveuglante de ce présent parfait – qui voilait les images du réel, autour de lui, comme si on avait ouvert par mégarde ou maladresse la chambre noire d'un appareil photographique –, dans la lumière crue de ce souvenir – il fallait bien se résigner à l'appeler ainsi, faute de mot mieux ajusté –, alors, une prémonition angoissante battit la chamade : l'innommable certitude du malheur.

Il s'ébroua, fit un effort acharné pour reprendre pied, ses esprits. Il agit sur lui-même comme lorsqu'on serre le mors d'un cheval fantasque, durement.

Les mains tremblantes, il remit le Platon de poche sur l'étagère.

A l'aérogare de Bangor, avant de prendre le petit avion de la Bar Harbor pour Boston, il téléphonerait à Béa. Béatrice ! Elle ne va pas au lycée, aujourd'hui, elle doit être à la maison, cet après-midi.

Tout avait commencé une semaine plus tôt, le 10 décembre.

En tout cas, lorsque le commissaire principal Roger Marroux enregistra son témoignage, dans la chambre d'hôpital, c'est par là que Marc Liliental, dit Laloy, commencera son récit. Il n'hésitera pas. Il commencera à parler d'une voix précise, morne parfois à force de détachement, parfois se précipitant sous le coup de l'émotion rétrospective, des événements de ce jour-là.

Pourtant, ce n'est pas le 10 décembre que cette histoire avait commencé. Il n'est pas toujours facile, certes, de dater avec exactitude le commencement d'une histoire. Y a-t-il, d'ailleurs, un commencement absolu, indiscutable, à quoi que ce soit ? Le fait n'en demeurait pas moins que leur histoire – celle de leur groupe, de la mort de Daniel Laurençon, dit « Netchaïev » – ne commençait sûrement pas le 10 décembre 1986.

C'est par là qu'il commença son récit, néanmoins. Par ce jour où le fantôme de Daniel était revenu les hanter.

La porte de sa chambre à coucher s'ouvrit tout doucement, vers huit heures moins le quart, ce matin-là. Il s'y attendait un peu. Depuis que Béatrice était venue vivre avec son père, l'année de son entrée en sixième, elle n'oubliait jamais de fêter son anniversaire.

Le 10 décembre était le jour de l'anniversaire de Marc Liliental.

Béatrice s'assit sur le bord du lit. Elle avait deux paquets à la main. L'un, d'après le format, contenait un livre. Une rose rouge y était fixée par un

118

petit bout de ruban adhésif. L'autre était plus grand. Plus plat aussi.

– Celui à la rose, c'est moi, disait Béatrice. L'autre, c'est maman. Elle l'a apporté hier.

Adriana Sponti n'oubliait jamais non plus de fêter son anniversaire.

Béatrice le regardait ouvrir ses cadeaux. Marc commença par le sien, bien entendu.

– Ça fait quoi, d'avoir quarante ans? demanda-t-elle.

Ça fait dix ans de moins que quand on en a trente. Vingt ans de moins que quand on en a vingt. Car Marc ne comptait jamais les années passées, il ne comptabilisait que celles à venir. Chaque anniversaire lui grignotait douze mois de vie. Douze mois de projets, d'actions, de rêves, de recommencements disparaissaient de son avenir.

– Ça ne me fait rien, mentit-il. Je commencerai à vieillir quand tu auras quarante ans, toi! Pas avant!

Il avait ouvert le premier paquet.

Ce n'était pas un livre, mais trois. Les trois petits volumes de l'*Histoire populaire et parlementaire de la Commune de Paris*, par Arthur Arnould, publiés à Bruxelles, en 1878, à la Librairie socialiste de Henri Kistemaeckers.

Marc avait rassemblé au cours des années une bibliothèque remarquable sur la Commune et, plus généralement, sur l'histoire des mouvements sociaux au XIXe siècle.

– Formidable! dit-il, en embrassant sa fille. Tu m'as donc entendu l'autre jour commander ce bouquin à Magis?

Soudain, il fronça les sourcils.

– Dis donc! Ça ne doit pas être donné... Où as-tu trouvé le fric?

Elle prit son air revêche mais répondit la vérité.

Elle répondait toujours la vérité. Pas par goût irrépressible de celle-ci, ni par réflexion morale. Tout bêtement parce que c'était plus simple, elle en avait fait l'expérience.

– Je t'ai piqué le blé nécessaire... Trop cher pour moi, en effet!

Il se retint de rire.

– Tu piques comment? En me faisant les poches?

Elle haussa les épaules.

– Même pas! Tu laisses traîner du fric partout, mon vieux! Surtout dans ta salle de bain. Alors, j'économise sur ton dos depuis quinze jours pour t'offrir un cadeau!

Ils prirent leur petit déjeuner ensemble, dans la chambre paternelle. La journée commençait bien.

Mais le 10 décembre n'était pas seulement le jour de l'anniversaire de Marc Laloy. C'était aussi celui où une manifestation de lycéens était convoquée pour protester contre les brutalités policières qui avaient provoqué la mort d'un jeune homme, au Quartier latin, dans la nuit du 5 au 6 décembre.

Marc savait que sa fille allait y participer. Il lui recommanda la prudence.

– Ça veut dire quoi, d'être prudente, demanda-t-elle, quand on est dans la rue, avec des milliers de copains, et qu'on a raison d'y être?

Il l'observa à la dérobée, en buvant une tasse de café.

– Tu en as parlé avec ta mère? Que t'a-t-elle dit?

Elle balaya les paroles de sa mère d'un geste contondant.

– Des conneries!

– Mais encore? insista-t-il.

– Elle m'a dit que je ferais mieux d'étudier mes leçons!

– Et tu lui as répondu par une insolence...

– Par une vérité! s'écria Béatrice. Je lui ai dit que ce n'était pas la peine de vouloir la révolution en 68 pour me parler maintenant comme une bourgeoise du seizième!

– Ta mère déteste le seizième, dit-il, placide.

Béatrice éclata de rire.

– C'est ce qu'elle m'a dit... Je déteste le seizième et n'y mets jamais les pieds, m'a-t-elle dit. Et puis les temps ont changé, a-t-elle conclu.

– Oh non! s'écria-t-il. C'est toujours toi qui as le dernier mot. C'est toi qui as dû conclure! Par quelle nouvelle insolence?

Béatrice regarda son père avec tendresse. Il comprenait tout, lui.

– Je lui ai demandé si c'étaient les temps qui avaient changé ou les révolutionnaires!

Bonne question, en effet, pensa Marc Laloy.

Il but encore une gorgée de café, regarda sa montre.

– Il faut que je prenne ma douche, que je m'habille... J'ai plein de trucs, aujourd'hui... Mais nous dînons ensemble, tu n'oublies pas? Je prends le Concorde pour New York, demain matin.

Il se leva de la table du petit déjeuner, posa la main sur la tête de sa fille.

– A mon retour, dit-il d'une voix songeuse, je te promets : je te parlerai des révolutionnaires...

Il était déjà à mi-chemin de la porte de la salle de bain lorsqu'il entendit la voix de Béatrice, dans son dos.

– Tu n'ouvres pas le cadeau de maman?

Il se retourna, essaya de contrôler sa voix.

– Rien ne presse, non? Il ne va pas s'envoler!

Béatrice trouva cette repartie vulgaire, carrément. Ça l'étonnait d'un homme aussi intelligent. Elle ne pouvait soupçonner que Marc craignait d'ouvrir le paquet devant elle. Il avait eu l'impression, en le tâtant, qu'il s'agissait d'une photographie. Elles n'étaient parfois pas à mettre sous des yeux enfantins, les photographies qu'ils avaient faites, Adriana et lui, autrefois. Et Adriana était assez perverse pour lui envoyer une photo de ce genre, afin de fêter à sa façon ce jour d'anniversaire.

– Tu ne veux pas ouvrir ce paquet devant moi... Dis-le carrément! s'écriait Béatrice, vexée.

Il haussa les épaules, prit le risque de l'ouvrir devant elle.

Béatrice remarqua qu'il devenait livide, que son regard noircissait, dès qu'il eut enlevé le papier.

– Je peux voir? demanda-t-elle.

Il lui tendit l'objet, d'un geste brusque.

C'était un agrandissement photographique, en noir et blanc, dans un encadrement de bois précieux. En le saisissant, Béatrice remarqua qu'il y avait une inscription manuscrite, au dos. Elle reconnut l'écriture de sa mère.

– « C'étaient cinq jeunes gens qui avaient tous le mauvais âge, entre vingt et vingt-quatre ans », lut-elle à haute voix.

– « ... l'avenir qui les attendait était brouillé comme un désert plein de mirages, de pièges et de vastes solitudes... »

Son père avait fini de dire la phrase qu'elle avait sous les yeux. Sa voix était étrangement modulée, friable, comme travaillée de l'intérieur par quelque sombre souffrance.

Elle le regarda.

Marc – elle appelait toujours son père par son prénom; ou alors elle l'appelait « mon vieux », « mec », « toi », n'importe quoi sauf « papa »! –,

Marc était debout, figé, le visage hostile, les poings serrés dans les poches de sa robe de chambre.

Ils étaient tous les cinq sur cette photo. Ils avaient le mauvais âge, en effet. C'était en Bretagne, près de Fouesnant, l'été 1969. Ils étaient venus ensemble de Paris, par le train. Ils avaient exulté, en constatant que le car qu'ils allaient prendre pour aller de la gare de Quimper à Fouesnant appartenait à l'entreprise d'un certain Le Mao.

Adriana Sponti avait les épaules nues. Elle avait proclamé, enjouée : « Une étincelle peut mettre le feu à toute la lande! » Et Silberberg avait ajouté que c'était bien pratique d'avoir sous la main un double, et tant pis si ce n'était qu'une pâle copie platonicienne du Grand Timonier! Ils avaient beaucoup ri, pendant quatre semaines. Beaucoup travaillé, aussi. En réalité, ce n'étaient pas des vacances, malgré leur allure désinvolte et leur bonne mine. A Fouesnant, c'était surtout une réunion de travail. Ils avaient potassé la théorie de la violence révolutionnaire, de la guerre de partisans. Daniel était déjà le plus acharné, le plus systématique. Deux fois par semaine, ils avaient participé également à des stages pratiques : maniement d'explosifs, tirs réels dans une carrière de sable abandonnée avec les Smith et Wesson que leur avait fourgués le père d'Elie, falsification de documents d'identité.

Le train-train, en somme.

– Qui c'est, lui, là? demandait Béatrice.

Lui, là, c'était Daniel Laurençon, au centre de leur groupe, cheveux au vent, corps souple, dans la splendeur de sa blondeur virile.

– Je connais tous les autres, pas lui! Il est drôlement beau! Qui c'est, Marc?

– Personne, dit celui-ci.

Il fit un effort pour se reprendre.

– Il est mort, Béatrice... Nous n'en parlons jamais... Laisse-moi maintenant, il faut que je m'habille.

A Bangor, il n'avait pas réussi à joindre Béatrice. La ligne téléphonique de l'appartement parisien, place du Panthéon, était tout le temps occupée. Sa fille devait parler avec des copines, c'était insupportable!

Marc Liliental aura regardé à ce moment le commissaire principal Roger Marroux, qui enregistrera son témoignage assis au chevet de son lit d'hôpital. Ce dernier avait-il bien compris? Mais oui, le policier suivait très bien son récit. Il avait compris que nous voilà revenus à la journée du 17 décembre, celle du voyage de retour vers la France, où Marc va retrouver Fabienne Dubreuil, chez *Lipp*, le soir.

Celle, surtout, où Luis Zapata a été assassiné.

A Bangor, il avait fallu que Liliental abandonne la cabine téléphonique. Le petit bimoteur à hélices de la Bar Harbor Airlines n'attendait que lui pour décoller. Il monta à bord. Il n'y avait que trois autres passagers. Et les deux pilotes, bien entendu. L'avion vrombit, vibra, trépida, finit par prendre son vol. Une fois dans l'atmosphère limpide et dense, il sembla flotter comme un oiseau.

Marc se pencha au hublot, fut saisi par la beauté du paysage.

Ils survolèrent la baie de Penobscot, bientôt. Il distingua les îles, qu'il connaissait toutes par leurs noms, parfois français. L'Isle-au-Haut tourna sous l'aile du bimoteur, lorsque celui-ci prit le cap sud-sud-ouest.

Une émotion incongrue lui serra la gorge. Il

s'étonna de tant de moiteur sentimentale à contempler la côte du Maine qui s'éloignait, avec ses forêts, ses rivières, ses blanches maisons de bois, les voiles de ses bateaux, les criques de ses îles innombrables.

Et in Acadia ego, murmura-t-il. Il ferma les yeux.

Autrefois, Elie Silberberg prétendait qu'il ne pouvait réfléchir qu'allongé. Réfléchir vraiment, du moins. Qui n'a rien à voir avec les vagues pensées, les pensées par vagues qui vous assaillent ou vous traversent l'esprit à tout moment. Non, réfléchir : créer des idées nouvelles pour saisir une réalité qui change. Ça limitait les possibilités, sans doute, les occasions de réflexion claire et distincte, ce besoin d'être allongé. Ou ce goût. On n'avait pas toujours sous la main un vieux Chesterfield où s'étendre. Ou alors, l'avion. En avion, ça marchait aussi, mieux même qu'allongé. Si j'en avais les moyens, disait Silberberg, je prendrais l'avion chaque fois que j'aurais un problème à résoudre, de n'importe quel ordre. Même d'ordre existentiel, le moins soluble de tous. D'une heure à une heure trente de vol, durée idéale. Paris-Nice, par exemple, c'était parfait. A l'atterrissage, tout était élucidé, il n'y avait plus qu'à agir. Ou tout au contraire, qu'à ne rien faire, la décision la plus sage, souvent, consistant à ne rien faire, à laisser les choses se faire toutes seules. Ou se défaire.

Marc Lilienthal avait fermé les yeux. Il était en avion, presque allongé, situation idéale pour réfléchir.

Le 10 décembre, le jour de son anniversaire, Fabienne Dubreuil était entrée dans son bureau, à midi. Elle était accompagnée par Quesnoy, qui prit quelques photos, se tira très vite. Tant mieux, Marc n'avait jamais eu d'atomes crochus avec ce type. C'était un ronchonneur, jaloux de l'ascendant que Marc avait sur les autres. Sur Serguet, en particulier.

Ce jour-là, à peine entré dans le bureau, Quesnoy avait jeté un coup d'œil circulaire, tout en tripotant un appareil photo.

– Quelle réussite! avait-il proclamé à la cantonade, après un sifflement ironiquement admiratif.

Mais Marc n'avait pas réagi. Il n'avait d'yeux que pour Fabienne.

Il avait accepté ce rendez-vous parce que Serguet avait insisté, le rappelant au téléphone plusieurs fois. Aussi parce qu'il avait déjà remarqué des papiers d'*Action* portant cette signature : Fabienne Dubreuil. Beau brin de plume, certainement. Beau brin de fille avec brin de plume *idem*, pensait-il maintenant, en la voyant s'avancer vers lui sur la vaste étendue de moquette grise. Il en avait eu la gorge serrée. Quelle allure, bon sang, pur sang, quelle façon de bouger, d'offrir son corps à l'univers, de le retenir et de le reprendre aussitôt, centaure féminin, par les rênes du regard, le port altier du buste! Une âme s'y montrait, transparente, insondable. Une âme à conquérir, à investir, à dévaster : un bonheur d'enfer s'annonçait possible.

– Vous savez ce qui m'amène chez vous? avait-elle demandé.

Marc avait pris l'air blasé.

– Vous faites un reportage sur la réussite sociale des anciens soixante-huitards... C'est sur ce thème que les journalistes viennent m'interroger, habituellement...

Il jeta un coup d'œil à Pierre Quesnoy, qui s'activait avec ses appareils.

– Et c'est vrai que j'ai réussi, ajouta-t-il. Trop,

126

même, selon certains... Jaloux, scandalisés parfois.

Elle secoua sa courte chevelure.

– Excusez-moi... Mais ça ne m'intéresse pas du tout, votre réussite !

Ce qui intéressait Fabienne, en dehors des livres de philosophie, c'étaient les contre-sociétés, les sous-cultures, les micro-groupes dans les sociétés de masse. Ainsi, elle venait de terminer une enquête sur les Niçois. Marc était quelque peu éberlué. Quels Niçois ? Mais voyons, le groupe des sœurs Pisier, de Michèle Cotta, Bernard Kouchner, la petite Dany Corbel... Ils étaient de la même génération, avaient étudié souvent ensemble, étaient montés à Paris pour y devenir célèbres ou influents, parfois les deux.

– Vous devriez être romancière, alors, dit Marc.

Elle approuva, dit que ça viendrait.

– Mais dans quel micro-groupe m'avez-vous inclus ? demanda-t-il encore.

Pierre Quesnoy venait de tirer sa révérence : bon débarras !

– Dans celui des anciens élèves d'Henri-IV ! dit Fabienne en riant.

Dès qu'elle s'était assise, découvrant ses jambes en se penchant pour installer le magnétophone sur la table basse entre eux, le désir d'elle fut là. Dans les deux sens : son désir pour elle et son désir à elle. Jamais il ne s'était trompé dans une telle situation. Toujours, à la seconde même, il avait su déceler le désir de l'autre. Avant même que la femme en question ne le décelât elle-même, parfois.

Mais était-ce bien lui que Fabienne désirait ? Lui, Marc Liliental, dit Laloy, quarante ans aujourd'hui, grand, mince, l'œil orageux, la lèvre cynique et sensuelle, ancien révolutionnaire en train de se tailler un empire dans l'univers de l'informatique et des média? Peut-être pas au premier degré, primitivement. Le désir n'était pas, chez elle, univoque : seulement désir de l'homme, lui, Marc, soudain, dès la rencontre. Peut-être était-ce en partie le désir du désir lui-même, sitôt né. La joie et la surprise de ce désir. De se savoir non seulement désirable mais désirante.

Marc, en tout cas, dès ce premier instant, avait eu l'impression fugitive mais violente, d'une précision exaspérée, absurde par ailleurs, d'habiter son corps à elle, de sentir dans la profondeur de sa virilité la soudaine langueur d'un corps féminin, au moment où les jambes de Fabienne, en s'écartant pour se croiser ensuite, lui donnaient à imaginer, charnellement, l'instant de l'abandon où elle se serait ouverte à son emprise.

Il avait alors touché sa main, en lui servant à boire un verre d'eau minérale. Elle branchait le magnétophone et avait tremblé, de tout son corps, une fraction de seconde. Fabienne avait ri, fait un commentaire sur l'électricité statique de l'appareil, affirmé que ce sont des choses qui arrivent.

Il avait renchéri : bien sûr que ce sont des choses qui arrivent!

Mais il était encore trop tôt. On ne trousse pas la jupe d'une femme dès qu'on la fait trembler en lui touchant la main, à peine vient-on de la rencontrer. On ne la soumet pas aussitôt à ses caresses. Un tel comportement, tout à fait naturel d'un certain point de vue, serait qualifié d'animal. Et sans doute y avait-il une part de vérité dans ce jugement péjoratif et péremptoire. Non pas que la satisfaction immédiate du désir, de l'instinct sexuel, puisse être considérée comme inhumaine. Ou immorale. Ce ne sont pas quelques jours de plus, quelques coupes de champagne ou quelques commentaires sur Marcel Proust en prime qui rendront moral le passage à l'acte. Mais il n'y a pas de civilisation sans contrainte, sans conventions culturelles. Si l'homme et la femme, à la différence des animaux, sont toujours disponibles pour le désir sexuel, à toute époque de l'année, toute heure du jour ou de la nuit, c'est peut-être parce qu'ils peuvent introduire dans leurs rapports charnels la dimension temporelle, avec ses rituels et ses convenances. C'est pour cette raison qu'ils peuvent temporiser, tempérer leur désir en l'inscrivant dans un certain ensemble de normes. Et de transgressions de celles-ci, bien évidemment.

Dès le premier instant ils avaient su qu'ils allaient faire l'amour ensemble.

Pourtant, Fabienne ne fit rien pour répondre aux invites et aux avances de Marc Lilienthal. Non pas qu'elle fît semblant d'être sourde, de ne pas bien comprendre. Non, elle entendait très bien, mais resta tout d'abord sans réponse. Il eut beau prétendre qu'ils seraient mieux ailleurs que dans son bureau pour mener à bien l'interview, la promenant dans des lieux de Paris, insolites, qui la charmèrent, rien n'y fit. La conversation prit parfois un tour scabreux, qu'elle ne refusa point, le désir était nommément dit, décrites ses conséquences possibles. Elle accepta les mots, leur chatoyante rudesse, mais sembla s'esquiver.

Feinte du corps, en somme.

Et puis, soudain, alors qu'il avait renoncé, sinon à elle, à l'avoir le jour même, c'est Fabienne qui prit les devants.

Ils étaient place du Panthéon, à ce moment-là, chez lui. Quel meilleur endroit pour terminer une conversation sur Henri-IV ? avait-il proclamé. Des fenêtres du grand salon, la vue plongeait, légèrement vers la droite, sur les bâtiments et les jardins du lycée. Il lui avait semblé que Fabienne avait hésité à le suivre chez lui. Pensait-elle qu'elle y serait plus exposée à ses avances? Ou à la tentation de son propre désir? Elle n'avait rien à craindre, pourtant. Rien à espérer non plus. Jamais il n'avait entraîné une femme, à des fins amoureuses, dans l'appartement où il vivait avec Béatrice. C'est précisément parce qu'il avait renoncé à elle aujourd'hui qu'il avait demandé à Fabienne de le suivre place du Panthéon.

Alors, à un certain moment, il avait montré à la jeune femme la photographie où ils étaient ensemble, tous les cinq, et dont Adriana lui avait fait cadeau, ce matin même, pour son anniversaire.

Fabienne l'avait longuement contemplée. Elle lui avait posé des questions. Mais il lui avait semblé qu'elle fixait surtout le visage d'Adriana. Soudain, elle se leva, s'avança vers lui à travers la grande pièce, de sa démarche altière et ensoleillée qui lui plaisait tant.

– Vous me voulez encore? disait Fabienne. Prenez-moi!

Le soir, Marc avait dîné avec sa fille, comme prévu.

Ensuite, Béatrice avait raconté l'après-midi de manifestation. Mais elle s'était bientôt rendu compte qu'il était distrait.

– Marc, tu m'écoutes ou tu t'endors? avait-elle dit sèchement.

Il l'avait regardée, elle n'avait pas l'air contente. Mais il ne s'endormait pas du tout. C'est vrai qu'il n'écoutait pas non plus. Il pensait à Fabienne, à la journée passée avec elle.

130

– Ni l'un ni l'autre, disait-il, si tu veux tout savoir!

Elle riait. Béatrice.

– Alors tu rêves. Ou tu penses à une femme... C'est aussi une façon de rêver, non?

Il avait eu envie de lui demander de quoi elle se mêlait. Puis haussait les épaules. Béatrice s'était toujours mêlée de tout, depuis qu'elle était venue vivre chez lui, à partir de son entrée en sixième.

– Puisque nous en parlons, disait Béatrice, à quoi penses-tu quand tu penses à une femme? En général, comment fais-tu avec les femmes? Il n'en vient jamais aucune à la maison. Sauf maman, parfois. Mais tu n'es jamais là quand elle vient et d'ailleurs ce n'est pas maman que tu sautes. Où sautes-tu les femmes que tu sautes?

Il avala de travers, manqua de s'étrangler.

Il s'essuyait le menton, le col de sa chemise, mouillés par l'eau minérale qu'il avait recrachée dans son émoi.

– Béa! s'exclamait-il. Veux-tu parler correctement?

Elle ouvrait de grands yeux.

– Qu'est-ce que ça a d'incorrect, « sauter »? C'est un verbe plutôt discret, pour nommer la chose en question!

Il s'efforçait de prendre un air sévère.

– Béa, tu ne sais pas de quoi tu parles!

Elle blêmissait d'indignation.

– D'abord, ne m'appelle plus Béa, je déteste! C'est faussement gentil, c'est condescendant! Et puis, je sais très bien de quoi je parle!

Il essaya de détourner la conversation, saisi par une sorte de timidité : il n'avait pas envie de vérifier le savoir de Béatrice en matière de comportement sexuel.

– S'il ne vient jamais de femme à la maison,

disait-il, c'est à cause de toi, Béatrice. Pour ne pas te déranger... Par respect pour toi, vois-tu?

Elle hochait la tête gravement.

– Ça, j'avais compris, merci quand même! Mais ce n'est pas la seule raison...

– Quelle autre?

Elle le regardait avec un brin de commisération.

– Qu'as-tu ce soir, mon vieux? C'est pourtant simple!

– Ne sois pas impertinente, dis donc!

Béatrice se dressait d'un bond, courait vers une bibliothèque au fond de la pièce, revenait avec un dictionnaire.

– « Impertinent, tinente. Adjectif, XIVe siècle, bas latin, *impertinens :* qui ne convient pas. Primo : vx... – Ça veut dire vieux, sans doute... – Qui n'est pas pertinent, qui est contre la raison, le bon sens. – Est-ce mon cas? Ah voilà! – Quatrièmement, moderne (1670). – Eh bien! le moderne ne date pas d'hier! – Qui montre de l'irrévérence, une familiarité déplacée, choquante... »

Elle posait le volume sur le tapis, regardait son père.

– Comment pourrait-il y avoir entre nous une familiarité déplacée, avoue?

Il riait, buvait une gorgée d'Apollinaris.

– En effet, disait-il.

– Je me trouve plutôt pertinente, au contraire, poursuivait-elle. Car ce n'est pas seulement pour me préserver que tu n'amènes pas tes bonnes femmes à la maison, c'est aussi que tu as peur!

Il regardait sa fille, éberlué.

– Explique-moi ça, tu m'intéresses!

– Elles changent tout le temps, n'est-ce pas? Alors, tu as peur d'être ridicule, que je pense que tu n'es pas à la hauteur... Qu'est-ce que c'est que ce mec? Il a plein de fric, il invente des trucs sans arrêt, il est beau, il est jeune... Et il est incapable de garder une femme... Tu as peur que je me demande pourquoi, c'est ça?

Il ne dit rien. Les mots de Béatrice s'enfonçaient lentement dans sa tête, dans sa chair.

Mais je n'ai pas envie de les garder, Béatrice. Ta mère, peut-être ai-je eu envie de la garder et j'ai pourtant tout fait pour la perdre. Ou pour qu'elle me perde. Nous nous sommes perdus ensemble, littéralement et dans tous les sens. Je ne veux pas les garder les bonnes femmes, justement. Je ne veux que les perdre. Je n'aime que les filles perdues, Béatrice. Jamais une femme qui n'était pas à perdre, à dévoyer, à révéler au vertige de sa propre aberration, de sa personnelle abjection ne m'a vraiment intéressé. Jamais une femme comme il faut, droite, fidèle, sincère, ne m'a vraiment intéressé. Ta mère l'était, aurait pu l'être, sans doute. Mais je ne l'ai vraiment aimée, à la folie, qu'à partir du moment où elle est enfin devenue double, mensongère et cruelle : femme, enfin. A cause de moi, pour moi, pour me plaire et me perdre. Fabienne aussi, ma toute dernière conquête – elle ne le sait pas elle-même, pas encore, mais elle est conquise; d'ailleurs, il n'y a pas de véritable conquête, Béatrice, on ne prend que les places déjà rendues, déjà perdues, les femmes déjà saisies par le vertige délicieux, abominable, de la chute, de la soumission –, Fabienne aussi, il m'a suffi de la voir une fois, quelques heures, aujourd'hui même, elle pourrait être toute droite, sa démarche de déesse, dansante, ailée, pourrait être l'expression de son âme, mais il y a chez elle une faille que j'ai pressentie dès le premier instant, qu'elle doit pressentir elle-même : un gouffre où engouffrer le désir de le perversion, le désir du gouffre, justement : le goût de l'enfer. Je le sais, dès à présent. Et Fabienne le pressent.

Les mots de Béatrice s'étaient enfoncés dans sa chair, dans son esprit, pour y faire leur travail de taupe.

Elle craignit de l'avoir blessé, à mesurer la longueur de son silence.

– Je t'ai fait de la peine? demandait-elle, inquiète.

Il hochait la tête négativement, lui souriait.

Elle fondait dans le soleil de ce sourire, comme toujours. Comme chaque fois que son père lui souriait ainsi. Elle se languissait de ce sourire-soleil qui lui réchauffait le cœur. Elle se déplaça sur le canapé, avec des mouvements de chat, vint se blottir contre lui. Dans ses bras, protégée, sensuellement sécurisée, au chaud : quel pied, pensait-elle.

– Comment t'appeler, alors, si tu n'aimes pas Béa?

– Mais appelle-moi Béa si ça t'arrange! s'exclamait-elle. Ce n'est pas ce petit nom qui m'avait fâchée!

– C'est quoi?

– Que tu me dises que je ne sais pas de quoi je parle... J'avais justement choisi le verbe « sauter » par décence et discrétion!

Il essayait de ne pas montrer à quel point elle l'amusait.

– Et quels sont les verbes que tu aurais pu dire à la place?

Elle se dégageait, levait le regard vers son père.

– J'aurais pu dire...

Elle dressait les doigts de sa main droite pour énumérer les verbes possibles.

– Baiser, tringler, fourrer, farcir, limer, zober, enfiler, troncher, foquer...

– Comment ? demandait-il. Le dernier...

– C'est un anglicisme, disait Béatrice, tout à fait sérieuse. *To fuck*... Certains l'écrivent avec un *pé* et un *hache*. A cause des phoques, bien sûr : pédé comme un phoque. Mais alors ça a un sens limitatif, ça veut dire enculer...

Elle voyait l'expression outrée de son père, changeait de ton aussitôt.

– En somme, nous transcrivons littéralement des mots ou des expressions anglais... Nous, je veux dire, ma petite bande de Henri-IV !

Il la serrait dans ses bras, fragile et jeune déesse, promesse d'avenir dont chaque instant de vie le repoussait dans le néant confus de la mort.

– Par exemple ? demandait-il.

Elle était heureuse de retenir aussi longtemps l'attention de son père.

– *Fast-food*, par exemple. Nous disons « vite-bouffe ». Il y a des variantes. S'il s'agit de bistrots à hamburger, c'est « vite-bœuf »... Et s'ils sont merdiques « vite-bôf »...

Il riait de bon cœur.

– « Vite-bœuf » n'est pas de moi, disait-elle, scrupuleuse. C'est de Mathieu, un copain d'une autre troisième qui est vraiment frais !

– En français il serait cool, disait Marc.

Béatrice était ravie, ils avaient ri ensemble.

Mais le petit bimoteur commence à descendre vers l'aéroport de Boston.

Marc regarde l'heure. Il a le temps de téléphoner à Béatrice. Le vol 527 de la Panam pour New York où il doit s'embarquer sur le Concorde ne part qu'à neuf heures trente. Et il n'a pas de bagages à enregistrer. Juste un sac de voyage contenant des affaires de toilette, un walkman avec des cassettes de musique classique et des blues de la bonne époque. Et deux livres : *Less than One*, un recueil d'essais de Joseph Brodsky, et *The Garden of Eden*, encore un roman posthume de Hemingway ! Mais Fabienne l'a lu, pendant son week-end à Deer Isle, quelques jours plus tôt. Ils en ont parlé ensemble. Plonger dans cette lecture, à son tour, c'est en quelque sorte se glisser dans la mémoire de Fabienne, dans son intimité.

L'avion de la Bar Harbor touche la piste de Boston en tressautant.

VIII

LES photographies, certaines en noir et blanc, d'autres en couleur, s'étalaient sur la table basse. Fabienne les contemplait pour la troisième fois, une par une.

Pierre Quesnoy lui avait raconté l'histoire de l'Avant-Garde prolétarienne, pendant ce temps. Enfin, l'essentiel, en peu de mots. Il racontait très bien, d'ailleurs, Fabienne en fut surprise. Il avait le sens du récit, du raccourci, du détail qui fait mouche.

En tout cas, elle en était abasourdie.

Elle comprenait à présent pourquoi Marc avait semblé si bouleversé, lorsqu'elle avait parlé de Daniel Laurençon, la semaine dernière.

Marc avait fini par l'amener chez lui, place du Panthéon, après un long périple à travers Paris.

Il lui avait fait le coup des passages, bien sûr. Quand ils sont cultivés et qu'ils ont du temps à gaspiller – à investir du moins dans des entreprises érotiques pas forcément rentables dans l'immédiat –, les hommes vous font toujours le coup des passages parisiens, s'était dit Fabienne. En alternance avec celui des bars discrets dans des hôtels de luxe pas tapageurs. Il en reste encore : celui du *Meurice* pourrait servir d'archétype. Les passages, en tout cas, sont passionnants, il y en a qui sont encore fort beaux. Et puis, seigneur, c'est fou ce que ça facilite les allusions littéraires de qualité, qui permettent à nos soupirants de faire la roue ! D'Aragon à Julio Cortázar, en passant, c'est le cas de le dire, par Walter Benjamin, il y a de quoi briller.

Fabienne s'en était laissé conter par Marc, ce jour-là, avec juste le brin d'ironie qui lui permettait de faire comprendre qu'elle n'était pas dupe. Il n'empêche, elle avait eu plaisir à revoir le passage Véro-Dodat, l'un de ses préférés.

Dans la vitrine d'un antiquaire, il y avait des singes qui faisaient de la musique. Du violon, pour être précis. Des singes automates jouaient une musique aigrelette, évanescente et nostalgique.

Marc Liliental s'était exclamé, en pâlissant.

Il avait déjà vu ces mêmes petites bêtes déguisées en violoneux, plus de vingt ans auparavant. Chez un autre antiquaire, rue Jacob. Ça n'avait rien d'étrange, disait-elle : les objets vont et viennent, changeant de propriétaire. C'est la loi du marché, mon cher ! Mais la petite musique des automates simiesques avait l'air de lui rappeler des souvenirs. D'une phrase qu'il prononçait comme une citation, il évoqua le passé, les cinq jeunes gens qu'ils avaient été, qui avaient tous le mauvais âge, entre vingt et vingt-quatre ans.

Fabienne avait compris qu'il citait Nizan, mais cru qu'il se trompait. Elle corrigea, rétablissant le texte véritable, dont elle se souvenait mot pour mot. Il s'ensuivit une discussion confuse. Pour finir il s'avéra qu'elle pensait au début d'*Aden, Arabie* et que Marc citait *La Conspiration*. Mais Fabienne ne connaissait pas les romans de Paul Nizan. Elle avait lu *Aden, Arabie*, *Les Chiens de garde*, des textes théoriques ou critiques de Nizan, pas ses romans.

Marc Liliental en était scandalisé.

– Quand je pense, s'exclamait-il ironiquement, que j'ai failli coucher avec une femme qui n'a pas lu *La Conspiration*!

Fabienne se cabrait.

– Vous n'avez rien failli du tout! s'écriait-elle. Vous coucherez avec moi quand je le déciderai! Je siffle et vous viendrez!

Il avait éclaté de rire. Puis redevenait grave.

– Chiche! murmura-t-il. Sifflez, Fabienne…

Leurs regards s'étaient mêlés, un bref instant très long.

C'est alors que Marc avait évoqué pour la première fois ses amis de jeunesse : Julien Serguet, Elie Silberberg, Adriana Sponti. Fabienne connaissait les deux premiers. Serguet était son patron. Quant à Elie Silberberg, il apportait à *Action* des papiers d'humeur, toujours d'une grande pertinence intellectuelle et d'une érudition infaillible, mais que Julien et elle-même passaient des heures à réduire à une longueur publiable, souffrant mille martyres pour en couper une ligne par-ci et une autre par-là.

Bon, ça en faisait trois. Le quatrième, c'était lui, Marc Liliental. A propos, demandait Fabienne, pourquoi avoir changé de nom? Avait-il eu peur de porter un nom juif? Marc l'avait regardée, avec un sourire glacial. Je n'ai jamais eu peur de rien, disait-il. Et c'était sans doute vrai. Mais il avait aussitôt complété sa formule. Ou plutôt, je n'ai jamais eu peur que de moi-même, à l'occasion. Un ange passa. Ou un démon. Enfin, il y eut une bribe de silence. Non, sincèrement, avait poursuivi Marc, ce n'est pas une question de peur. Mais je ne voulais pas être marqué au départ, pour le bien ou pour le mal, la pitié ou la haine. Marqué par une histoire que je n'avais pas faite, qui me tombait dessus comme un destin. Je ne voulais être responsable que de moi-même. Pour la même raison, soit dit en passant, j'ai cessé d'être léniniste : pour échapper à toute théorie de salut collectif. Donc, je voulais me démarquer de ceux qui s'appuient sur la Shoah ou qui se cachent derrière elle, qui s'en lamentent et à l'occasion s'en vantent, qui sont faits ou défaits par cette référence. Je voulais être ma seule référence : le fils de mes œuvres.

– Vous pensez toujours la même chose aujourd'hui ? avait demandé Fabienne.

Il avait fait un geste d'indifférence ou d'ennui.

– Je ne pense plus rien de l'histoire universelle, avait-il dit. Mais je constate que nous sommes retombés dans la boue des particularismes... Chacun chez soi, pour soi, assis sur les chiottes de son identité intransférable, de sa croyance ineffable, enfoncé jusqu'au cou dans la merde de l'histoire de sa horde, son peuple ou son empire... Les seuls qui ont encore une vision du monde, ce sont d'un côté les capitaines des multinationales, de l'autre les chefs du K.G.B. L'économie-monde et la police-monde... Charmant avenir !

Il avait ri.

– En somme, je suis plus apatride que jamais... C'est peut-être ma façon d'être juif, si j'en crois les antisémites.

Marc Lilienthal l'avait prise par le bras, entraînée hors du passage Véro-Dodat. Les singes jouaient toujours de la musique. Mais il n'avait pas soufflé mot du cinquième d'entre eux.

Plus tard, dans l'appartement de Marc, place du Panthéon, Fabienne avait ressorti ses petites fiches sur les anciens élèves du lycée Henri-IV.

– Dans votre khâgne, disait-elle, il y avait Elie

Silberberg. Bon, celui-là, je connais. Et puis un Daniel Laurençon qui m'intéresse particulièrement...

Il avait eu un geste brusque, manquant de renverser sa tasse de thé sur la table.

– Pourquoi particulièrement?

La voix de Liliental était rêche, cassante. Fabienne l'avait regardé, surprise.

– Parce que c'est le deuxième Laurençon de Henri-IV, expliquait-elle. Le premier, Michel Laurençon, était en hypokhâgne en 1942. Il est mort des suites de la déportation. Son fils, Daniel, qui était en khâgne avec vous, est né l'année de cette mort. Fils posthume... J'ai essayé de me renseigner sur cette famille. Mais je n'arrive pas à savoir ce qu'est devenu Daniel Laurençon...

C'est alors que Marc Liliental lui avait montré la photo d'eux cinq qu'Adriana Sponti lui avait donnée le matin même. La photo prise à Fouesnant, l'été 1969.

La main de Marc tremblait quand il avait pointé le visage de Daniel.

– Le voici, disait-il d'une voix blanche. Il est mort... S'est suicidé... Nous n'en parlons jamais, Fabienne.

Elle comprenait maintenant pourquoi il était bouleversé. Ils ne parlaient jamais de Laurençon parce qu'ils l'avaient assassiné, tout simplement. Plutôt : parce qu'ils croyaient l'avoir assassiné.

Fabienne déposa sur la table basse le dernier agrandissement des clichés de Pierre Quesnoy.

– Tu as sûrement raison, Pierre! Si ce n'est pas Laurençon, c'est son frère jumeau.

Il la regarda, bouche bée.

– Comment peux-tu savoir, toi? Tu ne l'as pas connu!

Elle hocha la tête négativement.

– J'ai vu une photo de lui, il y a une semaine, quand j'ai fait l'interview de Marc Laloy. Mais tu étais là, toi aussi!

Le 10 décembre, une semaine déjà. Une date facile à retenir. Pas seulement à cause de Marc, de son anniversaire. C'était aussi le jour de la remise du prix Nobel de littérature. Elle avait dû plancher toute la nuit sur l'œuvre de Wole Soyinka, qu'elle ignorait totalement. Pour faire son papier, Fabienne avait lu *Season of anomy*, l'un des romans de l'écrivain nigérian. Et puis, à midi, elle avait rendez-vous avec Marc Laloy, dans son bureau de *Média-Monde*.

Quesnoy l'avait regardée avec un sourire ironique.

– J'étais là, dit-il. Mais dans le bureau de Liliental, mercredi dernier, il y avait une toile d'Arroyo, des papiers collés de Max Ernst, une sculpture de Germaine Richier... En revanche, pas la moindre photo de « Netchaïev »... Je l'aurais remarquée, tu parles! Tu as dû la voir ailleurs.

Elle avait rougi. Oui, ailleurs, et après?

Mais Quesnoy avait continué.

– De tous les mecs de l'Avant-Garde, Liliental est le seul que je n'aime pas. Ou mieux, pour être plus précis... le seul qui me fasse peur, qui provoque en moi un certain malaise.

– Pourquoi tu l'appelles tout le temps Liliental? demandait-elle, rageusement.

– Parce qu'il s'appelle Liliental, disait Quesnoy, flegmatique. Parce que je n'aime pas les juifs honteux. C'est malsain, ça prépare des victimes consentantes...

142

– Il n'est pas juif honteux, s'écriait-elle. Ce n'est pas si simple !

Il hochait la tête.

– Ce n'est jamais si simple, je te l'accorde ! De toute façon, Liliental c'est mieux que Laloy... Plus poétique.

Il riait.

– « Vallée de lys »... A moins que tu préfères « Lys dans la vallée »... ?

Elle rougit de nouveau. Il avait pris une des mains de Fabienne dans les siennes.

– C'était lui, le télégramme ?

Elle fit oui de la tête.

– Ne te laisse pas détruire, dit-il doucement.

Décidément, c'était une ritournelle. Qu'avaient-ils tous à vouloir la protéger ?

Jeudi dernier, le lendemain du jour où elle avait rencontré Liliental, Fabienne travaillait dans son bureau d'*Action* lorsqu'un coursier lui avait apporté un pli. C'était un mot de Marc, écrit le matin même, juste avant de s'envoler pour les Etats-Unis. Il l'invitait à l'y rejoindre, dans le Maine, pour le week-end. Un billet aller-retour sur Concorde accompagnait le mot.

Depuis la veille, son sentiment concernant cette aventure avec Marc avait passé par des alternatives et des extrêmes. Tantôt Fabienne s'en tenait à sa résolution première, née dès qu'elle avait saisi le regard d'Iris, dans la maison de rendez-vous : elle ne recommencerait pas. Tantôt elle rêvait au contraire qu'une histoire commençait : une vie, qui sait ? Entre ces deux extrêmes, toutes les nuances étaient apparues, tous les mélanges d'élans, de retenues, de désirs, de refoulements.

Fabienne avait terminé le travail qu'elle avait en cours, mis le mot de Marc et le billet dans son sac et était allée trouver Julien Serguet dans son bureau.

Celui-ci était au fond de la pièce, parlant à voix basse, presque chuchotante, sur un appareil de la ligne directe. Avec Bettina, sans doute. Depuis quelques mois, une mystérieuse Bettina était apparue dans la vie de Serguet. Apparue était d'ailleurs un bien grand mot. Seulement deux ou trois intimes savaient qu'elle existait, mais personne ne l'avait vue. C'était un grand amour clandestin.

Julien avait fait signe à Fabienne de s'installer, de l'attendre.

Du désordre qui s'accumulait sur le bureau de Serguet, Fabienne avait extrait, presque au hasard, un album de photographies d'Henriette Grindat, *La Postérité du soleil*, avec des textes d'Albert Camus. Elle l'avait feuilleté, était tombée sur un fragment de phrase qui la blessa délicieusement, lui empourprant la mémoire : « ... j'ai senti parfois le goût vert et fugitif d'un bonheur immérité ».

Elle leva les yeux : c'était tranché, elle allait partir dans le Maine rejoindre Marc Lilienthal.

Julien avait terminé sa conversation, revenait vers Fabienne. Celle-ci lui demanda de la laisser s'absenter jusqu'au lundi soir.

Il y avait eu une lueur d'inquiétude dans le regard de Julien.

– C'est Marc, n'est-ce pas ?

Elle avait haussé les épaules.

– Pourquoi lui plutôt qu'un autre ?

Il éclata de rire.

– Parce que c'est toujours lui plutôt qu'un autre ! s'écria Serguet. Ça fait vingt ans que je vois les filles tomber dans les bras de Marc, se pâmer, souffrir, se réjouir de leur souffrance... Ce type a du génie avec les femmes !

Du génie ? se demandait Fabienne. Alors le génie

est une disponibilité totale, un altruisme implacable, ne cherchant que la jouissance de l'autre pour mieux se le soumettre, une maîtrise du temps et du verbe.

Il la regardait avec tendresse.

– Mais un génie diabolique. Rien ne le comble autant que de noyer une femme dans la bassesse des passions qu'il l'aide à découvrir en elle-même.

Elle avait soutenu son regard.

– Qu'est-ce qui te permet de croire que je sois douée pour cette bassesse-là?

Il s'était penché vers elle, lui caressant légèrement la joue.

– Mais nous le sommes tous, ma jolie, doués de cette façon! Ne te laisse pas détruire par ce vertige, si vertige il y a!

– Détruire?

Un souvenir lui avait brûlé l'âme. La veille, aux *Rives du Styx*, le regard de cette femme de chambre, Iris, que Marc avait convoquée dans l'appartement bleu : son regard, leur nudité, la joie trouble.

– Va, disait Serguet. Mais sois là mardi, j'aurai besoin de toi...

Il tournait les pages d'un calendrier de bureau.

– La semaine prochaine, je dois aller à Genève... Le mercredi 17... Un colloque sur le terrorisme... Après, je prendrai deux jours en Suisse italienne... Moi aussi...

Fabienne s'était étonnée.

– Le Tessin? Avec la femme aimée? Quel musée y a-t-il au Tessin?

Julien éclatait de rire.

– Mais voyons! La villa Favorita de Lugano! Les collections Thyssen-Bornemisza... Tu avais oublié?

Ils riaient ensemble, comme des idiots.

La seule chose que Fabienne savait de Bettina, la femme aimée, était que ses escapades extra-conjugales avec Julien étaient toujours plus réussies quand il y avait un beau musée à proximité. « On dirait qu'elle ne peut pas prendre son pied si elle n'a pas vu des toiles de maître ! » avait dit Julien une fois. Mais il avait aussitôt regretté la vulgarité de cette confidence. « Ne t'en fais pas, Julien ! lui avait répondu Fabienne, il y a de beaux musées partout. Tiens, même à Castres... Qui aurait l'idée d'emmener Bettina en week-end libidineux à Castres ? Un nom à vous couper tous vos effets, non ? Et pourtant, il y a un Goya sublime dans le musée de Castres... De quoi obtenir au moins une folle nuit ! »

Fabienne avait donc pris le Concorde, le vendredi.

A peine s'était-elle assise dans l'avion qu'une hôtesse s'approchait d'elle. « Mademoiselle Dubreuil ? » Elle lui remit un petit paquet. Fabienne l'avait ouvert maladroitement, tellement ses mains tremblaient de curiosité. C'était un exemplaire de *La Conspiration* de Paul Nizan. Avec un mot de Marc.

« J'ai toujours aimé les décalages horaires, Fräulein F. ! Toujours rêvé aux possibilités romanesques qu'ils offrent. Ainsi, à l'heure qu'il est pour toi, onze heures, au moment même où on te remet ce livre, l'aube ne s'est pas encore levée sur le Maine. Je sommeillerai encore, probablement. Mais si une femme naît dans mon rêve d'une fausse position de ma cuisse, ce sera toi : nouvelle Eve formée à l'image de mon désir. Trois heures plus tard, lorsque je serai en train de prendre mon café dans le salon-cuisine des Leidson, avec vue renversante de beauté sur le bras d'océan d'Eggemoggin (pour nous, pour notre septième ciel, j'ai réservé une chambre au *Pilgrim's Inn* de Deer Isle, une auberge ouverte jusqu'à Noël : pionnière et charmante; à six heures du soir, et il faudra sacrifier au rite, les pensionnaires se rassemblent dans les salons du rez-de-chaussée pour boire un verre convivial, avant le dîner, par ailleurs succulent; et pendant que je te regarderai évoluer au milieu des couples d'universitaires et d'artistes qu'on y trouve habituellement, tous beaux, tous intelligents, qui font la force et la faiblesse de l'Amérique – la force, par leur esprit démocratique, unique au monde avec une telle rigueur, une telle persévérance historique; la faiblesse, par leur ingénuité, leur ignorance d'un monde qu'ils ne veulent plus conduire mais qu'ils dominent encore en maugréant, malgré eux à rebrousse-poil – pendant que je te regarderai évoluer parmi eux je penserai déjà à ton plaisir nocturne : '' comme il est beau ton cri qui me donne ton silence! '' – c'est de René Char, bien sûr –, à ta plainte amoureuse dans la nuit, où tu flotteras dans le temps étiré, éthéré, du décalage horaire), lorsque je prendrai mon café, donc, le Concorde commencera sa descente vers New York et tu auras fini de lire *La Conspiration*. Que tu as de la chance d'avoir encore pour un moment ce livre dans ton avenir! Après, tu seras introduite au monde des adultes, à la secrète fraternité des initiés : nous sommes un club très fermé. A la page 16, où Nizan parle des rapports de Bernard Rosenthal avec sa famille, la tradition juive, tu peux considérer qu'il parle pour moi – parlait, plutôt –, qu'il répond aux questions que tu me posais avant-hier... »

Fabienne avait sur-le-champ interrompu la lecture de la lettre de Marc pour ouvrir le roman de Nizan à l'endroit indiqué.

« Il ne croyait pas enfin que les juifs eussent droit à une libération particulière, un nouvel acte d'alliance avec Dieu : il entendait que cette libération fût noyée dans une mise en liberté générale où se perdraient à la fois leurs noms, leur malheur et leur vocation. D'ailleurs, Bernard ne voulait encore qu'être libéré, il s'inquiétait peu de libérer personne... »

Elle en oublia provisoirement la fin de la lettre de Marc Liliental, reprit la lecture à la première page du roman, le lut d'une traite, transie d'émotion. Lorsque le Concorde se posa sur la piste de l'aéroport Kennedy, elle venait de tourner la dernière page, en effet, comme Marc l'avait prévu.

– Alors ? disait Fabienne à Pierre Quesnoy. Que fait-on pour Daniel Laurençon, si tant est que ce soit vraiment lui ?

– C'est à midi que tu peux joindre Julien ? disait Quesnoy.

Mais ce n'était pas une question. C'était juste une façon de récapituler. Il enchaînait aussitôt, puisqu'il n'attendait pas de réponse à ce qui n'était pas une question.

– On va essayer de s'avancer d'ici là... Tu vas aller à l'*Athénée*, Fabienne... Moi, je suis grillé... Hier, un portier a remarqué mes manèges, m'a mis à la porte. Avec l'une des photos, un pourboire et ton cul habituel – je ne parle pas de ton postérieur mais de ta chance ! –, tu arriveras bien à obtenir d'un chasseur ou d'un barman des renseignements sur ce type, qui qu'il soit... Vu ?

Il soulignait du doigt un détail de l'agrandissement photographique.

– Le concierge lui tend un message... Il doit habiter l'hôtel.

Il regardait sa montre.

– Huit heures quarante-cinq... Je vais fureter de mon côté... Retrouvons-nous au *Bar des Théâtres* vers dix heures et demie... On fera le point.

Il ramassait sa sacoche, marchait vers la porte de l'appartement de Fabienne.

– Sois prudente quand même, dit-il juste avant de sortir. On ne sait pas très bien dans quelle merde on fout les pieds!

Elle pensait à Daniel Laurençon, revenu de la mort.

Etait-ce vraiment Daniel Laurençon, ce Suisse à moustache blonde d'officier britannique de l'armée des Indes?

Il était dix heures du matin, Fabienne venait de s'installer au *Bar des Théâtres*, avenue Montaigne, pour attendre Pierre Quesnoy. L'endroit était encore calme. Elle s'assit au fond, commanda un double café et des œufs au bacon. Elle sortit de l'enveloppe de fort papier marron le jeu de clichés que Pierre lui avait donnés.

Elle les contempla attentivement. D'abord la vue d'ensemble, avec le Saoudien au premier plan, et cette silhouette floue, au fond, près du comptoir de la réception de l'hôtel. Puis les agrandissements et recadrages successifs, dans lesquels finissait par surgir, comme arraché au brouillard du temps, du hasard, de l'innommable, le visage de Laurençon.

De quelqu'un qui lui ressemblait comme un frère, en tout cas.

Walter Benjamin avait eu raison de s'y intéresser : l'art de la photographie a quelque chose de mystérieux. De magique. Et ses progrès techniques en ont encore accentué les surprenantes possibilités métaphysiques, se disait Fabienne.

Ainsi, en 1839, lorsque Daguerre avait tiré la célèbre vue d'un boulevard parisien, nul mouvement ne s'y était inscrit, nul être vivant. Le temps de pose nécessaire était trop long pour que la plaque enregistrât les calèches, les promeneurs, la foule en va-et-vient : la vie. Le daguerréotype ne pouvait capter que l'immuable, l'éternel. Le durable, du moins. Les façades, les monuments, la pierre, les arbres, les montagnes, le dur désir de durer de la nature ou des artefacts. Cette ombre floue, indéchiffrable quasiment, au coin du boulevard parisien, dans la plaque de Daguerre, est sans doute la silhouette d'un homme qui est resté assez longtemps immobile, figé – à attendre une femme qui n'est pas venue, peut-être ? – pour avoir marqué de son empreinte – illisible, informe, inhumaine – la surface d'impassible indifférence à la vie de la photographie. Voilà un art qui nous semble aujourd'hui avoir été inventé pour saisir le mouvement, l'instantané, et qui en était foncièrement incapable à ses origines.

Hier, en revanche, il a suffi que Pierre Quesnoy braque son objectif subrepticement, sans aucun temps de pose, presque au hasard, au bout d'un bras négligemment tendu sur l'accoudoir d'un fauteuil, dans le hall d'un palace parisien, pour capter l'éphémère passage d'un homme, au fond, tout là-bas. Une fraction de seconde d'inattention aura suffi. La plus fugitive image est prisonnière de l'objectif et de la pellicule, pour l'éternité. Et sans doute, dans quelques années – ou dizaines d'années, qu'importe, ne soyons pas trop chiches dans la mesure du temps –, sans doute la pellicule sera-t-elle capable de capter des événements qui viennent de se produire, qui sont déjà passés, mais dont l'onde éthérée vibre encore dans l'espace. Ainsi, comme la lumière d'une étoile morte parvient jusqu'à nous, le sourire de cette femme au moment où elle se retournait vers un amant, dans la rue, heureuse, sera-t-il enregistré à jamais par l'appareil photographique d'un passant inconnu, une seconde après qu'elle sera tombée, foudroyée par un malaise mortel. Un sourire de l'au-delà : voilà ce que la photographie de l'avenir éternisera pour nous, pensait Fabienne.

Mais elle avait eu du cul, en effet.

Elle était tombée presque aussitôt sur le chasseur qui pouvait la renseigner. L'homme de la photographie habitait bien l'hôtel. Il y était arrivé trois jours plus tôt. Suisse, s'appelait Lachenoz, Frédérique Lachenoz. Un homme d'affaires. Donnait de bons pourboires. Porté sur la bagatelle, ajoutait l'employé du palace. Bizarre, pour un Suisse. Pourquoi? s'était étonnée Fabienne. Vos Suisses habituels ne baisent pas? Il avait été déconcerté par la vigueur du langage de la jeune femme, le chasseur. N'empêche, dès le premier soir, le Suisse avait demandé à Gabriel – c'était son prénom : Gaby pour les dames et les habitués – de lui envoyer une fille dans sa chambre. Le prix lui importait peu, mais il fallait qu'elle eût l'air scandinave. Une blonde, mince, de longues jambes, moins de trente ans. Rien qui ressemble à une Orientale, surtout! Ce mot avait frappé le chasseur. Ça fait danse du ventre, non?

Bon, il lui avait trouvé ce qu'il fallait. Une blonde comme les blés, le miel, comme les filles de série noire. Une copine à lui, qu'il maquait gentiment, qui tenait les vestiaires et vendait des cigarettes au bar. Des préservatifs aussi, depuis toutes ces histoires de Sida. Une idée géniale qu'il avait eue là, Gaby! Sa copine planquait les capotes sous les emballages multicolores de son présentoir de cigarettes. Un vrai tabac! Les présifs, s'entend.

151

Bref, elle faisait des extra, sous le contrôle approximatif de Gaby, à qui la petite parvenait à cacher quelques cachetons, droits de passe et de péage, quand elle pratiquait à la va-vite dans les toilettes en sous-sol. Il l'avait envoyée chez le Suisse. Itou le lendemain. Vingt-trois ans, une affaire garantie. L'Helvète aussi, semblait-il : un athlète. Mais Gaby n'avait pas voulu en savoir trop : on a sa dignité!

Fabienne l'avait laissé parler. Il y aurait peut-être un détail intéressant à glaner dans ce verbiage.

Lachenoz avait passé deux jours à l'hôtel, à se laisser vivre comme un pacha. Mais la veille – elle lui avait fait préciser : la veille, vraiment, mardi, le 16 décembre? mais oui, mais oui! –, la veille, tout avait changé. D'abord, le Suisse n'avait plus loué les services de sa copine. En revanche, il avait loué une voiture, l'après-midi. Et puis il avait disparu. Enfin, découché. Son bagage était là, mais lui n'était pas rentré, la nuit précédente. Il venait de téléphoner, à neuf heures ce matin. Avait demandé s'il y avait des messages pour lui. Non, pas de message. Personne n'était passé le voir? Si, hier, en fin de journée. Un couple, d'une trentaine d'années. L'homme avait un accent italien que c'en était comique. On aurait dit une imitation. Non, ils n'avaient pas laissé de messages. Ils l'avaient attendu une petite heure, s'étaient tirés. Pas de message, non.

Fabienne avait convaincu le chasseur – un peu de charme, beaucoup de pourboire – de la prévenir au journal s'il y avait du nouveau.

Soudain, Pierre Quesnoy s'assit en face d'elle, lourdement.

– Un double scotch, commandait-il au garçon.

Johnny Walker, étiquette noire... Avec des glaçons à part, je m'en servirai moi-même!

Fabienne regardait sa montre.

– Un double whisky à dix heures vingt-cinq! T'es pas un peu dingue?

Quesnoy la fixa sans aucune aménité.

– Ecoute, Fafa! T'es pas ma maman... Vu?

Elle leva une main sur lui, menaçante.

– Si tu m'appelles encore Fafa, je te claque le museau!

Le garçon servait le double whisky, posait un bol avec des glaçons à côté. Quesnoy buvait une rasade d'alcool. Sec, d'abord.

– Si tu savais dans quel merdier on s'est foutu! s'exclamait-il ensuite.

Elle secouait sa courte chevelure d'un blond vénitien.

– Où tu t'es foutu, corrigeait-elle. Moi j'attends Marc, qui rentre ce soir de Boston. Nous avons rendez-vous chez *Lipp*... Et je me tire quelque temps avec lui, dès que Julien sera rentré.

Quesnoy sifflotait, sirotait une nouvelle gorgée de whisky. Il y avait mis des glaçons, désormais.

– Voyage de noces? ironisait-il. Si ça se trouve, Liliental est fourré dans cette merde jusqu'au cou!

Elle s'inquiétait, voulait comprendre pourquoi.

– Toi d'abord, disait Quesnoy. T'as trouvé notre homme?

Elle ne l'avait pas trouvé, mais identifié. Elle lui donnait tous les renseignements. En omettant les galipettes de Lachenoz avec la copine de Gaby : ce n'était pas décisif.

Pierre Quesnoy ne semblait plus avoir de doutes à ce sujet : le faux Lachenoz était le vrai Laurençon, qui n'était pas mort en 1974 pour une raison encore mystérieuse et qui était revenu pour se venger.

– Tu n'as pas entendu la nouvelle? demandait-il, ménageant le suspense.

Non, elle n'avait entendu aucune nouvelle.

– Luis Zapata a été assassiné, ce matin. Au moment même où je sonnais chez toi avec les photos de Laurençon, Zapata se faisait descendre près de Denfert-Rochereau!

En la quittant, racontait Quesnoy, il était allé avenue du Maréchal-Maunoury, au domicile de Zapata. Il avait l'intention de lui casser le morceau, de lui montrer les photos. Nul n'était mieux placé que Zapata pour identifier Daniel Laurençon, dit « Netchaïev ». Pour savoir si c'était possible qu'il fût de retour parmi les vivants. C'est Zapata qui avait géré autrefois la fin de toute l'histoire, à cause de son amitié pour Liliental. Mais au domicile de l'ancien truand, c'étaient les flics qui lui avaient ouvert la porte. Ils interrogeaient les domestiques de Zapata, un couple de Philippins qui ne parlait que l'anglais. Et un espagnol bizarre. Quesnoy s'était proposé comme interprète, mais l'inspecteur, un certain Lacourt, l'avait envoyé promener. D'ailleurs, comment avait-il appris le meurtre de Zapata, qui l'avait rencardé? L'inspecteur était curieux de le savoir. A ce moment-là, en effet, neuf heures et demie, la nouvelle n'avait pas encore été rendue publique. Elle ne tomberait qu'aux infos de dix heures. Quesnoy ignorait tout ça, mais il avait joué le rôle du journaliste bien renseigné, qui a ses informateurs partout. Il ne dirait rien de ses sources : secret professionnel, monsieur l'inspecteur! Lequel avait fini par le mettre à la porte de l'appartement de Zapata.

– Voilà où nous en sommes, Fabienne! concluait Quesnoy.

Elle essayait de comprendre ce qui était en cours.

– Pourquoi dis-tu que Marc Liliental peut être en danger?

Pierre Quesnoy éclusa son whisky.

– C'est lui qui a été l'instigateur de la condamnation à mort de « Netchaïev » par l'Avant-Garde prolétarienne. S'il y a quelqu'un dont Laurençon aura envie de se venger, c'est bien Liliental!

– Pourquoi avoir attendu douze ans pour se venger, d'après toi? demandait-elle.

Il la regardait en hochant la tête.

– Elémentaire, Miss Watson! C'est la seule question qui puisse battre en brèche mon hypothèse sur les motifs du retour de Laurençon... Et je n'ai pas de réponse!

– Que fait-on maintenant?

– Tu restes en contact avec Gaby, disait-il. Il faut savoir si le Suisse réapparaît... Je file à la salle de presse de la P.J. pour essayer de tirer les vers du nez à quelqu'un... Et on se retrouve à midi au journal pour appeler Julien à Genève... Je ne vois pas ce qu'on pourrait faire de plus...

Elle voit, Fabienne... Mais garde son idée pour elle.

IX

Elie Silberberg ouvrit la porte.

Un homme se tenait sur le perron, le dos tourné, contemplant le pavillon d'en face, une sorte d'imitation de châlet normand.

L'homme lui fit face, dès qu'il sentit une présence derrière lui.

Un type de très haute taille – pas loin d'un mètre quatre-vingt-dix –, des cheveux blancs, des rides autour d'yeux très clairs, d'un gris-bleu glacial, dans un visage aux traits accusés, tanné par le grand air.

Ou par la vie, ça suffit souvent.

Silberberg habitait boulevard de Port-Royal, du côté des numéros impairs. On franchissait la voûte d'entrée d'un immeuble cossu, banal, vaguement haussmannien. On traversait une première cour, tout aussi banale. Mais au-delà d'une deuxième voûte, on débouchait dans un espace vert, insolite, assez vaste, où se dressaient plusieurs pavillons. L'un de ceux-ci appartenait à la famille de la mère d'Elie, Carola Blumstein, depuis les années trente. Carola y était revenue, quand elle se sépara de son mari. C'est là qu'Elie avait vécu toute son adoles-

cence, l'époque de ses études à Henri-IV, en particulier. C'est là qu'il était revenu vivre pour tenir
compagnie à sa mère, lorsque celle-ci avait sombré
dans une douce folie, inoffensive mais irrémédiable.

L'inconnu s'était retourné, en entendant la porte
s'ouvrir.

– Le pavillon d'en face vous intéresse? demandait Silberberg. Vous savez qui y a vécu?

L'inconnu le regardait, avec une moue vaguement ironique. Ou condescendante.

– Lucien Herr, dit-il. Il y a passé les dernières
années de sa vie!

Silberberg fut étonné par l'assurance de l'autre.
Qui s'était retourné une nouvelle fois vers le pavillon de la famille Herr.

– J'y venais parfois, sous l'Occupation, ajouta
l'inconnu.

Elie Silberberg essayait de ne pas perdre contenance. Il rejeta en arrière la longue mèche de ses
cheveux blonds.

– Sous l'Occupation, il y a belle lurette que Herr
était mort! proclama-t-il.

L'autre le regardait avec une sorte de commisération.

– Sa famille vivait encore, dit-il à voix presque
basse. Sa veuve, deux fils, une fille! J'étais copain
du plus jeune, un archicube...

Quelque chose commença à bouger dans la
mémoire d'Elie Silberberg. Quelque chose d'indistinct mais d'acéré : on s'y blesserait aisément.

L'inconnu souriait.

– Mme Lucien Herr a fait entrer une fois son
plus jeune fils, mon copain, dans la bibliothèque de
l'Ecole, rue d'Ulm. C'était encore un môme, dix
ans à peu près. Elle lui a montré les rayons chargés
de milliers de volumes. « Ton père avait lu tous ces

158

livres, lui a-t-elle dit. Tu feras comme lui ! » De quoi traumatiser le gamin, non ?

Silberberg commençait à paniquer.

– La dernière fois que je suis venu ici, poursuivait l'inconnu, c'était en 1943...

1943 ? Oui, l'hiver, vers la fin de cette année-là. Ils étaient cinq, la dernière fois qu'il était venu boulevard de Port-Royal, dans le pavillon de la famille Herr. Il y avait Laurençon, le jeune Herr, Sonia W., « Kléber », lui-même. Tous morts, pensa-t-il. Sauf moi-même, bien sûr. Et Herr, peut-être. Plus aucune nouvelle du fils de Lucien Herr qu'il avait connu à cette époque lointaine. Les autres, en tout cas, morts. Michel Laurençon, des suites de sa déportation. Sonia W., blonde, radieuse, irréductible : elle était tombée dans une souricière de la Gestapo, tout à la fin. Avait eu le temps de se servir de son arme, avait chèrement fait payer sa vie. Et « Kléber », qui avait mordu la capsule de cyanure, au huitième jour de l'interrogatoire. Il pouvait imaginer le désespoir de son camarade, lorsque celui-ci avait constaté que son corps ne tiendrait plus sous les coups des tortionnaires. Sa colère à voir que sa carcasse ne voulait plus être menée par son esprit, au-delà des limites de toute souffrance. « Kléber » avait mâché la capsule de poison pour dérober sa mémoire aux types de la Gestapo, pour les priver d'une victoire atroce qu'ils sentaient approcher, probablement. Le silence de ma mort, salauds, voilà ce que je vous jette à la gueule, avait-il dû crier dans le silence de son angoisse, de sa solitude. Héros si pur, « Kléber », jeune homme auréolé de toutes les grâces de l'âme et du corps, « Kléber » qui nous donnas ta mort assoiffée pour que nous vivions dans l'indifférence et la satiété.

– En 1943, oui, répétait l'inconnu. Et j'étais avec Michel Laurençon, le père de Daniel...

Elie devenait livide.

L'homme avait sorti une carte barrée de tricolore, se présentait.

– Commissaire principal Roger Marroux!

C'était bien ce nom-là, pensait Silberberg. Le nom du beau-père de Daniel, évidemment.

Mais Roger Marroux faisait un geste imprévu. Il tendait la main, tâtait le tissu de la veste de Silberberg, éclatait d'un rire grinçant.

– Une bien jolie veste, Silberberg! Un peu criarde, certes... Il faut oser! Mais très jolie, vraiment.

Déconcerté, Elie faisait une mise au point absurde.

– Je viens de rentrer, je n'ai pas eu le temps de me changer!

C'était vrai qu'il venait de rentrer. Place des Victoires, à *Action*, il n'avait pas trouvé Fabienne Dubreuil. Elle ne serait au journal qu'à midi, lui avait-on dit. Quant à Serguet, il était vraiment à Genève, au moins pour la journée. Silberberg avait laissé un mot pour Fabienne lui demandant de le joindre d'urgence et était revenu boulevard de Port-Royal : il ne pouvait pas se promener toute la journée dans Paris avec l'automatique du tueur motocycliste. Il l'avait caché dans un placard, avec le vieil Smith et Wesson que son père lui avait donné, autrefois.

Marroux riait encore.

– Je ne vois pas le rapport, disait-il.

Il poursuivait, d'un ton persifleur.

– De toute façon, on l'a déjà vue, votre veste! A huit heures du matin, elle se baladait square Georges-Lamarque. J'ai deux témoignages qui concordent, très précis...

Il regardait Elie.

– Vous n'êtes pas sans savoir qu'un dénommé Luis Zapata a été assassiné, ce matin, à cette heure-là, cet endroit-là...

Elie hochait la tête, ne répondait pas.

– Liliental est aux Etats-Unis, Serguet à Genève... Quant à Mme Sponti, elle recevait son masseur, à l'heure en question, nous avons vérifié... Il n'y a que vous qui ne sembliez pas avoir d'alibi...

Silberberg commençait à enrager. Une sorte de sourde colère le gagnait. Dans la même matinée, un tueur lui tirait dessus et voilà qu'un flic essayait de le cuisiner. Trop, c'était trop!

– J'en aurais besoin, monsieur?

Il avait prononcé le dernier mot d'un ton rageur.

– Commissaire, rectifiait Marroux. Commissaire principal Roger Marroux...

– Je n'ai pas l'habitude de parler aux flics, dit Elie, tranchant.

– Moi si, rétorquait Marroux, souriant. J'ai même l'habitude de parler aux assassins...

Silberberg accusa le coup.

– Car j'enquête sur un meurtre, Silberberg! Je veux parler de celui de Zapata, bien sûr... L'autre, celui de Daniel Laurençon, échappe à ma compétence, pour l'instant... Mais rien ne dit que les deux ne soient pas liés!

Elie Silberberg fit un effort pour se maîtriser, y parvint.

– Pourquoi nous... commissaire?

– Vous?

– Parmi tous les millions de Parisiens, il n'y a que nous qui aurions besoin d'alibi?... Nous, le groupe d'autrefois?

– Ah! s'exclamait Marroux. L'Avant-Garde prolétarienne? Mais c'est Zapata lui-même qui en a donné l'indication... Juste avant de se faire descendre, il a laissé un message pour moi à la P.J. « Ça concerne Netchaïev. » Vous comprenez?

Il comprenait qu'il était seul, Elie, face à ce type qui semblait posséder tous les atouts. Et ne savait pas comment jouer cette partie. La carte de la vérité, peut-être? Mais jusqu'où, la vérité?

– Sans doute avez-vous des questions à me poser, commissaire... Nous serons mieux à l'intérieur...

Silberberg s'effaçait, pour que Roger Marroux pût franchir la porte.

Ce dernier se tourna une dernière fois vers le pavillon où avait vécu Lucien Herr.

– « Le révolutionnaire méprise l'opinion publique. Il méprise et hait l'actuelle morale sociale, dans toutes ses exigences et toutes ses manifestations. Pour lui, tout ce qui permet le triomphe de la révolution est moral; est immoral tout ce qui l'entrave... »

Marroux avait lu la phrase à haute voix.

– C'est dans le *Catéchisme* de Netchaïev, commenta Silberberg, derrière lui. Mais vous devez savoir!

Marroux se retournait, hochant la tête.

– En effet, dit-il.

La grande pièce où Silberberg l'avait introduit était remplie de livres, de papiers. Il y en avait sur des rayonnages, sur les tables, en piles sur le parquet. Mais ce n'était pas un désordre hostile, ou déplaisant, comme celui que provoquent la négligence ou l'abandon, le laisser-aller moral. C'était vivant, habitable. La certitude vous saisissait aussitôt que toute cette lecture amoncelée nourrissait une réflexion.

Marroux s'était souvenu de la bibliothèque privée de Lucien Herr qu'il avait fréquentée sous l'Occupation, dans le pavillon d'en face. A quarante-cinq ans de distance, les deux pièces lui avaient donné une impression comparable de vie de la pensée, de créativité en acte. En puissance, du moins.

Chez Elie Silberberg, la paroi du fond du bureau-bibliothèque était occupée dans sa majeure partie par un revêtement de liège sur lequel il avait fixé avec des punaises multicolores ou du ruban adhésif translucide des documents de toute sorte : coupures de presse, photocopies de pages de livres, fiches bibliographiques, feuilles où s'inscrivaient citations, aphorismes, déclarations d'hommes politiques, extraits d'entretiens avec des écrivains, ainsi de suite.

Il y en avait des dizaines, dans un apparent désordre, mais un fil rouge semblait relier ces fragments : ils concernaient tous la question du terrorisme. Plus exactement encore, celle du rapport entre terrorisme et révolution.

– « ... tout ce qui permet le triomphe de la révolution est moral; est immoral tout ce qui l'entrave », répétait Roger Marroux.

Il faisait un geste désabusé.

– Leur morale et la nôtre, en effet, ajoutait-il. Toujours la même histoire !

Silberberg était sur ses gardes, il se méfiait de cet étrange policier. Il pensait que l'autre voulait l'entraîner dans une discussion théorique pour mieux le désarmer, lui asséner ensuite des questions gênantes, à brûle-pourpoint, au moment où il s'y attendrait le moins.

Il avait tort, cependant.

Roger Marroux avait tout simplement envie de parler avec lui, de le connaître mieux. De tous les anciens dirigeants de l'Avant-Garde prolétarienne, Silberberg était le seul qui lui fût sympathique. En partie parce qu'il avait été le meilleur copain de Daniel, lorsqu'ils étaient tous deux adolescents. Son beau-fils lui avait parlé d'Elie, à l'époque où il lui parlait encore de sa vie, de ses lectures, des copains. Aussi parce que Silberberg n'avait pas connu la réussite des autres. A ce point-là, c'était voulu : ça montrait qu'Elie avait gardé ses distances, que c'était une question de morale. Un choix, plutôt qu'un manque de dons pour réussir dans le monde.

Mais surtout parce que Roger Marroux trouvait aux quelques romans que Silberberg avait publiés sous le pseudonyme d'Elias Berg beaucoup de qualités. Sur le plan formel, ils sortaient du commun. C'étaient des romans d'action, en effet, noirs, pleins de bruit et de fureur, remplis de cadavres, de surprises et de suspense, où il ne se passait rien. Du moins en apparence, en direct, à première vue, sous nos yeux, comme si nous y étions. Le narrateur n'était jamais là où il fallait, il arrivait toujours trop tard ou bien il venait juste de quitter les lieux du crime, du passage à l'acte. L'essentiel du récit était donc prémonition, méditation ou souvenir.

C'étaient des romans raciniens, en quelque sorte. On n'était jamais aux côtés de Théramène, assistant à la mort de Thésée. On était dans le récit de Théramène. Or la vie, habituellement, la vraie vie, Marroux était payé pour le savoir, c'était le plus souvent un récit, un enchevêtrement de récits, le souvenir du passage à l'acte, ou le désir d'y passer, plutôt que l'acte lui-même, comme si nous y étions. Car nous n'y sommes jamais. Ou si peu, si brièvement. Sauf sans doute au moment de l'amour physique, où l'acte est sous-tendu par le temps, suspendu en lui : mémoire et projet du plaisir. De ses joies, ses jeux, ses jouissances. Mais on ne peut passer sa vie à faire l'amour. Pour le reste, nous sommes plutôt dans une suite d'immobilités, d'attentes, d'images fixes, dans l'avant et l'après action.

Marroux essaya de relancer la conversation, malgré la méfiance de l'autre, perceptible.

– De toute façon, c'est la question centrale, non ? La phrase de Serghéï Netchaïev aurait pu être écrite par Lénine, par Trotski, mot pour mot, par n'importe lequel de nos marxistes-léninistes d'aujourd'hui !

Silberberg ne résista plus au plaisir de la discussion.

– Pas par Marx ! proclama-t-il. Il a fait du *Catéchisme* une critique féroce !

Du même ton qu'Archimède avait eu pour crier : Eurêka !

Roger Marroux hocha la tête.

– Je vous l'accorde, dit-il, du moins en partie. Derrière l'aphorisme de Netchaïev sur la morale et la révolution, il y a l'idée latente que celle-ci est le bien absolu... Alors que Marx savait que l'Histoire avance souvent par ses mauvais côtés...

Silberberg le regardait, de plus en plus surpris. De plus en plus inquiet, également.

– Il n'empêche, continua Marroux. Il y a aussi dans Marx, dans sa théorie messianique de la révolution et de la classe universelle, la possibilité d'une chute dans ce relativisme moral de l'Absolu !

Silberberg avait quasiment oublié pourquoi Marroux était là, quelle enquête sur quel meurtre l'avait amené ici. Il n'était plus motivé que par le goût de l'argumentation, le désir d'y briller, de marquer des points sur son interlocuteur.

– Vous pensez que si la révolution était le Bien absolu, la formule de Netchaïev serait cohérente, justifiée?

Ils étaient debout, au milieu d'une montagne de livres. Marroux fit un geste de la main, pour chasser cette question comme on chasse une mouche inopportune.

– Mais non, Silberberg! Même si la révolution était ce qu'elle n'est pas, le Bien absolu, ou le règne de la liberté, ou l'épiphanie de l'homme désaliéné, n'importe laquelle de ces sornettes habituellement mortifères, la formule de Netchaïev serait fausse. Tout ce qui permet le triomphe de la révolution ne serait pas moral... D'abord parce que, trivialement, la fin ne justifie pas les moyens... Et surtout parce que les critères moraux d'une action historique sont immanents à l'action elle-même. Ils ne sont jamais à tirer d'une transcendance comme d'un chapeau de prestidigitateur. Ils sont à établir, à découvrir, à faire fonctionner dans l'épaisseur même de l'immanence historique... Il y a des choses qu'il ne faut absolument pas faire, certes... Mais c'est dans la relativité même de l'action historique qu'il faut fonder ces moments tranchants où l'on proclame : ça ne peut pas se faire, absolument pas!

Silberberg hocha la tête.

– Sans doute avez-vous raison... Du moins dans la perspective d'une morale de l'athéisme conséquent... Mais les chrétiens ne marchent qu'à la transcendance... Et leur morale est prodigieusement efficace, aussi bien sur le plan historique que sur le plan individuel...

Marroux faisait des gestes de dénégation.

– Vous devez bien avoir les œuvres de Maritain,

dans votre fouillis? s'exclama-t-il. Relisez le traité sur *Dieu et la permission du mal*... Vous y verrez que la philosophie thomiste proclame la transcendance, l'ouverture à Dieu, dans ce qu'elle nomme « la ligne du bien »... De la « ligne du mal », l'homme est seul responsable... Dieu n'est pour rien dans le Mal, sauf à permettre que l'homme y manifeste sa liberté totale! Dieu n'est pas responsable d'Auschwitz, en somme... Il n'y est pour rien, puisqu'Il n'est pas responsable de « la ligne du Mal »! A première vue, bien sûr, c'est scandaleux... Mais c'est un scandale riche de sens...

Il s'interrompit subitement.

Il ferma les yeux un long instant. Puis marcha vers les baies vitrées d'une véranda qui donnait sur la cour-jardin. Il demeura immobile, silencieux, contemplant le pavillon de la famille Herr. Sa voix s'était assourdie, lorsqu'il se retourna de nouveau vers Silberberg, lui parla.

– Je vous ai dit que j'étais venu chez les Herr en 1943, n'est-ce pas? Nous avions une décision à prendre. Il y avait dans notre réseau un homme, « Mirabeau » était son nom de guerre, un fils de famille désargenté, follement téméraire, que l'on soupçonnait de travailler pour la Gestapo. D'être agent double, au moins. Certains d'entre nous pensaient qu'il fallait l'exécuter, que les indices de sa trahison étaient suffisamment probants et le risque trop gros pour les scrupules moraux. Ce jour-là, dans le pavillon de Lucien Herr, nous avons tranché. Nous avons décidé de le laisser en vie, en limitant ses activités dans le réseau pendant une période d'observation. Tous les signes de culpabilité, en effet, pouvaient être interprétés également comme de simples preuves d'une trop grande témérité, d'une folle confiance en son étoile...

Marroux respira profondément, avant de poursuivre.

– Quelqu'un proposa que l'on se saisisse de « Mirabeau », qu'on l'enferme dans l'une de nos planques, et qu'on l'interroge... Interroger, vous comprenez? Qu'on le torture, au besoin, pour lui arracher la vérité sur lui-même... Nous avons repoussé cette proposition, bien entendu... Même si la vérité avait été utile à savoir, si « Mirabeau » avait admis sa trahison sous la torture, du seul fait d'avoir été obtenue ainsi, cette vérité aurait pourri nos consciences... Notre action, aussi... Faire éclater cette vérité-là par le moyen de la torture nous aurait aveuglés sur le sens de notre combat...

Il respira de nouveau. Silberberg avait l'impression qu'une main de glace lui serrait le cœur. Il devinait ce qui allait suivre, à peu près.

– C'est Michel Laurençon qui fut le plus catégorique... C'est lui qui emporta la décision de laisser vivre « Mirabeau »... Quelques semaines plus tard, Laurençon était arrêté par la Gestapo dans une chambre de la rue Blainville... C'est « Mirabeau » qui l'avait donné...

Le silence tombait sur eux, épaississait, devenait palpable, étouffant.

– Trente ans après, reprit Marroux, et on avait l'impression qu'il s'arrachait les mots de la gorge, un par un, trente ans après, qu'avez-vous fait de son fils, de Daniel Laurençon?

Elie Silberberg était blanc comme un linge.

Il avait compris que cette question allait lui être posée, dès qu'il avait su le nom de cet inconnu à cheveux blancs, au regard bleu. Il savait, depuis longtemps, que c'était la seule vraie question.

Mais la porte de la bibliothèque s'ouvrit à la volée. La mère d'Elie, Carola Blumstein, entra à grands pas, agitée, volubile. Une jeune femme essayait de la retenir, de la calmer.

« ... et il tomba du ciel une grande étoile, brûlant comme une torche, et le tiers des fleuves, des sources d'eau courante, fut empoisonné. Et Absinthe était le nom de cette étoile. Et le tiers des eaux devint amer comme l'absinthe, et les hommes moururent... »

Comment Carola Blumstein en était-elle arrivée à réciter un verset de l'Apocalypse ?

Roger Marroux aurait été incapable de le dire, de reconstituer sur-le-champ l'itinéraire capricieux de la conversation. Mais le fait est que Carola déclamait l'Apocalypse, le verset où sonne la trompette du troisième ange.

Elie Silberberg était dans un coin, renfrogné. Il n'avait presque rien dit, depuis que sa mère était entrée dans la pièce en coup de vent.

Le commissaire Marroux n'avait encore jamais rencontré Carola Blumstein. Au cours de son enquête personnelle sur la disparition de « Netchaïev », douze ans auparavant, il avait appris son existence, bien sûr. Il avait mis sur fiches tous les renseignements qu'il avait recueillis sur elle, à l'époque, et qu'il pensait pouvoir lui être utiles. Ainsi, il savait que la mère d'Elie était une survivante d'Auschwitz.

Maintenant, en la regardant réciter l'Apocalypse, une violente émotion l'envahissait. Car il aurait reconnu n'importe où, dans n'importe quelle circonstance, le regard de Carola Blumstein. Le regard fou des survivants : ébloui, désert, dévasté par la fumée des crématoires sur la plaine désolée de Birkenau. Le regard de Michel Laurençon, dans le châlit du bloc 56, à Buchenwald. Le regard du jeune déporté – c'était un Espagnol : il portait un triangle d'étoffe rouge sur la poitrine, avec un « S » imprimé dessus à l'encre noire – qui lui avait parlé, devant la baraque de la *Politische Abteilung*, en ce lointain printemps de 1945. « Plus jamais l'odeur de chair brûlée sur la forêt », avait dit l'Espagnol, avec un rire fou.

Carola Blumstein avait profité de la présence de Roger Marroux, interlocuteur idéal parce que inédit, pour s'exprimer sur son obsession du moment : les suites de la catastrophe nucléaire de Tchernobyl.

– Savez-vous où se trouve Tchernobyl, monsieur ? En Ukraine, n'est-ce pas ? Eh bien, la plupart de nos malheurs, depuis un siècle, ont trouvé naissance en Ukraine, n'est-ce pas ? Persécutions, pogroms, massacres...

Marroux hochait la tête, l'écoutait attentivement. Faisait semblant, du moins.

– Voï, voï, voï, disait-elle. Et savez-vous le sens du mot Tchernobyl ?

Non, il ne savait pas. Il s'en excusait, mais il ne savait pas.

– Ça veut dire « herbe noire »... ou « herbe amère »... L'absinthe, autrement dit...

Elle regardait Marroux, espérant peut-être que cette seule indication suffirait à lui faire comprendre de quoi il était question. Mais Roger Marroux ne comprenait pas encore, visiblement.

– « Et Absinthe était le nom de cette étoile... », déclama-t-elle soudain. Vous vous souvenez de l'étoile d'absinthe ?

Non, Marroux ne s'en souvenait pas. Il ne savait même pas à quoi pouvait faire allusion Carola Blumstein.

A la Bible, bien entendu. Au livre de l'Apocalypse, plus précisément.

Carola récita alors le texte de l'Apocalypse, après l'ouverture du septième sceau. « Je vis sept anges qui se tenaient debout devant Dieu et à qui furent données sept trompettes... »

Marroux l'écoutait, fasciné par cette voix frêle et friable qui prenait soudain une ampleur prophétique.

– « Et le troisième ange joua de la trompette et il tomba du ciel une grande étoile, brûlant comme une torche, et le tiers des fleuves, des sources d'eau courante fut empoisonné. Et Absinthe était le nom de cette étoile. Et le tiers des eaux devint amer comme l'absinthe, et les hommes moururent à cause de l'eau qui était devenue amère... »

Elle regardait Roger Marroux, triomphante.

– Ça ne peut pas être plus clair, n'est-ce pas ? Tchernobyl est l'étoile d'absinthe... La centrale a explosé, elle a brûlé comme une torche, les eaux potables ont été empoisonnées... Mais le plus terrifiant vient après... C'est que Tchernobyl annonce une guerre qui verra la destruction d'Israël... C'est pour nous en avertir que Tchernobyl a été choisi, vous comprenez ? Il y en a, des centrales nucléaires, dans le monde ! On frôle tous les jours la catastrophe... Mais la première explosion se produit à Tchernobyl, précisément... Dans cette Ukraine où les juifs ont été persécutés sous tous les régimes... J'en ai parlé avec Elie... Mais il ne veut rien entendre... Il prétend que les interprétations sont diverses, qu'il ne sait pas laquelle est digne de foi... Il me suggère d'aller voir le rabbin... Mais je n'ai jamais été voir le rabbin, j'ai toujours laissé Dieu parler dans mon cœur, depuis qu'il a retrouvé sa voix dans mon cœur...

Elle commençait à s'agiter. Ses mains se nouaient et se tordaient, implorantes. La jeune garde-malade, qui s'était tenue à l'écart, intervint alors avec une douceur inexorable. Elle emmena la mère d'Elie, la tenant par les épaules.

La voix de Carola Blumstein frôlait le cri d'angoisse, désormais. Elle se demandait si les juifs n'avaient pas provoqué la colère de Dieu en créant l'Etat d'Israël, si l'étoile d'absinthe et de feu de Tchernobyl n'annonçait pas l'explosion de la colère de Dieu.

– Peut-être sommes-nous voués à l'exil, criait-elle, à demeurer en exil. Peut-être l'exil est-il notre seul royaume, n'avons-nous pas le droit d'avoir une terre ! Peut-être Dieu ne nous veut-il que dans la diaspora d'une patrie détruite, disparue !

La porte se refermait sur les deux femmes. Marroux et Silberberg étaient de nouveau face à face.

– Je vais vous demander de m'accompagner à la P.J., disait le commissaire. Pour enregistrer votre témoignage...

Silberberg haussa les épaules.

– Je vous assure que je n'ai pas tué Zapata !

– Mais je sais ! disait l'autre, placide. Ce sont deux jeunes femmes... Vous étiez sur place, cependant... Je suppose que Zapata vous avait donné rendez-vous. Que voulait-il vous dire ?

Silberberg avait soudain envie de se laisser aller.

– Je n'en sais rien... N'a pas eu le temps de m'expliquer... En tout cas, il s'est bel et bien trompé... Il m'a assuré que je n'étais pas sur la liste des attentats... Dix minutes après, on me tirait dessus, au cimetière Montparnasse...

Marroux en restait bouche bée.

– Vous en avez des choses à me raconter, Silberberg!

A ce moment, on entendit la sonnette de la porte d'entrée.

En deux enjambées, Marroux fut à la croisée, écarta légèrement le rideau. Une jeune femme, très belle lui sembla-t-il, se tenait sur le perron. Il avait l'impression de l'avoir déjà vue quelque part.

– C'est qui? demanda Silberberg, un peu nerveux.

– Venez voir... Mais je crois que ça va!

Elie s'approcha, jeta un coup d'œil.

– Mais oui, c'est Fabienne Dubreuil... Elle travaille chez Julien, à *Action*... Je lui ai laissé un message, tout à l'heure...

Il alla ouvrir.

Le commissaire Marroux relâcha la crosse de son magnum 357 qu'il avait saisi dans le holster. Il s'arrangea quand même pour surveiller les deux autres à travers la porte entrebâillée donnant sur le vestibule du pavillon.

Fabienne Dubreuil et Elie Silberberg parlaient à voix basse, de façon animée. La jeune femme sortit de son sac une grande enveloppe de papier kraft. Elle montrait quelque chose à Elie, probablement des photos.

Roger Marroux poussa la porte, entra dans le vestibule, marcha vers la jeune femme d'un pas silencieux et rapide. Avant qu'elle se rendît compte de quoi que ce soit, il s'était emparé des agrandissements de Quesnoy, y jetait un coup d'œil.

Il devint livide, s'adressa à Fabienne, d'une voix qui déraillait, s'éraillait.

– D'où tenez-vous ces photos de Daniel Laurençon? Elles datent de quand? Où ont-elles été prises?

173

Fabienne le contemplait, ne pouvait s'empêcher de le trouver épatant. D'allure, s'entend. Pour le reste, elle se demandait de quoi il se mêlait, le mec !

Elle interrogea Elie du regard.

– Commissaire principal Roger Marroux, dit celui-ci. Fabienne Dubreuil... Le commissaire enquête que le meurtre de Zapata.

– Marroux ? s'écria Fabienne, enjouée. Justement, je voulais vous rencontrer ! Vous étiez à Henri-IV, en khâgne, avec Michel Laurençon, le père de Lachenoz...

Les deux hommes se regardaient, interloqués.

– Lachenoz ? grondait Marroux.

– Un Suisse, disait-elle. C'est le nom que semble utiliser dernièrement Daniel Lauren...

Marroux l'interrompait sèchement. Il criait.

– Alors, mes questions ?

Fabienne le contemplait de nouveau. Vraiment épatant, ce mec. Un mètre quatre-vingt-dix, à peu près, pas un gramme de graisse, un regard à vous faire froid dans le dos, chaud ailleurs.

– Je tiens ces photos de mon journal, commissaire. Elles datent d'hier après-midi... Elles ont été prises dans un palace parisien.

Roger Marroux soupira. Ça concernait vraiment « Netchaïev », le message de Zapata. Netchaïev lui-même, en chair et en os, revenu du néant.

– Vous avez quelque chose à boire dans votre turne, Silberberg ? Je me taperais volontiers un whisky-glaçons pendant qu'on cause un peu tous les trois...

Il prenait Fabienne par le coude et l'entraînait avec lui vers le bureau-bibliothèque. Quant à Elie Silberberg, il pleurait de joie.

Daniel, vivant !

Mais une idée, terrifiante dans sa simplicité, le

figea sur place. Il regardait les deux autres s'éloigner. Marroux serrait toujours le bras de Fabienne. Si Daniel était vivant, c'était peut-être lui, le tueur motocycliste du cimetière Montparnasse... Daniel n'était revenu de la mort que pour tuer, peut-être...

DEUXIÈME PARTIE

UN HOMME PERDU

« *Le révolutionnaire est un homme perdu. Il n'a pas d'intérêts propres, ni de cause personnelle, ni de sentiments, d'habitudes ni de biens. Il n'a même pas un nom. Tout en lui est absorbé par un intérêt unique et exclusif, par une seule pensée, une seule passion : la révolution.* »

Serghéï Netchaïev,
*Catéchisme du
révolutionnaire.*

« *La main qui se saisit de l'arme doit souffrir de par la violence même de ce geste. L'anesthésie de cette douleur amène le révolutionnaire aux frontières du fascisme.* »

Emmanuel Lévinas,
Difficile Liberté.

I

Il s'arrêta, au débouché de l'avenue George-V.

Il ne pourrait pas réfléchir calmement avant d'avoir eu une femme. Un corps, une odeur, un sexe, des jambes qui s'écartent, un regard révulsé, la foudre du plaisir : le cri.

Une femme, oui.

Le flot des voitures déferlait dans tous les sens, sur la place de l'Alma. Il se redit à mi-voix certains des mots qui avaient forgé son âme, autrefois, modelé sa stature intérieure.

« Le révolutionnaire est un homme perdu. Implacable pour l'Etat et en général pour toute la société privilégiée-cultivée, il ne doit s'attendre lui-même à aucune pitié. Chaque jour il doit être prêt à mourir. »

Il rit sauvagement, seul dans la foule.

Un siècle après avoir été énoncé, le texte de Netchaïev retrouvait sa vérité. C'est vrai qu'il était un homme perdu : dangereusement vrai. Depuis une demi-heure, depuis qu'il avait entendu dans le taxi la nouvelle de la mort de Luis Zapata, il savait à quel point c'était vrai.

« Chaque jour il doit être prêt à mourir » : vrai aussi. Et ce jour était arrivé.

Il ferma les yeux une fraction de seconde. L'univers ne fut plus qu'un brouhaha indistinct, une fureur de bruits stridents, d'agressions sonores.

Il n'avait pas entendu, au début. La radio marchait, c'était confus. Il ne pensait qu'à son rendez-vous. Il fallait être prudent, désormais. Encore plus prudent. On entrait dans la zone la plus dangereuse : le moment où l'opération allait être déclenchée, celui où il devait prendre le large, couper les ponts.

Il avait déjà commencé à le faire la veille.

C'est le chauffeur du taxi qui attira son attention par une plaisanterie.

– C'est un nom de cinéma, ça, Zapata! Viva Zapata! s'écriait-il.

Il avait tendu l'oreille, aussitôt.

Ce n'était qu'un flash, aux infos de dix heures. Luis Zapata venait de se faire descendre, près de Denfert-Rochereau. Le locuteur rappelait en deux mots son passé de truand, se demandait si le meurtre était un règlement d'anciens comptes ou bien le signe annonciateur d'une nouvelle guerre des gangs.

Des foutaises, en somme.

Puis les jeux radiophoniques habituels reprirent leur cours. Il s'agissait de gagner deux places pour huit jours dans quelque paradis des Caraïbes. En décembre, c'était le paradis des Caraïbes que l'on faisait miroiter aux Parisiens.

Ils venaient d'arriver place Victor-Hugo, il demanda au chauffeur de s'arrêter un instant. Des cigarettes à acheter. L'autre lui tint un discours sur les méfaits du tabac, qu'il écouta poliment. Il lui donna raison, même. Affirma qu'il fumait fort peu. Enfin, ils causèrent.

Il entra dans le café-tabac, ressortit presque aussitôt. Il annonça au chauffeur qu'il venait de rencontrer un copain, par hasard, qu'il allait prendre un pot avec lui. Bref, il paya la course, donna un gros pourboire, resta seul.

Il revint au comptoir du bistrot, commanda un double café, un armagnac.

La jeune serveuse le regarda, visiblement surprise. Avec sa blondeur et son allure sportive, il ne devait pas avoir l'air de quelqu'un qui boit de l'armagnac dès dix heures du matin. Tant pis, il avait vraiment besoin d'alcool.

Il en avala une longue gorgée.

C'est la veille qu'il avait parlé avec Luis Zapata. En fin d'après-midi. Il croyait avoir pris toutes les précautions possibles et imaginables. Et tout d'abord, il n'avait jamais mentionné aux autres le nom de Zapata. Jamais dit le rôle que celui-ci avait joué, autrefois. C'était élémentaire, bien sûr. Zapata était le joker dans son jeu : la surprise du chef. Ils avaient dû découvrir l'existence de Zapata hier. Hier seulement. Ce qui voulait dire qu'on le surveillait, jour et nuit, depuis son arrivée en France. Il avait prévu cette surveillance, il avait pris des précautions : elles s'avéraient insuffisantes.

D'un geste, il avait commandé un nouvel armagnac.

La jeune fille s'approchait avec la bouteille. Navrée, c'était visible. Un type aussi beau, aussi viril, alcoolique !

– Chagrin d'amour, lui murmura-t-il, pendant qu'elle lui remplissait de nouveau son verre ballon.

Mais on appelait la serveuse à l'autre bout du comptoir, elle ne put approfondir cette question.

Il la regarda s'éloigner, elle avait une jolie croupe. L'alcool et le beau cul lui firent chaud au ventre.

Ils l'avaient surveillé, donc. Découvert son rendez-vous avec Zapata. D'où il sortait, celui-là? Qui c'était? Ils avaient dû s'affoler un peu. Surtout qu'il n'était pas rentré à son hôtel, ensuite. Ce débile de Gaby venait de lui faire savoir qu'ils étaient venus lui rendre visite, dans la soirée. Bon, ils s'affolent, décident d'intervenir aussitôt. Ils ont dû improviser quelque chose, pas le temps de fignoler.

Mais ce n'était pas seulement la rapidité de leur réaction qui le frappait, c'était sa signification. En assassinant Zapata, ils lui faisaient savoir que c'était fini. Il était lâché, c'était la guerre. Au rendez-vous du Ranelagh, ils l'auraient coincé, sans doute.

La jeune serveuse revenait, paupières battantes. Il lui fit à mi-voix des confidences déchirantes. Elle fut déchirée. Trois minutes après, elle acceptait un rencard, à dix-huit heures, la fin de son travail. Il ne jouait pas avec elle, pas du tout. Ne se moquait pas. Il avait besoin de se projeter dans l'avenir, d'avoir une raison, même minime, même dérisoire, d'atteindre la fin de cette journée, ce moment du rendez-vous. Il allait vivre de l'attente de cette jeune fille, nourrir sa vie de cet espoir médiocre, bouleversant, de la jeune serveuse.

« Le révolutionnaire est un homme perdu, pensa-t-il. Chaque jour il doit être prêt à mourir. »

Il était prêt, oui. Mais ça leur coûterait très cher, ils allaient voir.

Il rouvrit les yeux, au débouché de l'avenue George-V.

A quelques pas de distance, hissée sur le pilori d'un poteau publicitaire, une actrice ravissante se faisait baiser debout, contre un mur tendu du drapeau tricolore. Sur des dizaines d'affiches ciné-matographiques à travers Paris, la jeune femme, chastement vêtue, ne montrait de son corps qu'une jambe droite fort belle, dressée en l'air pour facili-ter la pénétration suggérée.

Quelqu'un, dans une brasserie des Champs-Elysées, lui avait expliqué que cette posture acro-batique était le dernier « must » de l'érotisme chic du cinéma français. Il n'avait eu en principe aucune intention d'écouter les digressions de cet inconnu, assis à une table voisine, et qui lui racon-tait tout cela, avec détails et commentaires crous-tillants, pour émoustiller la jeune femme qui déjeu-nait avec lui.

Ensuite, ça l'avait amusé de constater les pro-grès du trouble dans le regard et les gestes de Nana, tel était le petit nom que le beau parleur lui donnait. Il y mit alors du sien, rajouta son grain de sel grivois, jusqu'au moment où son voisin, jugeant sans doute le moment venu et la fille chambrée, abrégea la fin du repas en déclarant avec un rire gras qu'ils iraient prendre le dessert ailleurs.

Tous ces jours-là, la belle actrice continua de flotter au-dessus du sol de Paris, épinglée comme un papillon sur le drapeau tricolore, clouée par le sexe sur cet horizon patriotique, le pur visage renversé en arrière dans l'attente de la jouis-sance.

Il avait ri, lui, tristement, avec une hargne désespérée, en voyant partout dans la capitale, ces jours-ci, cette image symbolique. Il avait ri, la gorge serrée, en contemplant ces affiches qui mul-tipliaient l'image de la France. Il n'avait bientôt plus pensé à l'actrice, ravissante. Il avait pensé que son pays l'accueillait en affichant avec indécence son déclin, sa future soumission. Oui, c'était bien le maillon le plus faible de la chaîne impérialiste, ils avaient raison de le penser, les stratèges de la terreur, les théoriciens puants et pérorants, qui naviguaient entre le léninisme et l'intégrisme islamique, sûrs d'eux, de leur savoir arrogant, appuyés par la logistique des services spéciaux de l'Est, qu'on retrouvait toujours à l'arrière-plan, il était payé pour le savoir. Ils avaient raison de penser que c'était la France qu'il fallait frapper encore, que c'est elle qui craquerait la première, douce France divisée, affaiblie par la joie de vivre et la folle croyance d'être encore une grande puissance. C'est la France qu'ils voulaient faire plier, pleurer, dont ils rêvaient qu'elle écartât les jambes comme une fille soumise !

Il avait rouvert les yeux, au coin de la place de l'Alma.

Hissée sur son poteau publicitaire, la belle actrice offrait aux passants son visage extasié, sa jambe dressée, le fantasme indécent de son plaisir.

Il pensa qu'il ne savait même pas le prénom de la jeune serveuse de la place Victor-Hugo. N'importe : une femme, de la tendresse, un regard de reconnaissance, des mots insignifiants, la vie.

Il rit tout seul, comme un fou.

Il marcha jusqu'au Rond-Point. Dans les toilettes du drugstore, il se rasa la moustache qu'il portait ces derniers temps. Puis il chercha une cabine de photomaton dans l'une des galeries marchandes des Champs-Elysées. Ensuite, avec ses nouvelles photos d'identité, il prit un taxi, se fit conduire à Belleville. Paya le taxi, entra dans un bistrot pour prendre un café, ressortit, flâna un peu, traversa un Uniprix qui avait des sorties sur des rues différentes, acheta un journal et le lut en plein air, dans le froid sec qui obligeait les passants à marcher vite, qui aurait rendu suspecte toute flânerie à sa proximité.

Au bout d'une heure d'allées et venues, de manœuvres de toutes sortes, quand il fut convaincu que personne ne s'intéressait à lui, à part deux ou trois femmes d'âges divers qui s'étaient retournées sur son passage, il alla sonner à la porte de l'Artiste.

Le type le reconnut, le laissa entrer dans son atelier.

Il était en train de peindre, d'ailleurs. Une femme était là, nue, pas farouche, prenant la pose. L'Artiste l'avait assise dans un fauteuil, mais en travers, les jambes relevées par-dessus l'un des accoudoirs.

Il fit quelques pas, s'approcha du chevalet, jeta un coup d'œil sur la toile, quasiment terminée... C'était d'un réalisme méticuleux, non dépourvu de savoir-faire. Mais c'est connu : les faussaires sont toujours des réalistes. En tout cas, l'Artiste avait une clientèle fidèle, qui payait bien : sa couverture était solide.

– Nu aux bas noirs sur fauteuil rose, dit-il au faussaire.

La femme gloussa, lui fit de l'œil.

C'est vrai qu'il avait fière allure, qu'il était bien sapé : l'air rupin plutôt que rapin.

Mais l'Artiste s'impatientait. Il attendait qu'on lui donnât le mot de passe. Il en changeait tous les mois et, si l'on ne connaissait pas celui en cours, il était intraitable. Pas question qu'il acceptât des commandes de faux papiers : si on n'avait pas le mot de passe, ça voulait dire qu'on avait perdu le contact avec les vraies filières. Il mettait l'importun à la porte, sans ménagement. Même si ç'avait été un de ses clients habituels.

Celui d'aujourd'hui n'était pas un client habituel. L'Artiste ne l'avait vu qu'une fois, deux mois auparavant, en octobre. Mais c'était pour une grosse commande. Il avait une excellente introduction et avait payé en dollars, comptant. Appréciable, malgré la chute du billet vert.

Il regarda encore la toile.

– Dis donc, l'Artiste, on s'y tromperait! s'exclama-t-il. Pour un peu, c'est au portrait qu'on ferait du gringue!

La femme gloussa plus fort.

– Ah non ! Pour le gringue, c'est moi! dit-elle d'une voix aiguisée par l'excitation.

« Les cris aigus des filles chatouillées », pensa-t-il soudain.

Comme une traînée de poudre dans la mémoire, ce vers de Valéry. C'était de Silberberg qu'il le tenait, bien sûr. C'est Elie qui lui avait appris à goûter les charmes de la poésie, il y avait si longtemps.

Il se demanda si c'est Silberberg qu'il devait contacter, maintenant que les autres avaient liquidé Zapata. Bon : chaque chose en son temps. D'abord, les papiers.

Il se tourna vers la femme nue, récita d'une voix sourde, traversée de nostalgie cuivrée, qui fit son effet :

« Les cris aigus des filles chatouillées/Les yeux, les dents, les paupières mouillées/Le sein charmant qui joue avec le feu/Le sang qui brille aux lèvres qui se rendent/Les derniers dons, les doigts qui les défendent/Tout va sous terre et rentre dans le jeu! »

La femme poussa un cri de joie, perdit la pose.

– Génial! s'exclama-t-elle.

Mais l'Artiste n'était pas content.

– Pas de cochonneries chez moi!

Puis, se tournant vers son modèle :

– Passe une chemise, ma chatte, et va dans la cuisine nous faire du café!

C'était prévisible : elle fit des calembours grivois à propos de sa chatte. Se dressa d'un bond, en s'étirant. Attrapa un châle du genre espagnol, une mantille festonnée, dont elle se drapa de façon suggestive pour gagner une porte au fond de l'atelier.

L'Artiste le fixait, mécontent.

– Alors? Tu le connais ou tu ne le connais pas?

– Je n'ai pas eu le temps de suivre la filière convenable, lui répondit-il d'une voix suave. Je suis pressé.

– Moi pas du tout, dit l'Artiste, sur le même ton.

Il fit semblant de ne pas avoir entendu.

– Il me faut une totale : carte d'identité, passeport, permis de conduire, sécu. Un jeu complet, quoi! Mais sans complications : des papiers français, facile! J'ai les photos.

L'Artiste le regardait sans rien dire.

– Tu me feras tout ça au nom de Daniel Laurençon. J'ai noté tous les détails qu'il te faut.

Il lui tendit une enveloppe avec les photos et une fiche contenant les renseignements d'identité nécessaires.

Pour l'instant, il circulait avec un passeport suisse, impeccable, au nom de Frédérique Lachenoz. Il regrettait d'avoir à s'en débarrasser. D'être obligé de le mettre en réserve, du moins. Mais c'était la première chose à faire : il lui fallait des papiers que l'Organisation ne connût pas. Tant pis. On voyage à l'aise dans le monde, respecté partout, avec un passeport suisse. Sauf si on le fait pour le compte des services spéciaux français, semble-t-il. Ils avaient trouvé le moyen de saboter

le bon et brave passeport suisse de Mme Turenge :
un comble !

– Laisse-moi les photos, disait l'Artiste. Et
reviens dans deux jours !

Ce type l'impressionnait. Il ne voulait pas faire la
gaffe de lui claquer la porte au nez, si c'était un
vrai caïd. En deux jours, il pourrait se renseigner.

– Tu connais le prix pour un service complet,
ajouta-t-il. Je veux la moitié tout de suite !

Il sourit à l'Artiste, lui tapota gentiment la joue
de la main gauche. Soudain, il y eut une arme dans
l'autre main. Le canon s'enfonça dans le bide de
l'Artiste.

– Grouille-toi ! dit-il. Si tu traînes, je t'esquinte
d'abord les jambes, ensuite les mains. T'as vu le
calibre ? Ça fait de gros trous...

Il le ferait. Il parlait sans élever la voix, mais il le
ferait sûrement !

Lorsque la femme revint de la cuisine avec le
plateau du café, seins à l'air, la mantille nouée
autour des reins, l'Artiste était à sa table, travaillant fébrilement sur un jeu complet de documents
d'identité, impeccables et vierges.

Le canon d'une arme était braqué sur sa
nuque.

Elle siffla entre ses dents pour tout commentaire. Elle disposa les tasses, servit le café.

– Sucre ? demanda-t-elle.

Il fit signe que non, but son café à petites
gorgées, tenant la tasse de la main gauche.

– Vous en avez un gros pétard ! dit la femme,
canaille.

Il rit, regarda par-dessus l'épaule de l'Artiste. Ça
avançait bien.

– Tu sais pas, mec ? Ta copine va me tailler une

190

plume, pendant que tu travailles. Comme ça, nous aurons chacun notre petit boulot !

— Ce n'est pas ma copine, dit l'autre, hargneux.

Copine ou pas, elle éclata de rire.

— Cas de force majeure, Gustave ! J'agis sous la contrainte. Peux rien refuser à un homme armé !

Elle se mit à genoux, tira sur la fermeture Eclair, prépara l'opération avec des gestes délicats.

— Un homme si bien armé, surtout ! dit-elle peu après.

Ensuite, elle se tut.

Il était aux anges, se souvint d'autrefois.

Quelles sont les meilleures conditions pour réfléchir en paix ? L'un d'entre eux avait posé la question, autrefois, dans la cour de l'Ecole, rue d'Ulm. Silberberg prétendait que les voyages en avion étaient ce qu'il y avait de mieux. Lui-même aimait bien les moments, chez le coiffeur, où on abandonne son crâne aux douces mains des shampouineuses. Quant à Marc, il affirmait que les meilleurs moments de méditation métaphysique étaient ceux d'une bonne pipe. C'est fou ce que ça réveille les esprits, disait-il.

On allait voir si c'était vrai.

Deux mois plus tôt, en octobre, il avait fait un court voyage en France.

Il y avait des gens à faire sortir de leur taupinière, des planques à vérifier ou à préparer, des réseaux à réveiller, des énergies à raviver. Il fallait rapprocher de Paris certains dépôts d'armes et d'explosifs, aménager des caches, créer de nouvelles bases de soutien. De la logistique, en somme, en vue d'une nouvelle vague d'opérations.

Il fit son travail impeccablement. « Une seule

pensée, une seule passion, la révolution! » Il y passa ses jours et ses nuits, rigoureux, lucide, impitoyable avec les hésitants. Il savait qu'on l'observait, jaugeait tous ses actes. Il fallait que les rapports sur lui fussent positifs. C'est à cette condition qu'il pourrait revenir, pour l'opération elle-même. Et il fallait qu'il revienne, pour avoir une chance de s'en sortir.

Cette fois-là, en octobre, il avait fait un long détour pour arriver du Moyen-Orient. A Stockholm, enfin, il avait pris un vol matinal de la S.A.S. Il voyageait en première classe. On lui proposa un petit déjeuner succulent, dès que l'appareil eut pris de la hauteur. Il dégustait des œufs brouillés, du café très fort. Un bonheur soudain l'envahit. Du bien-être, une sorte de joie physique. Ce n'était pas l'excellence du petit déjeuner, pas seulement. C'était aussi l'idée qu'il s'envolait vers Paris, bien sûr. Il n'y avait pas mis les pieds depuis long-temps.

L'hôtesse était charmante, il lui fit un peu de gringue, lui demanda des journaux parisiens. Elle en avait, lui donna *Le Monde*, *France-Soir*, *Libération*, datés de la veille.

Il commença par *France-Soir*, par la page des sports.

En fait, il se fichait du sport. Compétition, performance, culte du corps, dépassement de soi, *corpore sano*, *mens eadem* : c'était du baratin. Il ne s'intéressait qu'au foot, et ce pour des raisons très peu sportives.

Si l'on en croit Jean Giraudoux, Suzanne, dans son île déserte du Pacifique en 1914, après son naufrage, reconstruisait ses souvenirs de la France à l'aide d'un journal miraculeusement arrivé jusqu'à elle et où il était sans cesse question de la Marne. Message mystérieux, difficile à déchiffrer, car elle ne savait rien de la Marne. Ou, plutôt, elle savait tout des charmes fluviaux et balnéaires de la Marne, mais ignorait la bataille du même nom à laquelle les journalistes faisaient allusion à tout propos.

Et même hors de propos.

La Marne devenait ainsi le symbole des charmes et des vertus de la France, de sa gravité guerrière autant que de sa pétillante spiritualité. Comme si la bataille de la Marne, célèbre entre toutes quoique inconnue de Suzanne, n'avait pas seulement permis d'arrêter les armées de l'envahisseur, mais aussi de retremper l'âme de la France, d'assurer son ancrage dans l'histoire universelle.

De même, lui, pendant toutes ces années, dans les camps palestiniens ou les hôtels de luxe du monde entier; dans les planques à travers l'Europe ou les bases de la guérilla en Amérique centrale; dans les longues périodes d'attente énervée, sinistre, il reconstruisait les images de son passé, de son pays, à l'aide de quelques noms de footballeurs. Il suivait à intervalles irréguliers le destin de Dominique Rocheteau, de Marius Trésor, d'Alain Giresse; il lisait les descriptions de leurs exploits ou de leur méforme, et il en retirait l'impression douce-amère de ne pas être totalement exilé du monde des vivants. D'appartenir encore à une communauté plus large, plus ouverte que la terrible fraternité de la mort qui avait été la sienne.

Il lut les pages sportives de la première à la dernière ligne. Il avait eu de la chance. Le journal rendait compte de la dernière journée du Championnat de France de Première Division. Il put ainsi se mettre à jour.

Il alluma une cigarette, ferma les yeux, savourant la joie de ce retour.

Il se souvint d'Elie Silberberg. Sans doute parce

que Elie avait l'habitude de dire, douze ans plus tôt, que c'est en avion qu'il réfléchissait le mieux. « Si vous voulez que je trouve la solution de nos problèmes stratégiques, disait Elie, ou celle des fondements de l'ontologie, au choix, faites-moi payer par l'Organisation un voyage en avion – en première classe, certes! Vous avez déjà vu réfléchir la classe touriste? – et je reviendrai avec les réponses adéquates à toutes nos inquiétudes. »

Mais peut-être se souvenait-il d'Elie Silberberg tout simplement parce que c'était celui qu'il avait toujours préféré, depuis le jour où il lui avait dit à haute voix les premières phrases de *La Conspiration*. De tout le groupe, c'était celui dont il avait été le plus proche.

Il ouvrit les yeux, éteignit sa cigarette, referma les yeux, fit basculer en arrière le dossier de son siège. Il avait le temps de réfléchir à tout, de faire le bilan, de prévoir l'avenir, avant l'arrivée à Paris. Il sourit béatement. *Bilan et perspectives :* dans toutes les langues de la planète, on aura pendant des décennies donné ce titre à des dizaines d'articles et de rapports des organisations marxistes-léninistes! Le bilan était toujours globalement positif, les perspectives toujours radieuses. Exaltantes, du moins. Comme est exaltant le sacrifice, pensa-t-il amèrement. Et inutile, sans aucun doute.

Réfléchir, vraiment. La partie allait être serrée. Il ne fallait pas qu'il commette une seule erreur : sa vie était à ce prix.

Une demi-heure plus tard, il redressa le dossier de son siège, alluma une autre cigarette, demanda un double whisky. Son plan était au point, peaufiné. Dans la mesure où un plan peut l'être, bien entendu. On ne peut jamais prévoir l'imprévu :

c'est bien ce qui fait le charme – l'horreur parfois –
de l'Histoire.

C'est en septembre, à Athènes, que Daniel Laurençon avait imaginé une solution à son problème :
comment déserter les organisations de la lutte
armée sans y laisser sa vie.

Quelques jours auparavant, une nouvelle vague
d'attentats avait déferlé sur la France. Terrorisme
aveugle, avait dit la grande presse, sottement.
Comme si le fait de choisir les victimes au hasard
n'était pas, bien au contraire, la preuve d'une
vision très claire de la situation. Ce n'était pas la
détermination des terroristes qui était aveugle,
mais leur cible : la victime. Le monsieur qui
promenait son chien, la dame qui sortait de Prisu-
nic, l'enfant qui revenait de l'école : ils n'avaient
rien vu venir, ils ne pouvaient rien voir, rien
prévoir, n'étant pas concernés. C'est cet aveuglement qui était choisi par les terroristes, à bon
escient. Ils avaient lucidement choisi de frapper les
aveugles aux réalités, pour que les yeux des victimes se ferment et que ceux des survivants s'ouvrent, terrorisés.

Les attentats de septembre, à Paris, après tous
ceux de l'année 1986, étaient l'œuvre du Djihad.
Sous cette appellation globale, métaphorique,
Daniel Laurençon entendait l'ensemble des mouvements islamiques surgis au Moyen-Orient dans le
sillage de la cause palestinienne, unis dans leur
diversité – parfois leur sanglante rivalité – par le
même objectif : la destruction de l'Etat d'Israël.
Peu importait, du point de vue d'une compréhen-
sion d'ensemble, que derrière les exécutants
directs fonctionnât l'appareil des services spéciaux
de l'Etat syrien ou de l'Etat iranien. Ou, à d'autres
moments, celui des organisations palestiniennes
relayées, appuyées ou manipulées par le K.G.B. et

195

ses organes satellites. Certes, pour les policiers français, dont la tâche était de remonter les filières pour les neutraliser, ou pour négocier, le cas échéant, en position de force avec l'Etat commanditaire, ce n'était pas indifférent de démêler avec précision les fils de la trame. Mais pour Daniel, pour l'élaboration de son plan de survie, il suffisait de savoir que le Djihad était le responsable des attentats : c'était la guerre sainte contre la France.

En septembre, à Athènes, ce n'étaient pas les mouvements islamiques qui s'étaient réunis, mais les groupes marxistes-léninistes, les diverses organisations communistes combattantes. L'objectif de la réunion était de préparer une nouvelle offensive en Europe de l'Ouest, en France particulièrement. Sans prendre ouvertement position sur les attentats réalisés par le Djihad islamique, il s'agissait de s'en différencier, en poursuivant des actions de guérilla ciblée, analogues à celles déjà menées en France contre le général Audran, ou contre Brana, du C.N.P.F. Et en Allemagne fédérale contre Beckurts, directeur de la branche recherche chez Siemens.

C'est un militant d'Action directe qui avait ouvert la discussion.

Dès les premiers mots, Daniel avait su à quoi s'en tenir. Il s'apprêta à somnoler intérieurement pendant toute la durée, prévisiblement longue, de l'intervention du Français.

– L'unité des révolutionnaires en Europe de l'Ouest et la nécessité de l'organisation de la guérilla des communistes, en France comme dans l'ensemble de l'Europe de l'Ouest, sont les nécessités simultanées qui regroupent de plus en plus de combattants révolutionnaires conscients de leur devoir face aux tâches essentielles que leur impose le changement général de la situation objective et son nécessaire dépassement...

Daniel Laurençon trouvait cette logomachie plus insupportable que jamais parce qu'il revenait d'une mission en Israël, où il avait été soumis à la rude épreuve des faits. Où la réalité de son discours idéologique de ces dernières années avait volé en morceaux, dissoute par le discours de la réalité d'Israël.

Quand on lui avait proposé cette mission, Daniel avait accepté sans hésiter. Il savait pourtant que c'était dangereux, que la vigilance du Mossad n'était pas facile à déjouer. Il savait aussi que ça pouvait être un traquenard. Il était surveillé par les siens depuis quelque temps, suspect. L'envoyer en Israël était peut-être un moyen de se débarrasser de lui. Mais il avait accepté, malgré les risques d'origine diverse, sans hésitation : une immense curiosité le poussait. Il voulait avoir une idée personnelle d'Israël, ce pays abhorré, satanisé par la plupart de ceux qu'il fréquentait depuis des années.

Il s'agissait d'une mission d'information et de prise de contact avec des personnalités et des groupes palestiniens, aussi bien à l'intérieur des frontières israéliennes de 1948 que dans les Territoires. Daniel s'y consacra, avec passion, pendant trois semaines.

Au retour, en arrivant à Athènes, il avait changé.

Non seulement sur Israël, ce qui était relativement facile : il suffisait d'ouvrir les yeux, d'écouter les voix de ce pays où tout un chacun a une histoire à raconter, un passé à défendre ou à mettre en cause, un avenir à imaginer ou à perpétuer, pour comprendre qu'Israël n'était pas le Satan annoncé. Daniel Laurençon avait vécu d'abord dans l'illusion révolutionnaire, ensuite dans l'incertitude, dans l'horreur finalement, l'expérience atroce de la destruction des libertés démocratiques au Liban, à la suite du travail de sape de l'O.L.P. et de ses alliés. Par là, il était en mesure de saisir ce qu'il y avait de spécifique, de miraculeusement différent des autres Etats de la région, dans l'existence d'Israël.

L'essentiel n'était pas, en vérité, pour Laurençon, quoi qu'en eussent pensé certains, et non des moindres, dans le rapport quasiment charnel du peuple juif avec une tradition millénaire de respect de la vie, de méditation sur la loi, d'affrontement avec la transcendance. Quel que fût le poids de cette tradition, la force morale de cet enracinement, l'essentiel était ailleurs : dans le rapport d'Israël – maintenu à travers près de quarante ans d'état de guerre qui n'avait jamais entraîné la militarisation de la société – avec les valeurs universelles de la révolution démocratique.

C'est par là, comprit Daniel au cours de son voyage, qu'Israël n'était pas seulement témoin privilégié de l'histoire des hommes, mais également porteur d'avenir. Il n'y aurait pas d'établissement, ni de progrès de la société civile et de la démocratie dans la région, Etats arabes y compris, bien évidemment, si on ne laissait pas agir le levain que constituait Israël. Paradoxalement, du moins à première et courte vue, même la constitution d'une entité étatique palestinienne dépendait du maintien de la démocratie israélienne. De la sauvegarde de l'Etat d'Israël.

A la mi-septembre, à Athènes, Daniel Laurençon avait changé. Ou plutôt il était changé. Lui-même était autre, dans la profondeur de son être. Pas seulement ses opinions : son intimité, ses idées sur la vie, sur l'avenir.

Soudain, alors que le type d'Action directe tenait le crachoir depuis près d'une heure dans son langage indigeste, Daniel dressa l'oreille.

– En France, disait le type, le développement de l'organisation de la violence révolutionnaire, après s'être correctement engagé dans la voie que traçait l'analyse objective, s'est, par un beau matin, dissous dans le velléitarisme de ses initiateurs, dissociés de la première heure, partis voir s'il n'y avait pas dans la nouvelle philosophie et le journalisme libéré un meilleur moyen d'accéder sans frais et sans casse à l'Histoire et à ses caniveaux...

C'étaient des hommes comme July, Geismar, Serguet, Rolin, comme tous ses anciens copains qui étaient visés. Une idée traversa l'esprit de Laurençon, fulgurante. Il allait proposer, quand le tour de discussion pratique arriverait, de prolonger l'action de guérilla prévue contre des représentants du milieu militaro-industriel vers des personnalités comme celles auxquelles le rapporteur venait de faire allusion. Il allait se porter candidat à la préparation d'une telle action, arguant de sa connaissance du terrain et des hommes. Et c'est lors de cette préparation qu'il pourrait reprendre, par Zapata interposé, contact avec Elie Silberberg et les autres, afin d'essayer de déserter l'univers de la terreur.

La chance voulut que sa proposition fût acceptée. On lui donna même un nom de code : Mort Media. Et on chargea Daniel d'une première mission en octobre, à Paris.

Il prit l'exemplaire de *Libération* et commença à le parcourir. Avec une irritation croissante, à dire vrai. Déchéance intellectuelle, ramollissement du cerveau, de la fibre politique : dire que ces pauvres types avaient été, pour la plupart, des révolutionnaires !

Il rêva de punitions exemplaires.

Serge July, par exemple. On pourrait l'enlever et le séquestrer quelque part. Il n'aurait le droit de dormir, de boire, de bouffer, d'aller aux chiottes, de se branler que s'il parvenait à réciter correctement, sans oublier un seul mot, quelque chapitre de son propre livre de 1969, *Vers la guerre civile*. Pâle gueule qu'il ferait, July! Aurait l'air aussi con que dans les programmes de télé clownesques avec Tapie!

Il imagina la scène.

July, empâté, un peu glauque, en train d'ânonner le texte de son bouquin. Par exemple : « Sans vouloir jouer aux prophètes : l'horizon 70 ou 72 de la France, c'est la Révolution! »

On lui ferait travailler sa diction, l'envolée de la voix.

Ou encore : « La rue, c'est le champ clos de la lutte des classes. Les contradictions s'y tranchent sur le vif, et n'ont d'autre issue que par le sang. La guerre civile, voici la perspective, l'horizon de la bourgeoisie française. La prise prolétarienne du pouvoir passe par la conquête de la rue, par sa conquête *militaire*. »

On le ferait monter sur une table, en caleçon, afin qu'il déclamât l'un des passages fondamentaux de son essai, bien oublié désormais : « Disons-le clairement, ouvertement : la haine est le visage le plus clair de la conscience révolutionnaire. Elle est le désir de mettre à mort la société exploiteuse. Contrairement au mercenaire, le militant révolutionnaire, au combat, n'est pas un '' sauvage ''. La manière dont il combat, dont il tue, est toujours raisonnée; elle a toujours un sens. La mort est l'horizon, ou le risque, du combat révolutionnaire. C'est à ce seul prix que se conquiert le pouvoir. Et le pouvoir révolutionnaire est le seul garant de la haine de classe... »

On croirait entendre Serge Netchaïev plutôt que Serge July, non ?

A l'époque où ce dernier écrivait *Vers la guerre civile*, ils avaient eux-mêmes, à l'Avant-Garde prolétarienne, mis au point un plan de séquestrations pédagogiques. C'est avec Silberberg qu'il en avait lui-même fignolé les détails. Une ferme, dans les environs de Nemours, avait déjà été aménagée en prison du peuple. On y aurait enfermé pendant des périodes variables – de quatre à huit semaines, selon leur capacité de résistance – des intellectuels de gauche distingués dont le discours humaniste, le bla-bla sur droits de l'homme et démocratie, empuantissait de plus en plus l'atmosphère. On les soumettrait au jugement d'un tribunal populaire, à huis clos forcément. Mais le compte-rendu du procès, enregistré sur bande magnétique, pourrait être diffusé le moment venu pour l'édification des masses.

Ce serait encore plus efficace qu'une pièce pédagogique de Brecht.

Soudain, il se rendit compte qu'il déraisonnait. Qu'il était complètement schizo.

D'un côté, il se préparait à tirer les conséquences pratiques de son évolution politique de ces derniers mois : il allait déserter les organisations de la lutte armée, au risque de sa vie, peut-être. Mieux valait déserter, de toute façon, que de rester dans le désert de la violence révolutionnaire, sa désertification de la vie. Mieux valait mourir en désertant que de vivre dans ce désert mercenaire.

D'un autre côté, son esprit s'indignait encore des propos de ceux qui avaient fait ce chemin bien avant lui. D'une certaine façon, July était un exemple. Il avait abandonné la guerre civile pour la société du même adjectif. On ne pouvait que l'en féliciter. Que pouvait-il reprocher à July? Celui-ci avait quitté le désert de la violence révolutionnaire plutôt que de plonger dans le tourbillon du terrorisme. Il avait été l'un des artisans de l'autodissolution de la Gauche prolétarienne, dont leur propre organisation n'avait été qu'une scission qui se voulait dans le droit fil du léninisme. Le seul reproche qu'il pouvait faire à Serge July, c'est d'avoir vu clair dix ans avant lui.

Et pourtant, n'y avait-il pas un autre chemin? Ne pouvait-on pas quitter la folie mortifère des avant-gardes léninistes sans tomber pour autant dans l'indécence des shows avec Tapie? Ne pouvait-on pas choisir la démocratie, comme invention et révolution permanentes, sans cesser pour autant de dénoncer l'injustice, l'inégalité que toute démocratie contient par essence?

Poursuivant sa lecture de *Libération*, il tomba sur la page des critiques de cinéma et derechef sur une nouvelle raison de s'indigner. Il y était question d'un film sur Rosa Luxemburg qui venait apparemment d'être présenté à Paris. Il lut quelques lignes du papier, faillit s'étrangler. Il recracha le whisky qui lui était resté en travers de la gorge. Le minus malfaisant qui avait signé cette notule, l'enculé notuleur, écrivait sans sourciller : « Aujourd'hui que toute l'histoire du mouvement ouvrier a chu dans l'indifférence, la pauvre Rosa est devenue anecdotique, voire docudramatique! »

Il reprit son souffle, nota mentalement le nom de ce sale con, à tout hasard, mesura le chemin parcouru dans la confusion mentale d'une certaine pensée dite de gauche.

Il s'était précipité au cinéma, dès le lendemain de son arrivée à Paris.

Le film sur Rosa n'était pas génial, certes. Mais pour des raisons exactement opposées à celle qu'avançait le débile de *Libé*. Car il n'était pas assez politique, en fait. Le souffle de l'Histoire, de l'imagination des masses en était absent. (Un film sur Rosa avec les masses en dehors du champ de vision et d'action : un comble !) Tout se passait en discussions, parfois amusantes et instructives, certes, entre mandarins de la social-démocratie. Et puis, surtout, la vie privée y prenait trop de place, comme si les passades, petits coups de passion ou de plaisir de Rosa eussent eu la moindre influence sur l'histoire de la classe ouvrière !

Mais le vol S.A.S. Stockholm-Paris allait prendre fin. Une voix charmante annonçait la descente vers Roissy-Charles-de-Gaulle.

Deux mois plus tard, aujourd'hui, dans l'atelier de Belleville, c'est la descente aussi. La femme nue aux bas noirs s'est habilement arrangée pour que ça dure le temps que l'Artiste prépare un jeu complet de papiers d'identité. Vol plané, qui leur a paru bref. Liliental avait raison : ce n'est pas mal du tout, pour réfléchir, cette invention attribuée aux Français dans la plupart des langues cultivées !

L'Artiste, lui, avait trouvé le temps interminable.

II

A ONZE heures du matin, Sonsoles Zapata, désœuvrée, ne parvenait plus à concentrer son attention, allumait un poste de radio.

Après le départ de son père, elle s'était efforcée de travailler comme n'importe quel autre jour. C'était une jeune fille méthodique, capable de mettre entre parenthèses soucis et désirs d'ordre privé, pendant le temps qu'elle aurait décidé de consacrer à un programme de travail.

Ce matin-là, cependant, elle n'y parvint pas.

L'arrivée intempestive de son père, l'obscure signification de ses paroles l'avaient irritée. Surtout l'allusion aux charmes comparés des cimetières de Fromont-du-Gâtinais et de Montparnasse. A quoi jouait-il ? Pourquoi avait-il voulu l'impressionner ? Ce n'était pas le genre de Luis Zapata, pourtant, qui était plutôt froid, réservé, avare de mots chatoyants. Un genre très peu méridional, en somme.

Et puis, au-delà de cette irritation, une sourde inquiétude avait investi son esprit. Le message de son père était précis, malgré ses aspects rocambolesques, quasiment de feuilleton télé : un flic à prévenir, un coffre-fort caché derrière une *Vue de Constantinople*, un trésor en francs suisses, une enveloppe à transmettre. Et sa précision venait de l'allusion à Netchaïev.

« Tu lui diras que ça concerne Netchaïev, il comprendra. » La phrase de son père tournait dans la mémoire de Sonsoles. Elle ne parvenait pas à penser à autre chose.

Au bout d'une heure d'efforts inutiles, elle se rendit compte qu'elle ne parviendrait pas à s'intéresser aujourd'hui aux aventures de « Facerías », guérillero anarchiste des années cinquante, abattu par la Garde civile dans l'Espagne du général Franco. Elle rangea ses livres, ses fiches, débrancha son ordinateur et se prépara un deuxième café, aussi serré que celui qu'elle avait pris à sept heures du matin.

Elle emporta la tasse près de la baie vitrée, s'assit dans le vieux fauteuil club qu'elle affectionnait.

« Ça concerne Netchaïev » ne voulait pas dire que ça concernait Netchaïev, bien sûr. Serghéï Gennadievitch Netchaïev était mort en 1882, dans un cul-de-basse-fosse de la forteresse Pierre-et-Paul, à Saint-Pétersbourg. Rien ne pouvait plus vraiment concerner un homme disparu un siècle auparavant.

C'était donc un message codé, que son destinataire, le commissaire Marroux, était sans doute en mesure de déchiffrer sur-le-champ. De toute façon, quel qu'en fût le sens exact, il n'y avait pas beaucoup de possibilités. Ou bien le nom du jeune révolutionnaire russe du siècle dernier était le pseudonyme choisi par quelqu'un d'actuel, de vivant. Ou bien c'était le nom de code d'une opération quelconque.

Toutefois, pseudonyme ou nom de code, « Netchaïev » ne pouvait concerner qu'une réalité trouble, inquiétante. On voyait mal, en effet, la Croix-

Rouge internationale ou Médecins du monde donner le nom de Netchaïev à l'une de leurs entreprises!

Et puis, il y avait le destinataire du message : un policier. « J'ai fait un voyage avec lui en Espagne, autrefois... On s'est bien amusés... » Quand il avait fait ce commentaire, Luis Zapata avait eu une sorte de sourire. Mais pour Sonsoles, cette phrase était encore plus énigmatique que l'allusion à Netchaïev. Pourquoi son père avait-il voyagé avec un flic ? Pourquoi en Espagne ? Et, surtout, comment avait-il pu s'amuser avec lui ?

Saisie d'une inspiration subite, elle composa le numéro de téléphone que Luis avait inscrit sur une feuille de carnet, avec celui de la combinaison du coffre. Oui, c'était bien la P.J. Oui, on pouvait lui passer le bureau du commissaire Roger Marroux. Il y eut des déclics, on la brancha sur l'inévitable petite musique d'attente. C'était un vieux blues de la côte Ouest : le disque-jockey de la P.J. devait être un lecteur de Manchette !

Deux minutes après, une voix d'homme jeune revint sur la ligne. Non, le commissaire n'était pas dans son bureau pour l'instant. Voulait-elle laisser un message ?

Sonsoles Zapata raccrocha sans plus rien dire.

En tout cas, si Netchaïev était mort, le policier était bien vivant.

Au fur et à mesure qu'elle parcourait la chaîne de ses déductions, en dégustant le café, la perplexité gagnait Sonsoles. Elle n'était pas mécontente de sa logique, mais ses résultats la préoccupaient. Avec un tel nom de code et un tel destinataire, le message de son père pouvait concerner une affaire de terrorisme : c'est ça qui était inquiétant.

Elle but une dernière gorgée de café, se leva, appuya le front contre la vitre de la croisée.

Un mois plus tôt, jour pour jour, le 17 novembre, Georges Besse avait été assassiné en rentrant chez lui le soir. Presque sous les fenêtres de Sonsoles, qui habitait dans l'immeuble voisin de celui du P.-D.G. de Renault. Ce soir-là, peu avant vingt heures, la jeune fille sortait du métro Raspail. Elle traversa le boulevard Edgar-Quinet, pour gagner le trottoir des numéros pairs. Absorbée par ses pensées, elle ne fit pas immédiatement attention à un attroupement, un brouhaha, plus loin. Soudain, elle s'y trouva plongée.

Trois quarts d'heure plus tard, quand elle remonta chez elle, Sonsoles n'alluma pas l'électricité. Elle resta dans la clarté diffuse du ciel nocturne, qui tombait de la grande baie vitrée du studio. Elle s'allongea à même le tapis de la pièce. Des images atroces flottaient encore dans sa mémoire. Peu à peu, cependant, ce fut la colère qui prit le dessus : une rage froide, une sorte de haine raisonnée. Tant d'arrogance, tant de sottise archaïque, tant de minable lâcheté chez ces pauvres types d'Action directe! Ces pauvres typesses, peut-être. Car Sonsoles avait entendu, dans la rue, des témoignages criés à la cantonade devant les micros des journalistes de radio sitôt accourus : il semblait bien que c'étaient des femmes, deux jeunes femmes, qu'on avait vues en train de tirer sur Georges Besse. Froidement, avec une précision professionnelle.

« La femme est l'avenir de l'homme », murmura Sonsoles soudain. De façon totalement incongrue, ça n'avait rien à voir. Elle fut prise d'une espèce de fou rire nerveux, qui la soulagea en se terminant dans les larmes.

Ensuite, elle se prépara un grog, avala deux comprimés d'aspirine et essaya de dormir.

Le lendemain, à la bibliothèque de Nanterre, Sonsoles avait demandé à un agrégatif communiste qui travaillait à une table voisine ce qu'il pensait de l'assassinat du P.-D.G. de Renault.

– Nous sommes plutôt contre, tu sais! avait répondu le Philippe en question, qui maniait l'ironie comme un marteau-pilon.

Rien qu'en quelques mots, il était parvenu à irriter Sonsoles. Celle-ci, en effet, lui demandait une opinion personnelle : elle n'en avait rien à faire de ce « nous » péremptoire et partisan!

Mais l'autre avait extrait *L'Humanité* de sa serviette.

– « Le sang d'un P.-D.G. dans un caniveau ne règle pas le problème de la lutte des classes et la disparition de M. Besse ne créera pas un emploi de plus derrière les murs de Billancourt... », lisait le dénommé Philippe.

Sonsoles Zapata était devenue blanche. Sa voix grondait d'exaspération contenue.

– Ça veut dire quoi? s'exclamait-elle.

– Ça veut dire ce que ça dit : littéralement et dans tous les sens! répondait l'autre.

Sonsoles le regardait. La suffisance de ce type la sidérait. Plus personne, quasiment, ne s'intéressait au P.C. en milieu universitaire, mais ce jean-foutre parlait encore comme si l'Histoire roulait pour eux!

– Ça veut dire, en tout cas, rétorquait-elle, que toutes les questions de morale sont subordonnées à celles de la stratégie révolutionnaire! Ou qui se prétend telle, du moins... C'est la lutte des classes qui établit la hiérarchie des valeurs...

L'autre fronçait les sourcils.

– Comment, comment ? s'écriait-il.

Ce n'était pas un rapide, sûrement pas.

– Mais la lutte des classes n'établit plus rien ! Aucune hiérarchie des valeurs, aucune valeur, même ! Elle n'est qu'un des aspects objectifs du conflit inhérent à toute société démocratique... Elle ne fonde plus rien : aucune morale, aucune stratégie surtout... Littéralement et dans tous les sens : la connerie de votre journal n'a pas de bornes !

Une discussion confuse s'ensuivit, sur les rapports entre morale et stratégie. Poussé dans ses retranchements, le communiste finit par proclamer qu'il n'y avait pas de morale dans l'absolu, que le critère de la morale était stratégique : tout ce qui faisait avancer la révolution était moral, voilà !

– Donc, il y a quand même un absolu : la révolution ! dit Sonsoles. Et quand on voit ce qu'elle a donné au XXe siècle...

Mais l'autre en brisa là, alla se réfugier à une table quelques rangées plus loin.

La question du terrorisme s'était d'abord imposée à Sonsoles Zapata comme une question historique, dans son travail sur la résistance antifranquiste en Espagne. A un certain moment de cette dernière, en effet, dans les années soixante, l'organisation basque E.T.A. avait fait son apparition. Ensuite, malgré les scissions, les règlements de comptes internes, les assassinats des « colombes » par les « faucons », des « négociateurs » par les « jusqu'au-boutistes » – comme celui de « Pertur », chef historique d'E.T.A., liquidé par les siens, traîtreusement –, l'organisation avait continué d'exister sous la démocratie revenue. Et elle avait continué d'assassiner, puisque la pratique de l'assassinat était pour elle la meilleure façon de prouver son existence. Puisque la façon qu'elle avait choisie de persévérer dans son être était celle d'être-pour-la-mort. Et les tueurs d'E.T.A. avaient continué à exercer leur funeste talent sous la liberté revenue d'autant plus allègrement, avec d'autant plus d'entrain et d'efficacité qu'il est bien plus facile et moins risqué de pratiquer le terrorisme en démocratie, dans un Etat de droit, que sous une dictature.

C'est en analysant l'exemple basque de l'E.T.A., pour les besoins de sa maîtrise d'Histoire, que Sonsoles en était venue à des opinions tranchées sur la nocivité fondamentale des mouvements prônant la lutte armée, appellation sous laquelle se cachait en règle générale la pratique du terrorisme. Nocivité évidente, sans doute, dans les régimes démocratiques, mais qu'on pouvait généraliser à la plupart des situations historiques et sociales du XXᵉ siècle. « Le pouvoir est au bout du fusil » : cette phrase de Mao qui avait enchanté – au sens premier d'*ensorcelé* – toute une génération de soixante-huitards semblait à Sonsoles, qui venait d'avoir vingt-deux ans, ou une fadaise ou une horreur.

Fadaise, si ladite formule se limitait à constater que la violence est un élément constitutif, fondateur souvent, des successives légitimités historiques. Pas la peine du Petit Livre rouge pour savoir cela : c'est déjà dans la Bible et dans Bodin ! Horreur, si l'on pense au type de pouvoir qu'inévitablement a produit le fusil dans ces dernières décennies du XXᵉ siècle. Des fusils castristes aux sandinistes, sans oublier ceux de Pinochet, de Mengistu ou de Pol Pot, les armes n'ont jamais produit que des pouvoirs dictatoriaux. En revanche, toutes les expériences de rétablissement d'un

Etat de droit, d'élargissement de la démocratie, de reconstruction d'une société civile, aussi bien en Espagne qu'aux Philippines, en Argentine qu'au Brésil, sont liées aux luttes de masse pacifiques, dont la violence nécessaire s'exprime et se transcende dans la prise de parole de l'ensemble des citoyens et non dans la prise d'armes des avant-gardes militaristes et totalitaires.

Mais la répugnance que provoquaient chez Sonsoles les actes du terrorisme politique s'était vue encore aggravée lorsqu'elle prit connaissance, quelque temps après, du long communiqué d'Action directe dans lequel l'assassinat de Georges Besse était justifié. « Le 17 novembre, en éliminant la '' brute '' Besse », disait ce texte, où, dès les premières lignes, l'ignominie le disputait à l'irréalisme le plus débile, « le commando Pierre Overney a frappé au cœur même de la contradiction la plus forte au sein du consensus général de pacification et d'exploitation. Frapper Besse à ce moment précis, dans le sens de l'offensive déclenchée en Europe de l'Ouest par la guérilla et le mouvement révolutionnaire, a concrétisé et synthétisé l'escalade de l'antagonisme entre les classes... »

Les feuilles ronéotées tombèrent des mains de Sonsoles.

Encore la lutte des classes, bien sûr, pour tout expliquer, tout justifier : *dea ex machina* de l'Histoire ! La jeune fille dut faire un considérable effort sur elle-même pour poursuivre sa lecture, pour aller jusqu'au bout d'un texte interminable, redondant, creux, funèbre. Mais, autant elle avait été choquée par l'exploitation, à la une des journaux et dans les reportages télévisés, des images atroces du cadavre de Georges Besse, autant Sonsoles fut frappée par le silence qui entoura ce texte dément et mortifère d'Action directe, à peine commenté ici ou là. Alors que, avait-elle pensé, une analyse fouillée de cette démence aurait pu être d'une grande valeur pédagogique.

La matinée avait passé ainsi, à se souvenir, à lire de façon décousue, à essayer de comprendre pourquoi son père avait mentionné le nom de Netchaïev. A attendre, surtout, le coup de téléphone que Luis avait annoncé pour midi, midi un quart.

Et puis, à onze heures, presque machinalement, dans le désœuvrement de l'attente, elle alluma une radio.

Luis Zapata avait été assassiné vers huit heures du matin, près de Denfert-Rochereau : la nouvelle tomba, sèchement, aux infos de cette heure-là.

Sonsoles demeura figée, froide, comme vidée de son sang, le temps de se répéter les mots, de les assimiler, d'en assumer le sens. Puis, avec une sorte de plainte sanglotante, elle prit son manteau, son sac, ses clefs et sortit dans la rue, follement.

Le Smith et Wesson au long canon, rouge de peinture au minium, était sur la table basse, devant eux.

Roger Marroux s'en saisit, fit basculer le barillet, le fit tourner.

– Belle arme, bien entretenue, dit-il.

Elie Silberberg le regarda.

– Pourquoi ce canon rouge ? demanda-t-il.

– C'est une peinture antirouille, tout simplement ! Les armes restaient parfois dans des caches humides. Elles étaient parachutées comme ça, avec une couche de peinture protectrice.

Il éclata de rire.

– Mais je peux vous garantir, Silberberg, que ce

n'est pas la peinture d'origine, celle des parachutages de 1943! Votre père a dû repeindre le canon soigneusement, depuis lors...

Elie fit un geste désabusé.

– Mon père aurait volontiers tout repeint en rouge, murmura-t-il. Les armes, la vie, le monde!

Roger Marroux déposa le Smith et Wesson sur la table.

– Officiellement, je n'ai pas vu ce revolver, dit-il. Gardez-le... Je préfère que vous soyez en état de vous défendre, Silberberg, le cas échéant... J'embarque l'automatique, par contre...

L'arme du tueur motocycliste était dans un sac en plastique, également sur la table basse.

Elie Silberberg regarda le visage du commissaire.

– Vous croyez que Daniel est mêlé à tout ça? demanda-t-il.

– Mêlé? Sans doute... répondit Marroux. Mais de quelle façon, à quel titre? Je n'en sais encore rien... Deux choses sont certaines : primo, il n'a pas tué Zapata. Votre témoignage confirme ce que nous savions déjà... Secundo, non seulement il ne l'a pas tué, mais il l'a rencontré, probablement hier... C'est pour assurer ce rendez-vous qu'il a loué une voiture. Le message de Zapata devient tout simple, maintenant que nous savons que Daniel est vivant. « Ça concerne Netchaïev... » Eh oui, ça concernait vraiment « Netchaïev », ce n'était pas une métaphore, un message codé... Mais que nous veut « Netchaïev »?

Il y eut du silence, ensuite. Chacun fut seul dans ses souvenirs. Seul dans l'évocation d'un passé qui leur était commun, pourtant, à cause de Daniel Laurençon.

Un peu plus tôt, Fabienne était partie.

Elle avait allégué l'urgence d'un travail, à la rédaction du journal : c'était mercredi, jour du bouclage. En fait, elle voulait essayer de joindre Julien Serguet à Genève.

Roger Marroux l'avait laissée s'en aller. Mais il avait gardé un jeu de photos prises par Quesnoy la veille, dans le hall d'un hôtel parisien. Et il leur avait donné rendez-vous à tous les deux, Pierre et elle, dans l'après-midi. Fabienne avait remarqué que le commissaire ne les convoquait pas à la P.J., mais leur demandait de l'attendre dans les bureaux d'*Action*, à une certaine heure : il les appellerait au téléphone pour fixer le lieu de la rencontre.

– Vous travaillez à un livre sur le terrorisme ? demanda Roger Marroux, soudain.

Il regardait la paroi du fond de la pièce, avec son panneau de liège où s'affichaient documents et citations.

– C'est quoi, un roman ?

– Justement ! s'exclama Elie. Je n'arrive pas à déterminer si c'est un roman ou un essai... Ça fait des mois que j'écris et que je tourne autour d'une forme narrative... sans me décider... sans qu'elle cristallise d'elle-même, non plus...

Mais il s'interrompit, eut l'air étonné.

– Comment savez-vous que j'ai écrit des romans ?

Marroux le regarda, haussa les épaules.

– Elias Berg ! Votre pseudonyme de romancier est transparent, non ? Et je vous ai suivi de près, depuis la disparition de Daniel Laurençon, ne l'oubliez pas !

– Moi ? Moi particulièrement ?

– Vous tous, précisa Marroux. Les autres étaient d'ailleurs plus faciles à tenir à l'œil que vous... Leur réussite les rendait voyants. Mais vos romans m'ont davantage intéressé que leur succès, monsieur Silberberg!

Il enchaînait aussitôt :

– Ce qui me passionne dans vos livres, c'est qu'ils ont tous la même trame narrative... Obsessionnellement. C'est toujours, quelles qu'en soient les péripéties, les circonstances, qui peuvent varier, l'histoire d'un groupe et d'un traître. D'un traître supposé, du moins. Toujours le schéma de *La Conspiration*, en somme. Mais votre Pluvinage est moins déterminé, plus ambigu que chez Nizan. On ne sait jamais s'il est vraiment traître.

Il fixa le regard de Silberberg, avec un mélange de tristesse et de sévérité.

– Daniel était-il un traître? Vous n'en semblez pas convaincu.

Elie sursauta. Il en eut la bouche sèche.

– En tout cas, je comprends que vous vous intéressiez tant à Netchaïev, outre les raisons personnelles, poursuivit Marroux, imperturbable. « Tout ce qui permet le triomphe de la révolution est moral... » On pourrait citer d'autres phrases du *Catéchisme*, tout aussi actuelles... Je veux dire : tout aussi fausses, mais encore agissantes, dans l'esprit de certains. C'est un peu la scène primitive du terrorisme révolutionnaire qui se joue là. Ça vient de plus loin, certes, de plus haut : l'Histoire a toujours un amont. Et Netchaïev s'est passionné pour Babeuf et pour Robespierre, vous le savez mieux que moi. Pour Blanqui aussi. Mais son action, son type de discours, son cynisme pragmatique, sa fermeté indomptable sont fondateurs, en quelque sorte. Ils codifient du moins certains des signes de la modernité révolutionnaire qu'incarnera ensuite le léninisme. Ils portent aussi à son apogée la dramaturgie de la révolution : le procès du traître – du supposé tel, en tout cas – comme cérémonie suprême de l'identification sanglante des masses ébahies au chef clairvoyant...

Il s'interrompit brusquement, se frotta les yeux de la main droite.

– N'hésitez pas, Silberberg! Ecrivez un roman. Pour un essai, le terrorisme marxiste-léniniste est un sujet pauvre. On en a vite fait le tour. En une préface de trente pages, souvenez-vous, François Furet est parvenu à en dire l'essentiel. On peut développer, sans doute, trouver de nouveaux exemples historiques, explorer d'un autre point de vue l'expérience existante, la bibliographie qui s'enrichit sans cesse... Mais l'essentiel est vite dit. Pour un roman, en revanche, c'est un sujet immense, qui autorise les variations de l'imaginaire, les jeux de la fiction éclairant la réalité. Qui autorise aussi les investissements personnels. Surtout dans votre cas, n'est-il pas vrai? Et puis n'oubliez pas la remarque de Hannah Arendt : aucune réflexion théorique n'aura jamais la richesse de sens d'une histoire bien racontée!

Elie Silberberg en eut assez, tout à coup.

Il n'allait pas se laisser faire la leçon par un flic, à coups de citations de Hannah Arendt, de surcroît! C'était le comble!

Mais Roger Marroux avait en main le carnet rouge de Daniel Laurençon.

– Au Guatemala, Daniel...

Une sonnerie argentine, comme celle d'un réveil de voyage, l'interrompit. Il sortit de l'une de ses poches une mince boîte noire en matière plastique, arrêta la sonnerie.

– Excusez-moi, dit-il. Il faut que je téléphone. Ça doit être urgent!

Il se mit à marcher vers le vestibule, où se trouvait l'appareil téléphonique.

– Faites comme chez vous! s'écria Silberberg, d'un ton acide.

Dans sa précipitation, le commissaire avait oublié le carnet de Daniel sur la table. Elie se garda bien de le lui faire remarquer. Il l'empocha, même.

III

ROGER MARROUX la reconnut aussitôt : elle ressemblait à Nieves, la jeune sœur de Luis Zapata. En moins rustique, sans doute. Plus déliée, plus gracile. Mais la même fougue sombre, le même feu dans le regard, dans le port de tête.

Il s'avança vers la table de Sonsoles, au fond du bar. Il regarda sa montre. Il n'avait même pas mis dix minutes pour venir de chez Silberberg. Ce n'était pas mal du tout.

Elle avait marché au hasard, se laissant porter par la pente naturelle du boulevard Raspail.

Somnambule, ne voyant rien autour d'elle, n'écoutant que les mots de son père, ce matin. Répétant ceux de la radio, à l'instant, annonçant le meurtre.

Soudain, Sonsoles se rappela qu'elle avait un message à transmettre, une volonté à exécuter. Une dernière volonté, même. Elle trembla de tout son corps, regarda autour d'elle.

Elle était au commencement du boulevard Raspail, au carrefour Bac-Saint-Germain. Elle chercha des yeux une cabine téléphonique, la trouva. Un peu plus loin, devant une banque.

219

A la P.J., l'inspecteur Dupré ne cachait pas son excitation. On l'avait cherchée partout, disait-il. Nul ne connaissait son adresse, ni les domestiques de son père, ni sa secrétaire. Personne! Elle dit sèchement qu'elle vivait sous un autre nom, volontairement. Pour être tranquille. Elle venait d'apprendre la nouvelle, elle avait un message pour le commissaire principal Roger Marroux. L'inspecteur Dupré lui demanda son adresse. Mais non, elle était sortie, avait marché au hasard. Où pouvait-on la rencontrer, alors? Elle regarda autour d'elle, à travers les vitres de la cabine téléphonique, se souvint du bar du Pont-Royal, tout proche, dit qu'elle y attendrait le commissaire.

Le voici, maintenant.

Il ne ressemblait pas du tout à l'image qu'elle se faisait des policiers français. Mais pas du tout.

Elle le regarda s'installer, commander un whisky-glaçons – plus de raison de s'arrêter, maintenant qu'il avait commencé à boire chez Silberberg! – tout en sirotant son orange pressée.

– Ainsi, dit Sonsoles après une période d'observation, d'une voix sèche en surface mais traversée au tréfonds de fauves résonances, ainsi, vous avez voyagé en Espagne avec mon père?

Il la regarda.

– Quand vous a-t-il dit ça?

– Ce matin. Il est passé chez moi à sept heures et demie. Je crois l'avoir dit à l'un de vos inspecteurs.

Si elle avait dit « sbires », elle n'aurait pas eu un ton plus méprisant.

– Il m'a laissé un message pour vous...

Marroux but une gorgée d'alcool, regarda les mains de la jeune fille, la fine attache des poignets. Son cœur battait très fort : tout allait peut-être s'éclaircir.

– Il m'a même dit que vous vous étiez bien amusés...

Il remarqua la moue dubitative de la jeune fille.

– Ça a l'air de vous étonner, dit-il.

Elle haussa légèrement les épaules.

– Vous me racontez ce voyage avec mon père?

Il se retint de la remettre à sa place, s'obligea à la patience. Elle lui faisait payer un droit d'entrée, c'était tout.

– Ce n'était pas votre père, pas encore, dit-il. Vous étiez encore dans le néant. Encore deux ou trois ans de limbes et de bribes cotonneuses de néant devant vous, à l'époque! Luis n'avait même pas rencontré la jeune fille qui deviendrait votre mère.

Elle ouvrit de grands yeux.

C'était un ton étrange, pour un flic. Ça ne correspondait pas à l'idée qu'elle avait du langage policier.

– En somme, il vous a raconté sa vie, au cours de ce fameux voyage?

Elle s'essayait à l'ironie, ça tombait à plat.

Il but encore. Ça lui faisait du bien, aujourd'hui : la matinée avait été fébrile en émotions. Mais il se sentait en forme, désormais; il avait presque envie d'exister. Dans cette euphorie passagère, il se souvint bien évidemment de Véronique, de son jeune corps. Il évoqua délibérément ses jambes, la cambrure de ses reins. Il avait presque oublié que ça pouvait être aussi bon, un corps de femme. Aussi émouvant, un visage de femme, un regard de reconnaissance : où il s'était senti exister, parce que reconnu.

Il sourit à Sonsoles. Une question incongrue lui traversa l'esprit : portait-elle des collants ou des bas?

– On raconte toujours un peu sa vie quand on risque de la perdre! s'exclama-t-il.

Mais il craignit de paraître trop solennel.

– Vous ressemblez à Nieves, ajouta-t-il.

Elle fronça les sourcils.

– C'est qui, ça?

– La jeune sœur de Luis, répondit-il.

Elle hocha la tête, comme si elle voulait repousser l'idée de cette ressemblance, de toute ressemblance possible avec les femmes de la famille de son père.

– Je ne la connais pas, dit-elle, tranchante. Je ne connais personne de cette famille. Et puis je n'y tiens pas!

Il lui sourit encore.

– C'étaient des gens très bien, de mon temps, dit-il. Un peu voyous mais vraiment sympa!

Elle le regarda, visiblement au comble de la surprise.

– Vous êtes un drôle de flic! dit-elle.

Il rit de bon cœur.

Quel âge avait-elle? Vingt-deux ans, par là. Elle avait fait des études brillantes, semblait-il. Toujours en avance, toujours la première de la classe. Et elle le contemplait du haut de ses vingt ans, du haut de son savoir, de son imbécile innocence, de ses critères moraux cotés à la bourse des valeurs sûres, rassurantes.

Elle le faisait chier, tout simplement.

– Je suis un drôle de flic, dit-il. Et vous êtes une drôle de petite-bourgeoise!

Elle eut une réaction imprévue, elle éclata de rire.

Puis elle s'essuya les yeux. Mais elle ne pleurait pas de joie. Elle pleurait, sans plus.

– Excusez-moi! dit-elle après un silence. Je suis nerveuse, à bout. Je ne comprends pas pourquoi je regrette tant ce père que j'avais décidé d'oublier quand il était vivant!

Il ne dit rien, attendant qu'elle se reprenne. Cela ne tarda pas.

– Racontez-moi ce voyage, je vous en prie! Mais ne commencez pas par tante Nieves, commencez par le commencement!

– Si vous croyez que c'est facile! marmonna-t-il.

– Essayez quand même!

Il essaya.

On l'avait convoqué un jour. Ce n'était pas à la P.J., c'était dans un hôtel particulier du seizième, une dépendance discrète des services du contre-espionnage. En 1962, à l'apogée de la vague d'attentats de l'O.A.S. Avait-elle entendu parler de l'O.A.S.? Elle se récria : pour qui me prenez-vous? Je travaille de surcroît sur l'histoire contemporaine de l'Espagne. Alors, l'O.A.S., vous pensez! Bon, c'était juste pour bien situer l'époque, disait-il. On lui avait proposé une mission en Espagne, justement. Enfin, il n'entra pas dans les détails, ne lui raconta que l'essentiel. L'officier félon, le danger qu'il représentait, voilà. On lui avait présenté l'homme qui allait l'accompagner, Luis Zapata. Il savait qui était Luis, sa réputation. Il savait aussi que Zapata, âgé de trente ans, purgeait une assez longue peine de prison. Mais il était espagnol et connaissait parfaitement la région où se cachait le type de l'O.A.S. qu'il s'agissait d'abattre.

Ils avaient fait équipe. On leur avait donné de vrais faux passeports, de l'argent, des armes et des explosifs, une bonne voiture truquée avec des caches pour planquer tout ça. Mais ils auraient à agir seuls. S'il leur arrivait des pépins avec la police franquiste, ils ne seraient pas couverts. On ne

223

bougerait pas le moindre petit doigt pour leur venir en aide, du moins dans l'immédiat.

Luis trouvait ça plutôt drôle. Ça le changeait de la routine ramollissante de la taule. Et puis, on lui avait promis une remise de peine pour bonne conduite, au retour. Si tant est qu'ils revenaient, ce n'était pas dit. En tout cas, c'était la première fois, commentait Luis, joyeux, cynique, qu'un meurtre ne serait pas puni mais lui vaudrait même une récompense. C'est vrai aussi que c'était la première fois qu'il participerait à un meurtre.

Le voyage fut merveilleux, un vrai régal. Ils s'étaient entendus comme larrons en foire, c'était bien le cas de le dire.

– Eh bien, dites-le! disait Sonsoles.

Il regardait la fille de Luis Zapata, un quart de siècle après, au bar du Pont-Royal. Comment lui faire comprendre ce bonheur ancien? Luis était une vraie nature. D'une avidité impitoyable mais ouverte, naïvement ouverte aux choses du monde. D'une vitalité parfois cruelle, parfois pleine de générosité.

Ça avait marché entre eux dès le premier soir, à San Sebastián.

Luis connaissait la ville, il l'avait conduit dans le vieux quartier du port, de bistrot en bistrot, à boire de petits verres de vin du pays avec du jambon cru, du fromage, des gambas grillées ou en sauce piquante, *al ajillo*, des calmars, des morceaux de tortilla, des sardines au gril ou en escabèche, des kokochas, des salades de poivron, de pois chiches. Et un long et cetera. Ils avaient mangé et bu tout en parlant. Entre eux, avec des inconnus. C'était plutôt Luis qui parlait, d'ailleurs. Sans doute mis en verve par cette liberté soudaine, ce retour au pays natal, il évoquait son enfance, sa mère et ses sœurs, la dureté de l'Espagne après la guerre civile.

Marroux raconta à Sonsoles les détails dont il se souvenait, tous les détails.

Le ciel du printemps sur le haut plateau castillan. Le regard de Luis sur *Les Ménines,* au Prado. La beauté de la jeune sœur de Luis, Nieves, qui les avait aidés. (Mais il ne lui dit pas la nuit avec Nieves, à la fin.) La recherche du type de l'O.A.S., qui avait changé de cachette. Il se terrait désormais dans une propriété d'accès difficile, au nord de Madrid, près de l'Escurial.

Comme ça, plein de détails.

Mais il ne lui raconta pas non plus l'action elle-même, comment ils s'y étaient pris pour pénétrer dans le parc de la maison et abattre l'ancien officier félon.

– Et après? demandait-elle.

Elle ressemblait à Nieves. Leurs deux prénoms allaient bien ensemble. Neige et soleils, pensait-il, un peu embrumé par l'alcool. Soleils de minuit, ombres de neige. Ça se mariait assez bien pour donner une image d'elles-mêmes. De la femme aussi, éternel féminin.

Nieves, au prénom de neige, avait une peau mate, ensoleillée. Sonsoles, au prénom ensoleillé, avait une peau de neige. Il rêva au contraste des bas gris fumé qu'elle portait sur ses cuisses de neige.

Bon, il divaguait.

Marroux secoua la tête, sourit niaisement.

– Vous ne me racontez pas la fin? insistait-elle.

Soleils abrupts et roux des hauts plateaux, soleils bleus des montagnes de Guadarrama, soleils éclatés en chatoyances de gris sur les robes des infantes de Vélasquez, soleils morts dans les voix des aveugles chantant les numéros de la loterie dans les rues de Madrid, soleils de brume et d'embruns au Pays basque!

– La fin?

Il eut un rire bref, plutôt brutal. Il raconta.

– Nous avions décidé de rester à Madrid quelques jours, après le coup de l'Escurial. C'était à la frontière ou sur les routes menant en France que la police franquiste allait logiquement monter sa surveillance. Donc, on n'a pas bougé. On a juste changé d'hôtel, mené la vie de braves touristes français. Luis était aux anges. Mais, avant la fin du deuxième jour, les policiers espagnols nous avaient retrouvés. J'ai toujours pensé – c'est plus que ça, c'est presque une certitude – que nous avions été balancés. Car les Espagnols connaissaient les noms sous lesquels nous voyagions, Luis et moi, lorsqu'ils sont arrivés à l'hôtel. On s'en est sortis par miracle. Non, pas par miracle : on était vraiment forts, tous deux ensemble. Bon, quelqu'un à Paris avait dû lire trop de romans noirs. Il a dû nous balancer aux Espagnols dès qu'il a appris que la mission était remplie. Ainsi, plus personne ne pourrait parler de cette histoire... Ils auraient les mains propres...

Il rit encore, éclusa son deuxième whisky.

– Notre voiture était repérée, nos passeports ne servaient plus à rien, nous étions cuits, en principe. C'est Luis qui a pris les choses en main. Il a organisé une cavale démente, avec l'aide de ses copains, de son clan familial...

Il fit un geste vers elle.

– C'est vrai que vous ressemblez à Nieves... En moins rustique, si vous voyez ce que je veux dire! Elle nous a beaucoup aidés... J'en ai encore des sueurs froides, parfois, la nuit, en rêve. Ou alors des fous rires. En tout cas, dix jours plus tard, nous étions à Paris, vivants. On s'était même payé une banque, à Gerona, en passant, car nous étions raides !

Sonsoles éclata de rire.

Elle était détendue, désormais. Elle vagabondait, toute joyeuse, avec ce jeune fou de trente ans qui allait devenir son père, Luis Zapata.

– A Paris, ils n'en revenaient pas, poursuivit-il. Ils croyaient sans doute qu'on y resterait, que la Garde civile nous aurait mitraillés quelque part, au bord d'une route. Mais nous étions de retour, la bouche enfarinée. D'un commun accord, on a minimisé nos difficultés. On n'a rien dit de nos soupçons, on a fait semblant d'avoir accompli un truc somme toute facile. Et Luis a eu sa remise de peine...

Elle le regardait.

– Vous devriez écrire cette histoire, monsieur Marroux. Ça ferait un film génial !

– J'y ai pensé, dit-il. Mais je ne raconte pas bien !

Elle hocha la tête.

– San Sebastián, le premier soir. Mon père devant les Vélasquez... Vous avez très bien raconté ça !

Elle enleva soudain les lunettes qui lui donnaient un air sage, studieux. Qui la masquaient aussi. Son œil brillait.

A-t-il vraiment bien raconté ? Il n'en est pas sûr.

Pour vraiment bien raconter une histoire, pense-t-il, dans sa vérité profonde, il vaut mieux l'avoir inventée de bout en bout. Pour cette raison, les personnages jetés dans une histoire, et parfois à leur corps défendant, la racontent toujours moins bien que le narrateur lui-même. Cette vérité n'est que lapalissade, sans doute, si l'on pense aux récits romanesques : n'importe qui peut comprendre qu'un personnage de roman en sache moins sur son destin que le romancier lui-même. Elémentaire, mon cher Gustave, qui avez souligné cette évidence avec un brin de grossièreté quasiment misogyne : la Bovary, c'est moi! Mais semblable affirmation est tout aussi vraie si l'on pense aux histoires de l'Histoire. A la différence près que dans ce dernier cas il n'y a pas d'autre romancier possible que Dieu lui-même. Une sorte de Suprême Narrateur, en tout cas.

L'espèce, pourtant, s'en est évanouie, depuis Bossuet. Enfin, soyons justes : depuis que Hegel, justement, a décrété la fin de l'Histoire. Les dernières tentatives, grandioses, sont celles des postromantiques allemands, mais elles ne concernent que le monde antique. Et ça se comprend : l'Antiquité comporte moins d'enjeux idéologiques. On ne va pas se disputer, sauf en Sorbonne, pour une interprétation du déclin de l'Empire romain. Alors que la Vendée, Robespierre, ça passionne encore. Les cadavres de la Révolution française bougent toujours.

En tout cas, les adeptes de la nouvelle école, qui a évacué tout Suprême Narrateur, vous racontent à merveille et loisir l'histoire de la Méditerranée, du climat, des routes du sel, du riz ou du blé, de l'or des Amériques, de l'usage de la fourchette, des mœurs conjugales et même extra, des fosses d'aisances, mais se gardent bien d'affronter l'universalité de l'Histoire universelle. Plus aucun historien ne se prend pour Dieu, n'en lorgne la place ni en parodie le discours. Ce qui nous confirme dans l'idée, somme toute divertissante, que rien ne ressemble davantage aujourd'hui à un Dieu hypothétique qu'un romancier réel!

228

Ce sont, en effet, les deux seuls personnages de la comédie humaine qui puissent dépasser les apories du *cogito*. Les seuls qui ne doivent pas se contenter de la formulation tautologique du « je pense, donc je suis », empreinte d'un narcissisme de bon aloi mais relativement infantile et inopérant; les seuls qui puissent affirmer sereinement, pour hardi que cela paraisse : « Je pense, donc ils ou elles (les choses, les êtres) sont : Ça est! » Il y a du monde, donc, et souvent du beau monde, après l'*ergo* du Dieu hypothétique et du romancier réel dressés sur leurs ergots. Du monde au double sens du terme : des êtres et un univers. Je pense, donc Ça y est!

Mais il sursaute, interrompu dans sa divagation méditative.

– Commissaire principal Roger Marroux?

Il lève la tête. C'est le barman qui s'adresse à lui.

– On vous demande au téléphone!

Sonsoles le regarde s'éloigner vers la cabine. Le barman aussi. Ce dernier est satisfait. Il se demandait qui c'étaient, ces deux-là, depuis une demi-heure. Il aime bien savoir qui est qui. La jeune fille, il l'a déjà vue deux ou trois fois. Pas le type. Bon, un commissaire principal, sans doute va-t-il écrire ses Mémoires, ou un roman. Ça se fait beaucoup, ces derniers temps, les policiers qui écrivent. Et elle doit travailler dans une maison d'édition des environs, elles sont toutes dans les environs. Toutes celles qui comptent, du moins. Marroux, il retiendrait le nom. Avec une gueule pareille, bien étonnant s'il n'écrit pas un best-seller! Depuis 1945, il aura vu passer ici la fleur et la crème de l'intelligentsia française, le barman du Pont-Royal, il s'y connaît. Il aura vu se faire et se défaire toutes sortes de réputations, pas seulement littéraires. Il aura entendu murmurer des injures, des mots d'amour, des obscénités, des phrases définitives sur des sujets futiles, et vice versa. Il aura vu caresser ouvertement des espoirs, furtivement des genoux. Il aura vu se déployer la flatterie, la menace, la séduction, le chantage, pour obtenir des femmes, des sinécures, des prébendes ou des prix. Il aura vécu dans la pénombre et le chuchotement, dans l'ouï-dire et le non-dit. Dans les inter-dits de la vie, en somme.

Le barman retourne à sa place derrière le comptoir, satisfait. Il aime bien savoir à qui il a affaire.

Roger Marroux revient de la cabine téléphonique, visiblement soucieux.

– On a essayé de forcer la porte de votre appartement, dit-il. Le type a réussi à s'enfuir. Il n'a pas hésité à tirer, pour se dégager ! L'inspecteur Dupré est sur place.

Il la regarde.

– Votre père vous a donné des papiers pour moi, tout à l'heure ?

Sonsoles dit « merde » entre ses dents. Plusieurs fois de suite. Merde, merde, merde, merde : quelque chose comme ça. Mais garde son calme.

– Non ! dit-elle. Juste un message verbal. « Ça concerne Netchaïev, il comprendra. » Mais les papiers ne sont pas boulevard Edgar-Quinet. Il s'est dérangé pour rien, mon cambrioleur !

– Parce qu'il y a quand même des papiers ? s'écrie Marroux, fébrile.

Sonsoles pâlit.

– Ils connaissent peut-être la maison de Fromont !

Il lui prend le bras.

– Fromont ? Où ça, Fromont ?

230

– Derrière la *Vue de Constantinople*, une enveloppe pour vous. Il faut y aller tout de suite.

– C'est où, Fromont?

– Fromont-du-Gâtinais, dit-elle. Du côté de Malesherbes. Une heure de route. On y va?

Ils y vont.

IV

KINDERGESCHICHTEN. Des histoires d'enfant, c'est bien cela.

Deux histoires, en vérité. L'une pourrait s'écrire en allemand, précisément : celle de Hans-Joachim Klein et de son enfant. S'écrire, oui; non se parler. Elle ne pourrait pas se parler en allemand, l'histoire de Klein et de son enfant, puisqu'il ne faut pas qu'on sache qu'il est allemand, surtout pas. Dans la petite ville où il vit sous un autre nom, quelque part en Europe, il ne faut pas que l'on soupçonne son identité. Mais Hans-Joachim K. est allemand. Il est ouvrier, né à Francfort en 1947 (un an avant Daniel Laurençon, en somme). K. a découvert très jeune la violence de cette société. Dans sa famille, dans les institutions éducatives, au travail, il a découvert la violence de cette société. Et la solitude qui est son envers. Ou son endroit. Il a pensé qu'on pouvait lui renvoyer cette violence, à la société, la lui flanquer à travers la gueule. Il a cru qu'il n'y avait pas d'autre réponse à la violence de la loi que la loi de la violence. De manif en action directe, il s'est trouvé embarqué dans une organisation terroriste, dans l'Allemagne des années soixante-dix. Il a connu la clandestinité, « la mort mercenaire ». Tel est le titre du livre qu'il a

233

écrit, en 1980, pour témoigner. Pour expliquer aux autres et comprendre lui-même son propre itinéraire. Pour qu'on sache pourquoi il a rompu avec le terrorisme.

Kindergeschichte, cependant, même s'il ne peut pas la raconter en allemand.

Histoire d'enfant à double titre, d'ailleurs. Lui, enfant, Hans-Joachim Klein. L'histoire de son enfance à lui, d'abord. Fils d'une mère juive, survivante des camps nazis. Et d'un père nazi, un peu flic de surcroît. Comment cet homme et cette femme ont-ils pu faire un enfant, en 1947? Comment l'amour, ne fût-ce que le désir ont-ils été possibles entre eux? L'être humain – inhumain aussi : l'être inhumain de l'homme – est un mystère, sans doute. Le bien, le mal, le goût de l'un ou de l'autre, l'attirance qu'ils exercent sont des mystères. Et le plaisir de la souffrance, de la servitude : mystère également. S'il n'y avait pas ces mystères sordides, ou abjects, ou dérisoires, il n'y aurait pas le rutilant mystère de la liberté de l'être humain. (Disons cela pour nous consoler, du moins. Ça n'explique rien; ça console ceux qui ne savent pas vivre dans l'opacité rayonnante du mystère.)

Histoire d'une enfance, d'abord.

Hans-Joachim Klein, fils posthume d'une mère juive, morte en 1947 des suites de sa déportation. Des suites aussi de cette naissance, sans doute. Fils aussitôt abandonné par son père, confié à des parents nourriciers, des institutions d'éducation surveillée. Fils dressé durement dans la nostalgie d'une vraie filiation.

Histoire d'enfant à un autre titre également.

Non seulement, en effet, histoire de l'enfance de Hans-Joachim Klein, qui travaille en sourdine, par en dessous, toute la réalité misérable de sa vie d'aujourd'hui, histoire aussi de son enfant à lui.

Histoire aussi des histoires que K. raconte à son enfant et que celui-ci lui raconte, sans doute, dans les jardins de la petite ville. Car il se consacre à son enfant, il l'a dit à Dany Cohn-Bendit. A l'enfance de son enfant, puisque personne ne s'est consacré à la sienne. Il vit au rythme de son enfant, a-t-il dit. Il se promène avec son enfant dans les squares, les jardins où il y a des balançoires, des toboggans. Ça se passe bien, c'est calme. Les gens de la petite ville sont habitués au couple du père et de l'enfant. Ils leur font des sourires, leur disent quelques mots : le temps qu'il fait, la dureté des temps. Ils croient que le père est chômeur, ce qui est vrai d'une certaine façon.

La seule inquiétude de K., du moins en ce qui concerne l'enfance de son enfant, c'est le temps qui passe. Ce n'est pas une inquiétude métaphysique : le temps, comme l'eau qui glisse, ou le sable, quelque chose comme ça, entre les doigts. Non, c'est une inquiétude très concrète, matériellement repérable. Car un enfant dont on souhaite qu'il mène la vie de tous les autres enfants doit aller à l'école à partir d'un certain âge. Que deviendra K. le jour où son enfant sera obligé de fréquenter l'école, pour avoir l'enfance de tous les autres enfants ? Comment organisera-t-il sa vie, comblera-t-il le vide de sa vie, désormais ?

C'est Dany Cohn-Bendit qui rapporte les propos de K.

Il est allé le retrouver dans la petite ville, quelque part, non sans mal. Il a enregistré l'entretien, l'a filmé également. Hans-Joachim K. s'est déguisé, pour ne pas être reconnu. Il s'est habillé en Don Giovanni. « Je suis un fou de musique classique et d'opéra, a-t-il dit. Je trouve ce personnage fascinant. »

Ainsi, l'ancien terroriste, l'ancien militant des

organisations combattantes du marxisme-léninisme, se déguise en Don Juan pour rencontrer
Dany Cohn-Bendit. Encore une histoire d'enfant,
probablement, *eine Kindergeschichte*, ce rêve
infantile de séduction, ce besoin d'être aimé. Quelque chose se joue là, certes, sous ce masque
enjoué.

Dany Cohn-Bendit a dû le percevoir, même s'il
n'en fait aucun commentaire. Il rapporte les propos de K. sans les commenter, dans son livre *Nous
l'avons tant aimée, la Révolution!* où il rassemble
des entretiens avec d'anciens combattants des
mouvements de 1968. On y trouvera les propos de
Julien Serguet et d'Elie Silberberg, à côté de ceux
de Serge July, Fernando Gabeira, Valerio Morucci,
Adriana Farranda, et Hans-Joachim Klein, précisément. Cohn-Bendit ne fait aucun commentaire en
voyant le déguisement de Don Juan choisi par K. Il
enregistre les propos de l'ancien mécanicien : petit
rouage du grand mécanisme de la violence révolutionnaire.

Il l'écoute parler de son enfance.

S'est-il souvenu de la sienne, Dany Cohn-Bendit ?
A-t-il pensé, ce jour-là, dans la petite ville (en face
de ce Don Giovanni cachant sous le masque de
l'éternel séducteur – de l'éternel séduit – son
désespoir), a-t-il pensé à la préhistoire de leurs
enfances, souvent décisive pour la suite ?

La préhistoire de l'enfance de K., c'est une mère
juive, rescapée des camps, séduite par un ancien
policier nazi, ou l'ayant séduit, dans l'Allemagne
écrasée, *bleiche Mutter*. Mère blafarde, en effet,
cette Allemagne, cette mère juive, cette mort. La
préhistoire de l'enfance de Cohn-Bendit, ce sont
des parents juifs allemands, émigrés à Montauban,
dont le maire socialiste accueillait et protégeait les
réfugiés antifascistes, après le désastre de 1940.

C'est la vie aventureuse et riche de sens d'un groupe d'intellectuels juifs essayant de survivre, dans une ambiance d'allègre lucidité. Hannah Arendt faisait partie de ce groupe des familiers des Cohn-Bendit à Montauban. Walter Benjamin, un autre de leurs amis, venait de se suicider à la frontière espagnole, en découvrant que son visa ne lui permettait pas de la franchir sans autre formalité.

A Montauban, ville où Dany naîtra, en 1945, avec la liberté retrouvée, quand la préhistoire de son enfance sera terminée, Hannah Arendt lisait, en ces journées du désastre français, *A la recherche du temps perdu*, de Marcel Proust, *De la guerre*, de Clausewitz, et les romans de Simenon : excellentes lectures. Et sans doute réfléchissait-elle, en attendant le visa qui lui permettrait de gagner les Etats-Unis avec son mari, aux problèmes de la violence qui l'ont toujours préoccupée. Jusqu'à quel point et selon quels critères la violence est-elle non seulement acceptable, mais fondatrice même de légitimité, lorsqu'il s'agit de rétablir la Loi, l'Etat de droit ? Jusqu'à quel point et selon quels critères la Loi peut-elle absorber, se nourrir de violence, pour maintenir ou rétablir sa légitimité, son humaine universalité ?

La *Kindergeschichte* de K. et de son enfant, qui ne peut se parler en allemand, qui est parlée dans la langue de cette petite ville, quelque part en Europe, c'est une histoire d'exil. Hans-Joachim K. est exilé de son enfance, aussi de son pays. De sa propre vie, du sens de celle-ci. Et il parle une langue d'exil pour raconter à son enfant des histoires qui devraient pourtant les enraciner l'un et l'autre dans le territoire d'enfance qu'est la langue maternelle.

Die Muttersprache der Kindergeschichten.

Deux histoires d'enfant, a-t-il été dit. Celle de Hans-Joachim Klein et une deuxième.

Dans celle-ci, une jeune femme ramenait son enfant de l'école. Il faisait soleil, c'était la fin de l'été.

L'enfant racontait sa journée, la jeune mère l'écoutait.

Et il faisait beau, parmi les brumes légères de septembre, océaniques. Peut-être entendait-on des sirènes de bateau, des bruits d'usine. Il y a des bateaux, des sirènes, des bruits d'usine, toujours, dans ce pays.

La jeune mère s'appelait María Dolores.

« Douleurs », comme ça tombe bien. Combien juste, ce prénom douloureux, invoquant la Vierge des angoisses maternelles. La jeune mère s'appelait María Dolores, mais on l'appelait « Yoyes ». Elle était d'un pays, d'une langue, où l'on a toujours aimé les petits noms affectueux. « Yoyes », c'est affectueux.

L'ont-ils appelée, pour qu'elle tourne la tête, pour qu'elle les voie ? Ont-ils dit « Yoyes », d'une voix sourde mais impérieuse, pour qu'elle se retourne, pour qu'elle sache qui allait l'assassiner ? A-t-elle tourné la tête, a-t-elle eu le temps de voir qui l'assassinait ? Connaissait-elle ses assassins, les a-t-elle reconnus ? Son regard a-t-il croisé celui des tueurs ?

« Yoyes », en tout cas, tenant la main de son enfant, écoutant les récits de sa journée, au retour de l'école : deux balles dans la tête. L'enfant regardait le cadavre de sa mère. C'était septembre, la fin de l'été. Il y avait du soleil, des sirènes de navire, peut-être; des bruits d'usine, sans doute. C'est une terre de marins, de métallos. Dans l'arrière-pays, il y a des pommiers, du maïs, du bétail.

Euskadi : tel est le nom du pays de « Yoyes ».

Quelques jours plus tard, un groupe d'emprisonnés de l'E.T.A. militaire, ses ex-camarades, publiaient un communiqué pour justifier cet assassinat. « Sa présence dans la rue, y disaient-ils de '' Yoyes '', pouvait faire croire que la lutte armée n'est plus nécessaire. » Autrement dit : le fait qu'elle fût vivante pouvait faire croire que le meurtre n'était plus nécessaire. Aussi simple que ça. Mais « Yoyes » les avait qualifiés par avance, dans ses carnets intimes. « Fascistes », avait-elle écrit pour parler d'eux.

« Yoyes » avait joué un rôle dirigeant dans les rangs de l'E.T.A. Elle avait participé à la lutte. Puis, après la consolidation de la démocratie en Espagne, elle avait pensé que l'Organisation devait changer de stratégie, qu'elle devait se réinsérer dans la vie politique. Dans la société civile, jamais le terme n'aura été plus approprié : abandonner le militarisme pour la vie civile. Pour la civilité de la démocratie, pour le civisme de la gestion politique des conflits. Ne parvenant pas à faire triompher son point de vue, « Yoyes » s'était dissociée de l'E.T.A. Elle était partie au loin, au Mexique. Elle avait mis du temps, de l'espace, la distance de la méditation et de la solitude entre elle et ses anciens camarades. Elle avait recommencé à vivre, s'était mariée, avait eu un enfant. Des années plus tard, demandant à bénéficier des dispositions d'une loi de réinsertion sociale applicable à tous les anciens partisans qui ne seraient pas coupables de crimes de sang, « Yoyes » était rentrée chez elle au Pays basque, en Euskadi.

Personne ne lui avait demandé de revenir sur le passé, de donner des informations, de dire les noms des militants clandestins qu'elle pouvait encore connaître. Qu'elle connaissait, assurément.

Elle vivait, c'est tout. Dans son pays, dans sa famille.

Mais sa présence dans la rue, dans la société; sa présence vivante : sa pensée, ses paroles, ses gestes, ses rires, ses enthousiasmes, ses dégoûts, ses colères, sa vie, en somme, était insupportable à ses anciens camarades, aux petits chefs de son ancienne organisation. Elle était proprement intolérable, puisqu'elle démontrait que la guerre n'était plus nécessaire pour affirmer la dignité, la liberté, l'autodétermination du peuple basque. Ils l'ont donc assassinée pour prouver qu'ils n'acceptent pas la vie, ses risques, ses faiblesses et sa grandeur. Pour montrer qu'il n'y a pas pour eux de fin au massacre, à la terreur. Qu'ils sont là, sur cette terre, pour démontrer par l'exercice de la mort l'impossibilité de la vie. Qu'ils n'ont plus d'autre raison de vivre que de donner la mort. De faire de la mort l'exclusif instrument d'une pédagogie politique se résumant à répéter la ritournelle, le monstrueux rituel de la mort mercenaire.

María Dolorez González Cataráin : « Yoyes ».

Son cadavre dans la rue. Les yeux de l'enfant sur le cadavre. Le soleil de septembre sur le cadavre de « Yoyes » et sur l'enfant désemparé.

Deux histoires d'enfant, en effet, lourdes de conséquences.

Il avait pensé à eux, ce matin. Aux enfants de ces deux histoires. Aux parents aussi.

A Belleville, en quittant l'atelier de l'Artiste, il avait tout d'abord éprouvé un sentiment de joie. Une sorte d'allégresse physique, de chaleur dans les nerfs : bonheur d'être là. Il y avait le soleil de l'hiver, Paris à ses pieds. Et il était de nouveau Daniel Laurençon. Ses faux papiers flambant neufs lui rendaient son identité.

Il riait tout seul, à Belleville, dans le soleil, Daniel Laurençon.

Puis il se souvint de « Yoyes », de Hans-Joachim Klein. C'est leur destinée qu'il voulait éviter. Qu'il essayait d'éviter. Ne pas se faire descendre, comme « Yoyes ». Ne pas être obligé de vivoter sous un faux nom, dans une clandestinité dépourvue de sens, pour toujours, comme Hans-Joachim Klein.

En septembre, il était à Athènes. Il y avait des réunions. Il avait lu dans la presse française la nouvelle de l'assassinat de « Yoyes ». Daniel ne savait rien de celle-ci, mais il pouvait imaginer. Il vivait au centre d'un tourbillon où il n'était pas impossible d'imaginer. Surtout qu'il avait rencontré parfois des types de l'E.T.A. à des stages de formation, des réunions intermouvements. C'étaient les plus bornés, les plus primitifs, les plus délirants de tous. Le vernis du marxisme-léninisme plaqué sur fond archaïque de nationalisme quasi racial, mystique, ça produisait des effets néfastes.

A côtoyer les intégristes islamiques du Moyen-Orient, Daniel avait fini par comprendre que rien n'est plus sinistre, plus meurtrier que la volonté d'inscrire une transcendance au cœur de la cité, de faire de ce monde le royaume d'un Dieu.

A Athènes, en septembre, Daniel Laurençon était dans le salon d'un hôtel du Lycabète. Il leva les yeux du journal français qui rendait compte de l'assassinat de « Yoyes ». Il contempla l'Acropole, au loin.

Au dégoût qu'il éprouvait – il imaginait « Yoyes » abattue, le regard de l'enfant sur le cadavre de sa mère –, il mesura le chemin qu'il avait parcouru ces derniers mois. Il mesura aussi les dangers de celui qui lui restait à parcourir. Il se demanda comment c'était possible d'avoir mis autant d'années à reconnaître la réalité.

Il sourit tristement, il se souvint d'Elie Silberberg.

Rue d'Ulm, autrefois, dans le vert paradis des turnes juvéniles, aux lampes allumées sur les textes sacrés, Elie lui avait fait un topo sidérant d'intelligence sur Aristote. Sur les chauves-souris d'Aristote, plus précisément. C'était, en effet, le commentaire d'une phrase de la *Métaphysique* où il est dit que les hommes sont aveuglés par l'évidence des faits comme les chauves-souris par l'éclat du jour. Si telle est la vérité, lui avait dit Silberberg dans cette conversation en tête-à-tête, et telle elle est, sans doute, alors les révolutionnaires sont les plus humains des hommes. Non certes par leur humanisme, idéologie fortement démonétisée parmi eux à l'époque de cet entretien, mais par leur aveuglement. Les révolutionnaires modernes sont les chauves-souris du XXe siècle : aveuglés par l'évidence des faits! Il avait éclaté de rire, Elie. Garde ça pour toi, Daniel! Je ne veux pas être soumis à un procès pour révisionnisme aristotélicien!

A Athènes, ce jour-là, en septembre, contemplant l'Acropole du haut du Lycabète, Daniel se dit que Gustave Flaubert ferait aujourd'hui de Bouvard et Pécuchet deux anciens combattants de l'un quelconque des mouvements marxistes-léninistes en vogue à notre époque. Ils se seraient retirés dans quelque thébaïde pour établir le sottisier sanglant de la gauche révolutionnaire du XXe siècle.

Quelques semaines plus tard, à Paris, le lendemain de son arrivée – le jour même où il était allé voir le film sur Rosa Luxemburg –, Laurençon découvrit le livre de Dany Cohn-Bendit, *Nous l'avons tant aimée, la Révolution!* Il le lut d'une traite, le soir, à l'hôtel. Bien entendu, il commença par les interviews de ses anciens camarades de l'Avant-Garde prolétarienne, Silberberg et Serguet. C'est en lisant le texte de Silberberg qu'il apprit qu'Elie avait publié quelques livres, sous le pseudonyme d'Elias Berg. Des romans noirs que Cohn-Bendit semblait avoir appréciés.

Quand il eut fini de lire le bouquin de Cohn-Bendit, Daniel était sorti dans Paris. Il faisait doux, il avait marché dans les rues. Un instant, l'idée lui vint de partir immédiatement pour Francfort, de retrouver Cohn-Bendit et de se confier à lui. De tous les survivants de 68, c'était le plus intelligent, celui qui avait le mieux réussi à prendre ses distances avec la folie d'antan, tout en restant fidèle au noyau rationnel de cette folie. Ou fallait-il dire le contraire : au noyau utopique de la raison d'antan? N'importe, il serait de bon conseil.

Mais Daniel Laurençon rejeta cette idée. C'était en France qu'il avait les meilleures chances de se frayer une issue.

Il avait marché, en quittant l'atelier de l'Artiste, pour s'assurer qu'il n'était pas suivi.

Soudain, dans la rue du Télégraphe, une voiture avait déboîté, un peu plus loin, face à lui. Démarrage en trombe, pneus qui crissaient. Daniel avait plongé immédiatement, s'accroupissant derrière une auto à moitié garée sur le trottoir. Son arme fut dans sa main, aussitôt. La voiture avait l'air de foncer sur lui.

Mais c'était une dispute d'amoureux, rien d'autre. Une violente et désespérée dispute d'amoureux, banale dans sa démesure. Une femme avait couru dans la rue derrière la voiture. « Gérard! criait-elle. Gérard, mon amour, je n'aime que toi! » Gérard avait freiné, sorti la tête, dit des mots insensés. Le malheur de vivre, les horreurs de l'amour : il jetait son désespoir à la face de la femme qui accourait. Elle se pencha vers lui, ils parlèrent à voix basse. La main de l'homme, peu après, caressa la nuque de la femme. La vie allait reprendre son cours, sans doute. L'enfer de la vie, ses joies minimes, ses éclats de malheur quotidien : la dérisoire illusion d'exister.

Une petite fille de cinq ans se tenait près de Daniel, regardant le magnum 357 avec des yeux avides.

Il agita l'arme, parla d'une voix calme.

– On dirait un vrai, n'est-ce pas?

La petite fille hochait la tête, ravie.

– Donne-le-moi, disait-elle.

Il haussa les épaules, rengaina l'arme dans l'étui spécial.

– Une petite fille ne joue pas avec ça! proclama-t-il, sentencieux.

– C'est pour mon frère, disait la petite fille.

Il se redressa.

– Qu'est-ce qu'il en ferait? demanda-t-il.

La réponse fusa dans un grand cri de joie.

– Il serait le chef! Il ferait peur à tout le monde! criait la gamine.

Il s'en alla d'un pas vif, à la recherche d'un taxi.

Il avait pris sa décision, pendant les quelques instants qu'avait duré cet incident. S'il voulait savoir ce que mijotaient les autres à son égard, maintenant qu'ils avaient abattu Zapata, le meilleur moyen était d'aller au contact. Vieille loi des arts martiaux : rechercher le contact avec l'ennemi, tâter son dispositif à l'endroit le plus sensible. Ou plutôt, plus clairement dit : à l'endroit où l'adversaire est en principe le plus fort et vous-même le plus exposé. Renverser cette situation par l'effet de surprise !

Il fallait aller chez Christine, donc.

Il trouva un taxi, se fit conduire à Montparnasse.

Il tâta ses poches. Il avait de l'argent, de faux papiers impeccables. Etaient-ce même de faux papiers ? Tout y était vrai, tous les renseignements d'état civil. Age, lieu de naissance, taille, signes particuliers : néant. Ça l'amusa que le néant fût le signe particulier d'identité le plus commun à l'espèce humaine.

Il rit tout seul, le chauffeur de taxi s'inquiéta de savoir ce qu'il voulait. Mais non, il ne voulait rien, il avait juste ri comme ça, tout seul, à haute voix. Ça allait bien, aujourd'hui, voilà pourquoi ! Le chauffeur commenta avec pertinence l'imprévisibilité des bonheurs quotidiens. Il y a des jours avec, des jours sans. A quoi ça tient, dites-moi ? A un rien, souvent.

Un peu plus tard, en pensant à ce qui lui restait à faire, il rit encore. Mais le chauffeur ne lui demanda plus rien : il s'était habitué.

Lorsque Christine ouvrit la porte de l'appartement, rue Campagne-Première, il comprit du premier coup d'œil qu'elle savait déjà.

Le regard de la jeune femme était lisible, il exprimait tout à la fois le désarroi, la pitié. L'horreur haineuse, aussi. Et le pli de sa bouche était implacable. Elle essayait de le masquer par un sourire contraint.

Il aurait dû tourner les talons, partir aussitôt.

Mais il avait envie de savoir, dans le détail. Vilain défaut, on le sait, la curiosité. Sans elle, cependant, la vie n'aurait pas de charme. Ni de sel ni de sens. Et puis il était dans un état de froideur, séparé de lui-même, comme dédoublé. Se regardant accomplir un acte insensé, comme un spectateur de cinéma qui aurait déjà vu le film, qui saurait dans quel piège le pauvre héros est en train de tomber.

– Salut! dit-il gaiement.

Comme un héros de cinéma qui tombe dans le piège de la femme fatale, tout à fait ça.

Et il entra dans l'appartement.

Qui était une souricière, certainement. Et Christine le savait. Si elle ne l'avait pas su, si elle n'avait pas fait partie du guet-apens, elle aurait laissé exploser sa colère. Elle l'aurait insulté, lui aurait demandé des comptes et des explications. Elle aurait pleuré, hurlé sa déception. Mais elle était froide, elle aussi. Elle jouait le jeu, elle aussi.

Ça risquait d'être cocasse. Dangereux mais cocasse.

Ils vivaient ensemble, plus ou moins, Christine et lui, douze ans auparavant, au moment de l'affaire de l'Avant-Garde. C'est en la filant que Pierre Quesnoy avait retrouvé sa trace à lui. Ils l'avaient alpagué au coin de la rue Campagne-Première et du boulevard Raspail, un soir qu'il sortait de chez elle. Et Christine avait été la seule personne à connaître la vérité sur sa condamnation à mort, sur la façon dont il y avait échappé, grâce à Luis Zapata.

Daniel n'avait pas cessé de la voir, pendant toutes ces années. Christine était venue le retrouver en Italie, en Allemagne, dans toute sorte de lieux en Europe. Une fois elle avait même voyagé jusqu'en Colombie, au cours de la période sud-américaine. Ils avaient visité ensemble des musées. Ils s'étaient aimés à Venise et à Vienne. A Prague, après la célèbre réunion de 81, ils avaient eu une semaine de vacances inoubliable.

Toutes ces années, cette longue complicité amoureuse, ce désir de préserver un semblant de vie à deux, dans le désert de la violence et de la mort, n'auraient servi à rien. La parole militante s'était imposée à Christine, avait obnubilé chez elle tout esprit d'analyse, tout sentiment intime de véracité.

Si on lui faisait un procès, Christine viendrait témoigner contre lui, veuve radieuse.

Il s'avança dans la grande pièce, à côté de Christine.

Il la tenait par l'épaule, mais il avait pris soin de la placer à sa gauche. Ainsi, sa main droite était libre. Il l'avait glissée sous l'aisselle, caressant la crosse de son arme.

Il se surprit à constater tristement qu'il n'était pas vraiment étonné par l'attitude de Christine.

La jeune femme enseignait l'Histoire dans un lycée parisien. Elle n'avait jamais fait partie de la première ligne des organisations combattantes. Mais elle rendait des services, n'ayant pas été fichée par la police. Les planques, les courriers, les missions d'information : elle avait continué à vivre dans la frénésie de l'activisme marxiste-léniniste.

C'est vrai qu'elle avait beaucoup à se faire pardonner. A se pardonner à soi-même, croyait-elle. Elle avait grandi dans l'obsession de cette faute originelle : son père avait été sous l'Occupation un collabo des plus actifs. Responsable de la Milice dans une région de maquis, quelque chose comme ça. Condamné à mort et gracié, car son procès avait eu lieu plusieurs années après la Libération. Il fallait payer le prix de cette faute, avait-elle pensé depuis lors, dès sa prime adolescence. Il fallait effacer. Du sang pour effacer cette tache de sang. De la violence pour payer la violence d'autrefois. Ainsi, la « nouvelle résistance », comme ils disaient, elle et tous les fanatiques qui l'entouraient, effacerait la faute originelle de la bourgeoisie française.

Mais Daniel coupa court à ces considérations psychologiques.

Ce n'était pas le meilleur moment, d'abord. Et puis ça le concernait de trop près. Ça le mettait trop en cause ou en avant, la psychologie, le nœud de vipères des rapports familiaux.

Sa main gauche avait glissé le long du corps de Christine.

Il lui caressa le sein, le flanc, la taille, la croupe, revint sur la cuisse. Ses doigts s'arrêtèrent sur la légère protubérance d'un porte-jarretelles, sous la jupe ajustée, effleurèrent le bouton de l'agrafe qui tenait le bas.

Christine s'était donc apprêtée à le recevoir. Elle s'était harnachée pour l'amour, selon les rites anciens de leur intimité.

Il lui tourna le visage vers lui, l'embrassa sur la bouche, perçut son mouvement de recul, qu'elle maîtrisa, se laissant ensuite aller contre lui. Elle se blottit, ferma les yeux. Son baiser avait un goût de cendre. Mais il en profita pour regarder autour de lui, repérant les portes, les cachettes possibles.

Il l'écarta, la regarda. Christine, yeux encore fermés, avait l'air d'une noyée.

– On dirait que tu es prête, murmura-t-il, lui caressant la cuisse de nouveau.

Elle ouvrit les yeux, lui sourit.

– Je t'attendais, dit-elle.

Elle se raidit soudain, comprenant qu'elle avait

été trop bavarde. Pourquoi l'aurait-elle attendu? Il n'était pas du tout question qu'il vienne, aujourd'hui. Ils avaient rendez-vous deux jours plus tard, ailleurs. On lui avait donc parlé, on l'avait prévenue.

– Qu'est-ce qu'ils t'ont dit? demanda-t-il à voix basse.

Elle essaya de s'esquiver. Il la retint sans ménagements. Alors, elle fit face.

– Mais la vérité, Daniel! s'écria-t-elle.

La vérité? Il eut envie de rire. Comme si c'était facile à dire, la vérité! Comme si c'était simple!

– Quelle vérité, Christine?

Il connaissait la réponse, bien sûr. Il savait quelle version des faits on avait dû lui présenter.

– Tu as été en Israël, il y a quelques mois, Daniel, en mission. Le Mossad t'a coincé et a réussi à te retourner!

Il éclata d'un rire bref, plutôt aigre.

– Mais voyons! dit-il.

En 1974, ses camarades de l'Avant-Garde prolétarienne l'avaient accusé d'être manipulé par les Renseignements généraux français. Aujourd'hui, on l'accusait d'être au service du Mossad israélien. Dans le premier cas, il aurait voulu continuer la lutte armée. Dans le second, tout au contraire, il était pour l'adieu aux armes. Mais ce n'était pas l'essentiel. L'essentiel, c'était qu'on pût attribuer ses opinions à l'influence d'un agent extérieur, d'une puissance démoniaque : les services policiers de l'impérialisme. Ça simplifiait tout, certes.

Daniel essaya de se concentrer, de réfléchir le plus rapidement possible au prochain mouvement de l'adversaire sur l'échiquier de cette partie. Ils avaient supposé qu'il allait venir chez Christine, en apprenant la nouvelle de la mort de Zapata. Christine, son amante, sa fidèle compagne de toutes ces années. Qu'il viendrait auprès d'elle pour trouver du réconfort, peut-être pour lui demander conseil.

Christine, elle, convaincue de sa culpabilité, devait le retenir ici. De la façon la plus tradition-nelle, en se faisant aimer. Un homme nu, en train de faire l'amour, est sans défense. Mais comment allaient-ils être prévenus de son arrivée, pour inter-venir? Il n'y avait pas trente-six solutions. Ou bien ils avaient prévu qu'elle le retînt assez longtemps pour donner un coup de fil pendant qu'il aurait le dos tourné, dans la salle de bain par exemple. Ou bien...

Ou bien quelqu'un était déjà sur place, planqué. Ils avaient les moyens de mettre un type en plan-que, chez Christine, le temps qu'il faudrait. D'ail-leurs, il n'avait pas fallu longtemps. Il était venu tout de suite.

Il sourit à la jeune femme.

– C'est vrai que j'ai été retourné, Christine! Mais ce n'est pas par le Mossad, c'est par le principe de réalité!

Elle n'avait pas l'air d'entendre ce qu'il disait. Mais c'était normal. Elle devait être contrariée de s'être trahie, en se laissant emporter à parler du Mossad, au lieu de faire la belle, de l'entraîner vers la chambre à coucher. Elle devait se demander comment rattraper cette gaffe.

Chambre à coucher?

C'était dans la grande penderie que le type s'était planqué, quand il avait sonné à la porte de l'appartement!

Il sourit à Christine, gentiment.

– Pourquoi tu trahis tout le monde, ma grande?

Elle sursauta, son regard s'affola.

– Trahir? Pourquoi trahir?

– Justement... Pourquoi?

Il sortit l'arme, la pointa, parla à voix basse.

– Allons chercher notre petit camarade, Christine!

Elle fit un bond de côté, essayant de fuir vers la porte de la chambre. Il la rattrapa aussitôt, lui tordit le bras en l'empoignant, lui enfonça le canon de l'arme dans les reins, la renversa d'une poussée sur le canapé voisin, l'écrasa de tout son poids. La retourna, lui mit un mouchoir dans la bouche pour l'empêcher de crier. Dans la bagarre, la jupe de Christine s'était retroussée, il vit ses jambes, ses dessous de gala. D'un geste brusque du canon de son arme, il rabattit ses jupes.

Il déchira un grand châle de cachemire qui ornait le dossier du canapé, en fit des liens pour les mains et les chevilles de Christine, perfectionna son bâillon.

Il s'écarta d'elle, l'arme au poing de nouveau.

Il marcha vers la porte de la chambre à coucher, en parlant à la cantonade, d'une voix sourde, comme on peut parler à une femme que l'on conduirait vers un lit d'amour. Il entra dans la chambre, « et si tu savais comme j'ai envie de toi, Christine, tu vas me faire jouir longtemps, je le sais, prends-moi dans ta bouche, d'abord », et il ouvrit d'un geste brusque la porte de la penderie, en criant, et il aperçut les jambes du tueur qui y était planqué; il le vit bouger au milieu des vêtements féminins qui l'entravaient et l'aveuglaient, et il tira trois fois, et le corps de l'autre rebondit en arrière, s'écrasa contre le mur du fond et retomba, et le sang jaillit sur une robe de soie blanche qui avait été arrachée de son cintre et qui entoura le corps comme une sorte de dérisoire linceul, et il connaissait le type qu'il venait d'abattre, et il eut soudain envie de vomir, et il s'en alla, il traversa en courant la grande pièce où gisait Christine, immobile dans ses liens, et la vie n'était qu'un désert plein de mirages, de pièges et de vastes solitudes.

V

En sortant de l'appartement de Christine, rue Campagne-Première, Daniel Laurençon avait parcouru à grands pas le boulevard Edgar-Quinet, vers la gare Montparnasse. En longeant le mur du cimetière, des souvenirs avaient éclaté, comme des bulles de savon, éphémères, chatoyantes.

L'enterrement de Jean-Paul Sartre : il en revoyait des images.

Pourtant, il n'était pas à Paris, à cette époque. C'étaient des images de télévision qu'il avait vues à Milan. Voilà l'un des aspects magiques du petit écran : les reportages en direct, qui vous font vivre l'événement, participer comme si on y était, inscrivent leurs images dans votre mémoire comme si elles vous étaient personnelles.

Daniel se rappela des réunions avec Sartre.

Ils préparaient le procès populaire des Houillères du Nord, en décembre 1970. Quelques mois plus tôt, à Fouquières-lès-Lens, seize mineurs avaient été tués par un coup de grisou. Un détachement de combat de la Nouvelle Résistance populaire avait mis le feu au siège des Houillères, à Hénin-Liétard, après cet accident meurtrier. D'où arrestations, procès des militants inculpés devant la Cour de sûreté de l'Etat et contre-procès populaire sous la présidence de Sartre.

Ils avaient eu des réunions avec celui-là, dans son appartement. On accédait à son immeuble par le boulevard Raspail, à côté de l'*Hôtel de l'Aiglon*. Mais les fenêtres du petit appartement donnaient de l'autre côté, sur le boulevard Edgar-Quinet et le cimetière. Sartre avait rédigé et signé le tract qui appelait à manifester pour soutenir le contre-procès populaire.

« Les faits sont clairs : seize hommes sont tués, c'est la fatalité, la justice bourgeoise n'intervient pas : elle ne se manifeste que pour porter sentence contre ceux qui ont voulu les venger. Quand les Houillères tuent, c'est normal : PERSONNE n'est coupable. Ceux qui nuisent aux Houillères, par contre, voilà les criminels : on le leur fera bien voir. »

A un moment donné, à la fin de la réunion, pendant que Sartre rédigeait d'un trait, sans ratures, le texte de la proclamation, Daniel Laurençon s'était approché d'une fenêtre. C'est alors qu'il avait découvert la vue qu'on avait de là-haut sur le cimetière Montparnasse.

Il s'était brusquement souvenu d'une scène qui l'avait frappé, quatre ou cinq ans plus tôt, dans un film d'Alain Resnais, *La Guerre est finie*. Ça se passait dans un studio qui avait une vue identique à celle de l'appartement de Jean-Paul Sartre. Un militant communiste espagnol, incarné par Yves Montand, y discutait de la stratégie antifranquiste avec des jeunes gens d'un groupe révolutionnaire léniniste, partisans de la lutte armée en Espagne. C'était deux ans avant Mai 68. Daniel avait souvent pensé à cette scène de cinéma, où la fiction éclairait par avance la réalité. Car c'était la première fois qu'on voyait dans un film destiné au circuit de distribution commerciale des jeunes militants dont le type de discours allait assourdir et abasourdir le monde réel, quelques années plus tard.

A la gare Montparnasse, dans la salle des coffres de la consigne automatique, Daniel retira un sac de voyage qu'il y avait déposé dès son arrivée à Paris. Il avait fait la même opération dans deux autres gares, outre celle-là. Trois sacs de voyage, donc, en réserve, contenant vêtements de rechange, argent et armes de poing, y compris une mitraillette tchèque Skorpio, qu'on peut ranger dans cette catégorie.

Ensuite, il prit un taxi et se fit conduire dans un hôtel proche de la porte Maillot, une sorte de caravansérail de luxe, avec des allées et venues incessantes, multitudinaires, des galeries commerciales bien achalandées où attendre que le temps passe et des entrées multiples où il était facile de se faufiler.

Une fois dans sa chambre, il commanda du caviar, du saumon fumé et de la vodka. Lorsqu'il fut servi – déçu que le service d'étage fût assuré par des garçons, avec une fille il aurait tenté quelque chose! –, il prit une douche, brûlante pour commencer, glacée pour finir, qui raviva son goût de vivre.

Son envie de se battre, en tout cas.

Jusque-là, et depuis qu'il avait troué de balles Gómez-Cobos dans la penderie, il s'était efforcé de faire à ce sujet le vide dans son esprit. Il avait tiré sur une ombre, un ennemi sans visage, dont la présence était une menace mortelle. Mais lorsque le sang avait jailli à gros bouillons sur les vêtements féminins – tache rouge éclatant comme une rose funèbre sur la soie blanche d'une robe –, lorsque le corps s'était affalé après avoir rebondi contre la paroi du placard-penderie, Daniel avait vu apparaître le visage de Gómez-Cobos, qui exprimait un étonnement sans limites. Il n'avait rien compris à ce qui lui arrivait. Pablo, il ne s'attendait pas à cet orage de plomb. Son visage était crispé par un rictus d'effarement total.

Gómez-Cobos était un ancien militant des G.A.R.I., Daniel le connaissait plus ou moins bien depuis longtemps. Julien Serguet l'avait aussi connu : ils avaient même travaillé ensemble pendant une courte période, dans un réseau antifranquiste, à l'époque du procès de Burgos contre l'E.T.A.

Jusque-là, Daniel avait fait le vide dans son esprit, maîtrisé ses sentiments, mais à présent, en buvant son premier verre de vodka devant la télé allumée pour le journal de treize heures, il s'était mis à trembler comme une feuille.

C'était la première fois qu'il tuait un homme de façon délibérée, de sang-froid. Un homme dont le visage lui était familier, de surcroît, avec qui il lui était arrivé d'échanger des mots, des plaisanteries, des cigarettes. Il avait déjà tué, sans doute. Du moins avait-il tiré sur des cibles humaines. Mais ç'avait été au cours de vrais combats, à chance égale pour chacun des adversaires, en quelque sorte. Avec la guérilla anti-somoziste, au Nicaragua. Avec les Palestiniens, au début de la guerre civile, au Liban. En Europe aussi, il s'était trouvé deux ou trois fois impliqué dans des affrontements armés. Alors, il avait tiré pour se dégager d'une embuscade, pour forcer un passage : ce n'était pas la même chose.

Aujourd'hui, il avait tué de sang-froid, avec préméditation.

Il aurait pu s'en aller aussitôt, rue Campagne-Première, dès qu'il avait vu le visage de Christine, dès qu'il avait deviné qu'on l'avait affranchie sur son cas. Il aurait même pu ne pas y aller du tout, puisqu'il avait déduit par avance, par simple raisonnement, que l'appartement de Christine était l'endroit le plus approprié pour lui tendre un piège. Mais il avait choisi l'affrontement. Il avait calculé les risques et les avantages d'une telle tactique, froidement : il savait qu'il lui faudrait tuer pour éviter d'être tué.

Il avala d'un seul trait un premier verre de vodka. Il tremblait comme une feuille.

C'est sans doute à ce moment-là que Daniel Laurençon comprit qu'il n'y avait pas d'issue pour lui. Il avait perdu son âme et il n'y avait pas d'autre issue que la mort : autant la faire payer très cher. Des souvenirs affluèrent, des idées prirent forme, des certitudes anciennes s'évanouirent, foudroyées par le poids du réel. Mais il n'avait pas eu le temps de classer toutes ces impressions, de mettre de l'ordre dans ce tourbillon de sentiments, de décisions morales.

Elie Silberberg venait d'apparaître sur l'écran de l'appareil de télévision.

Daniel suivait distraitement le déroulement du journal de treize heures, curieux de savoir s'il y serait question du meurtre de Luis Zapata. Il avait vaguement écouté le commentaire qui accompagnait les images de l'enterrement d'un certain Max Reutmann, dont il n'avait que faire.

Soudain, Elie Silberberg était apparu.

Daniel se pencha en avant, tout excité. Elie avait toujours la même allure, la même silhouette mince, le même geste pour rejeter en arrière une longue mèche de cheveux d'un blond pâle.

Daniel ne se demanda pas ce qu'Elie faisait à cet enterrement, ça ne l'intéressait pas. Il était ému de revoir son meilleur copain d'autrefois, c'était tout.

Mais il sursauta, jura à voix basse.

La caméra de l'équipe de télévision avait effectué un long panoramique, dans le sens inverse du mouvement du cortège funéraire, pour en donner une vue d'ensemble. Au bout de ce panoramique, un motocycliste apparut, vêtu de cuir noir, immobile à la porte du cimetière. Saisi par l'œil de la caméra juste au moment où il relevait la visière de son casque, le visage de Lucio Carpani surgissait fugacement.

Carpani, le tueur, rescapé de la colonne romaine des Brigades rouges.

Pourquoi suivait-il Silberberg? Car c'était ce dernier que surveillait l'Italien, bien sûr. Ce n'était certainement pas à l'enterrement d'un ancien de la M.O.I. qu'il s'intéressait!

Quelle qu'en fût la raison, la présence de Carpani dans le sillage d'Elie était inquiétante. L'Italien était un chien fou, qui n'aimait que le foot et les flingues. Une fois, Daniel Laurençon avait passé trois jours enfermé avec Carpani et d'autres brigadistes. C'était au nord de Milan, dans une maison sur les rives du lac d'Orta. Ils étaient planqués là, en attendant le feu vert pour une opération. Il s'agissait d'intercepter la voiture d'un passeur de la Mafia qui transportait en Suisse une somme considérable d'argent à blanchir, plusieurs centaines de millions de lires, croyait-on savoir. Pour finir, l'opération avait été décommandée, mais il avait dû passer quelques jours avec ces minables.

Le premier soir, tout en bouffant des pâtes, les types des B.R. avaient regardé la retransmission d'un match de Coupe d'Europe où jouait le club préféré de Carpani, l'Inter de Milan. Ensuite, ils avaient regardé les innombrables résumés de la soirée, l'Inter s'étant qualifié pour la suite de la compétition. Buts au ralenti, exploits individuels, interviews des joueurs et de l'entraîneur, Carpani et les siens s'étaient tout tapé, refaisant à chaque fois les mêmes commentaires, poussant les mêmes exclamations, les mêmes injures contre l'arbitre britannique. Et le lendemain, Carpani avait fait acheter toute la presse, spécialisée ou pas, pour y lire encore et toujours à haute voix les comptes rendus lyriques ou techniques que le match avait provoqués.

Trois jours à manger des pâtes, à commenter la victoire de l'Inter, et à comparer les performances des armes qu'ils utilisaient en opération : Daniel avait cru devenir dingue.

Mais c'était ça, les Brigades rouges. D'un côté, une direction stratégique composée en grande partie d'intellectuels maniant un idiome spécifique, sorte de sabir où se mêlaient la préciosité affûtée du langage politique italien et l'arrogance théorique d'un marxisme-léninisme tranchant, flottant dans l'irréel. D'un autre côté, une troupe d'hommes perdus, des *lumpen* généralement, robots et rebuts du travail à la chaîne, de la vie enchaînée, du despotisme archaïque de l'usine capitaliste, devenus stakhanovistes du meurtre, de la terreur : objets d'une comparable aliénation, symétriquement inversée.

Daniel Laurençon avala un dernier verre de vodka, finit le pot de caviar à la petite cuillère et s'apprêta à repartir en chasse.

— Tu étais là ? hurlait David Silberberg, le père d'Elie. Tu es allé à l'enterrement de ce traître ? Tu t'affiches avec ces renégats ? Mais de quoi tu te mêles ? Les histoires de la Résistance et du Parti ne te concernent pas !

David Silberberg était hors de lui, il foudroyait son fils du regard.

Elie prit la mouche. Il poussa un coup de gueule, lui aussi.

– Renégats? Tu parles! Qu'ont-ils renié, Max et Maurice? Ils n'ont renié que vos conneries, vos crimes! C'était le dieu de la mort, rien d'autre, ton Staline! Ils n'ont renié que la mort!

Bref, leur dispute fut sans merci. Ils se dirent des choses blessantes. Puis le silence se rétablit entre eux. Un silence d'épuisement et de distance désespérée. Ils finirent de manger sans rien dire, devant le poste de télévision qui continuait à diffuser le journal de treize heures.

Une heure plus tôt, quand le commissaire était parti après avoir donné un coup de fil (« On a retrouvé la fille de Zapata, avait-il dit en quittant le pavillon de Silberberg. Elle a un message pour moi. Elle a vu son père ce matin! »), Elie s'était précipité de nouveau place des Victoires, dans les bureaux d'*Action*.

Mais Fabienne Dubreuil n'était plus au journal. Elle était passée, lui dit-on, avait téléphoné plusieurs fois, était repartie. Non, elle n'avait laissé aucun message pour lui.

Silberberg avait traîné dans la salle de rédaction, en bavardant avec les uns et les autres. Puis, d'attente lasse, il était ressorti.

En s'éloignant de la place des Victoires, Elie avait suivi un itinéraire fantaisiste, pendant quelque temps. Il revenait sur ses pas, obliquait subitement dans quelque rue transversale, s'immobilisait durant de longues minutes, au hasard d'une vitrine.

Le cirque habituel, en somme, pour vérifier qu'il n'était pas suivi.

Quand il en fut persuadé, il reprit sa marche,

avec l'intention de traverser la Seine au pont au Change, quelque part par là, pour monter vers la place du Panthéon où habitait Marc Liliental. (« Bon : Laloy, si tu préfères! » pensa-t-il, en s'adressant mentalement à son copain.) Il voulait savoir la date exacte du retour de celui-ci. Bavarder un instant avec Béatrice. C'était toujours un délice de bavarder avec la gamine.

Soudain, en traversant le ventre de Paris, dans ce quartier dont la topographie avait été bouleversée par la destruction des Halles, il se trouva au coin de la rue des Prouvaires. Son père, David Silberberg, y occupait un minuscule deux-pièces – « un bikini, plutôt! » disait-il en riant – sous les combles, depuis qu'il avait quitté la mère d'Elie, Carola Blumstein.

Elie s'arrêta tout net, regarda l'heure, qui était bientôt celle du déjeuner. Son père était sûrement chez lui, à manger tout seul son rata, en écoutant les infos. Il avait souvent pensé à son père, ce matin. A cause de Reutmann, qu'on enterrait. A cause du Smith et Wesson au long canon peint au minium. Il s'engouffra d'un pas vif dans la rue des Prouvaires, monta les six étages, sonna.

– Il est arrivé quelque chose à Carola?

David Silberberg avait ouvert la porte, avait pâli en voyant son fils. Sa voix tremblait légèrement en posant cette question.

Elie secoua la tête négativement.

– Pas du tout, répondit-il. Elle va comme d'habitude : ni mieux ni plus mal!

– Pourquoi tu viens, alors? s'étonnait son père.

Bonne question, en effet. Pourquoi était-il venu? Il n'avait rien prémédité, en tout cas, ça avait été une sorte d'impulsion.

– Pour rien, dit Elie. Je passais par là, sans

penser à mal, j'ai regardé machinalement le nom de la rue, c'était la tienne...

Son père se tenait toujours sur le seuil de la porte, ne pensant pas à le faire entrer.

– Et tu t'es dis : allons voir ce que devient le vieux schnock!

– Pas exactement! dit Elie.

Qui commençait à avoir furieusement envie de tourner les talons.

– Ce fossile, ce vieux stal, ce vestige kominternien, ce vieux con, quoi!

David Silberberg éclata d'un rire tonitruant.

– Entre, dit-il, entre! Je suis en pleine forme, sois tranquille. Et nous avons le vent en poupe!

Elie mit une seconde à comprendre de quoi il parlait, de qui.

Mais c'était le « nous » de toujours, bien entendu. « Nous » : les masses, le peuple, les bolcheviks, la Révolution, l'Histoire en marche, l'U.R.S.S., l'Avenir radieux!

Avaient-ils le vent en poupe, vraiment, « eux »?

Il eut envie de contredire son père, d'entrée de jeu.

– En poupe ou au cul? demanda-t-il. Si j'en juge par ce qui se passe au P.C.F.!

Ils étaient dans l'une des deux pièces du petit appartement : cuisine, salle de séjour, tout à la fois. Une télé était allumée, le son coupé, en attendant le journal de treize heures. En revanche, la radio était branchée, à tue-tête, sur une station périphérique. Sur un coin de table, un semblant de couvert était mis. Pour ce faire, on avait dû écarter des piles de journaux, de revues, de livres, d'assiettes sales, de cendriers tout autant.

– Qu'est-ce qui se passe au P.C.F.? demanda David Silberberg, goguenard.

Il tripota l'appareil de radio pour diminuer le son, se retourna vers son fils.

– On met au pas quelques liquidateurs, quelques pauvres types qui avaient pris goût au confort bourgeois des cabinets ministériels! Et alors?

Elie n'était pas venu pour discuter de la politique du P.C.F. Il était venu, dans un moment de désarroi, sur un coup de tête, ou de cœur, pour revoir son père. Rien d'autre, un signe de vie. Mais David Silberberg était toujours aussi buté, borné, décidément.

Elie ne put se contenir.

– Je ne parle pas de ça! s'écria-t-il. Ça c'est votre cuisine interne, toujours aussi peu ragoûtante. Je parle de vos pourcentages électoraux! Vous voulez faire la révolution avec neuf pour cent des citoyens?

Mais David Silberberg jubilait. Il aimait ça, la discussion, l'argumentation : la dialectique, disait-il. Il était aux anges.

– L'avons-nous faite, la révolution, quand on en avait vingt-cinq pour cent? Mon pauvre Elie, tu ne seras jamais qu'un intellectuel petit-bourgeois!

Elie avait beau avoir décidé de ne pas se laisser provoquer, il fonça tête baissée.

– Intellectuel, je veux bien! C'est ma gloire ou ma honte. Mais c'est moi, moi tout seul. Quant à petit-bourgeois, c'est de ta faute. C'est toi le petit juif artisan fourreur qui as toujours valsé entre le rêve d'être prolo et celui d'être patron!

Le coup était rude parce qu'il y avait du vrai. David Silberberg dut encaisser. Il respira à fond, reprit ses esprits et repartit à l'assaut du Palais d'Hiver.

– N'essaye pas de me faire dévier de mon raisonnement! La révolution, ça consiste précisément à détruire la démocratie parlementaire. Pour cet objectif, ce n'est pas le pourcentage des électeurs qui est décisif, mais l'implantation sociale, donc stratégique, des militants. Tu vas voir les grèves des cheminots et de l'E.D.F. ! Même avec neuf pour cent, nous sommes encore capables de paralyser le pays !

Toute discussion était inutile, mais Elie lança un dernier trait, espérant ulcérer son père par son propos.

– Si tu permets, camarade, dans ces grèves, ce sont surtout les trotskards qu'on voit en première ligne !

David Silberberg eut un nouvel accès de rire homérique.

– Des trotskards comme ça, j'en chie tous les matins ! Ou plutôt, si tu préfères une métaphore plus bucolique : ils vont nous chanter dans la main, le moment venu, ces trotskards-là !

– Explique-moi ça, dis donc !

Il était content que son fils l'écoutât. Il se rengorgea, pointa le doigt didactique qui lui avait toujours été coutumier.

– Tu devrais reprendre tes études à zéro, mon pauvre vieux ! Tu ignores l'ABC même de la dialectique. Les trotskards, il fallait les neutraliser – Oh ! ne fais pas cette tête-là ! Tu veux un mot plus précis ? Liquider, ça te va ? –, il fallait les liquider au début des années trente, sans pitié. Aujourd'hui, on peut s'en servir. Car ils n'ont jamais varié sur l'essentiel. Ils sont restés fidèles aux thèses léninistes, en gros, ils ont toujours considéré l'U.R.S.S. de Staline et de ses successeurs comme un Etat ouvrier avec des éléments de dégénérescence bureaucratique ! Eh bien, c'est justement à ces germes de dégénérescence que s'attaque le camarade Gorbatchev !

Elie en resta bouche bée.

– Tu me surprends, dit-il. J'étais persuadé que

tu qualifierais Gorbatchev de dangereux rénovateur!

David Silberberg regarda son fils avec une commisération qui n'était pas feinte.

– Elie, vraiment, tu me déçois! Gorbatchev est un léniniste. Le plus léniniste des dirigeants soviétiques depuis fort longtemps. L'U.R.S.S. a besoin d'un répit, d'une respiration, c'est évident. L'agressivité continuelle de l'impérialisme l'y contraint. Entre autres, elle en a besoin pour liquider les germes de dégénérescence qui s'accumulent depuis les foucades de Khrouchtchev et le je-m'en-foutisme des bureaucrates nantis sous Brejnev. Mais t'as vu comment il organise ce répit, Gorbatchev? Comme une offensive sur toute la ligne, au lieu d'en faire un repli ou une reculade! Il les roule dans la farine, les Occidentaux! C'est à qui d'entre eux obtiendra avec lui dix minutes d'entretien de plus que le copain, pour se faire mousser auprès de ses propres électeurs! Alors, ton neuf pour cent, je m'en branle, car c'est nous qui allons faire pencher la balance, ici, aux prochaines présidentielles, par Gorbatchev interposé. T'as saisi, mon pauvre vieux? Plus tard, on étudiera cette période dans les académies de science politique : un modèle de manœuvre stratégique. C'est plus fort que la N.E.P., plus fort que le Front populaire, plus fort que le pacte de 39, plus fort même que Yalta!

Il était parti, David Silberberg. Inutile d'essayer de le raisonner, d'endiguer le flot de ses paroles.

Tout en discourant, et pour ne pas perdre un auditeur attentif, espèce devenue rare dans son existence plutôt solitaire, son père l'invita à partager son frugal repas. Ils mangèrent du hareng, du pain noir, une salade de chou : l'après-midi allait être rempli d'aigreurs et de renvois.

Le monologue fut interrompu par le journal télévisé de treize heures.

(Celui d'Antenne 2, est-il besoin de le préciser? Jamais David Silberberg ne regardait les infos présentées sur la première chaîne par Yves Mourousi, depuis que celui-ci avait répétitivement interviewé le président de la République, François Mitterrand. A la suite de ça, David Silberberg s'était juré de ne plus jamais regarder ses émissions, l'alliance de la désinvolture parisianiste et de la bouillie social-démocrate n'étant pas supportable. Trop c'est trop, avait-il déclaré!)

Des images de l'enterrement de Max Reutmann apparurent sur l'écran. La voix du commentateur résumait la vie mouvementée de celui-ci. David Silberberg grommelait rageusement, faisant des remarques désobligeantes, aussi bien pour le journaliste que pour Reutmann, son ancien camarade. Il le traitait de fripouille, de traître, portant sur lui des accusations voilées dans leur contenu, mais péremptoires dans leur forme.

Et puis on vit surgir la silhouette d'Elie. Sa veste d'un si joli vert vif remplit tout un angle de l'écran.

Son père cria, ils eurent des mots, le silence retomba sur eux, comme une dalle.

Plus tard, ils furent de nouveau sur le pas de la porte.

– Ta mère va bien, alors? disait en guise d'adieu David Silberberg.

Elie fixa le regard de son père.

– Tu sais très bien comment elle va, voyons!

Jusqu'au début des années cinquante, Carola et David avaient été heureux. Il y avait eu dans leur vie des moments insupportables, certes, à cause des souvenirs qui émergeaient parfois. Mais ce n'était pas du fait de leur amour, c'était leur vie

266

qui était ainsi, insupportable parfois dans l'horreur de la mémoire. Pourtant, d'avoir si longtemps fréquenté les parages de la mort – lui, dans les groupes de combat de la M.O.I.; elle, dans les baraquements de Birkenau –, et si jeunes tous les deux, donnait aussi à leur bonheur, à leur goût de vivre une densité presque insoutenable. Chaque minute de vie en commun débordait de joies de toute sorte. L'avenir aussi semblait s'inscrire dans un arc-en-ciel de progrès radieux. Et puis, soudain, tout devint trouble, difficile à déchiffrer. Il y eut d'abord les procès de Prague, avec leur explosion d'antisémitisme à peine déguisé. Il y eut ensuite l'affaire des « assassins en blouse blanche », les médecins du Kremlin, tous juifs, accusés des pires crimes par Staline.

Carola et David réagirent de façon diamétralement opposée.

David Silberberg se figea dans sa foi communiste, portant sur sa judéité le fer rouge d'une dénégation radicale, révolutionnaire, croyait-il. Il rappela à Carola les batailles de Lénine contre le Bund, il étudia de nouveau *La Question juive* de Marx. Le juif, en moi, proclamait David, c'est le vieil homme dont il faut me dépouiller. M'épouiller, même.

Mais Carola ne voulut rien entendre. Elle n'avait pas survécu aux chambres à gaz de Birkenau pour nier maintenant sa condition de juive, pour accepter la folie antisémite des siens. Leur couple fut usé par d'interminables discussions et se brisa en 1956, lorsque les crimes de Staline furent dénoncés et que David refusa de tirer les conséquences de cette nouvelle réalité.

« Toute mon enfance aura été gâchée par ces disputes », pensait Elie.

Son père avait détourné la tête.

– Mais non, dit-il, du bout des lèvres. Que devrais-je savoir?

– Tu sais bien qu'elle est folle, dit Elie dans un murmure.

Leurs regards se croisèrent à nouveau.

– Mais c'est une folie douce, inoffensive, alors que la tienne est meurtrière...

David Silberberg sursauta.

Il regarda son fils fixement, devint livide. Il parla ensuite d'une voix blanche, glaciale, désespérée.

– Ne reviens plus, Elie! Ne reviens plus jamais!

La porte était ouverte, il la franchit. Pour toujours, en effet.

Elie entendait le souffle court de son père, derrière lui. Presque un râle d'agonisant.

Roger Marroux avait roulé très vite, dès la sortie de Paris.

Sur les indications de Sonsoles, il avait quitté l'autoroute du Sud au péage d'Ury. Ensuite, à La Chapelle-la-Reine, tout droit, par Amponville. A Fromont, dans la rue principale, le commissaire avait remarqué deux voitures portant des plaques d'immatriculation polonaises, devant une maison basse à volets verts. Ça l'avait intrigué, il avait enregistré le détail machinalement.

La maison de Luis Zapata était au bout du village, à la limite de la butte de Fromont. A partir de là, le paysage descendait vers la plaine du Gâtinais et les cultures de blé et de betterave, devant la façade principale orientée au sud-sud-est. C'était un ensemble d'anciens bâtiments de ferme, réaménagés, entourés d'un vaste espace de gazon, avec des bosquets, des massifs jardiniers, clos de murs.

Mais il fallait d'abord chercher les clefs chez une voisine, une dame du village qui s'occupait de l'entretien de la maison. Pour le reste, le chauffage était automatique, réglé par une horloge à thermostat.

C'est chez la voisine, gardienne des clefs, que Roger Marroux regarda distraitement le journal télévisé de treize heures. Ils étaient dans une grande cuisine, Sonsoles avait été obligée de faire un brin de causette. La gardienne et son mari étaient dévorés de curiosité. La nouvelle de la mort de Zapata les avait bouleversés. Non seulement parce que c'était un meurtre, aussi parce que le passé de leur employeur éclatait soudain au grand jour. Cette découverte provoquait chez eux un intérêt plutôt admiratif, d'ailleurs.

La télévision en couleur présente un grand avantage sur celle en noir et blanc : c'est précisément la couleur, on l'aura deviné. Ainsi, Roger Marroux avait eu le regard attiré par le vif coloris vert d'une veste, sur l'écran. Il reconnut celle de Silberberg, et Elie lui-même, aussitôt, avant de comprendre de quoi il s'agissait. Ensuite, il avait eu une impression curieuse : celle de voir les images, décalées dans le temps, du récit que Silberberg lui avait fait un peu plus tôt de ses aventures au cimetière Montparnasse.

Le reportage télévisé apportait cependant une précision fondamentale aux paroles de Silberberg. Celui-ci, en effet, avait dit au commissaire qu'au moment où il s'était retourné vers son poursuivant, une fois à l'abri dans la petite foule du cortège funéraire, le motard était en train de lever la visière de son casque. Mais Elie était trop loin pour distinguer vraiment les traits de son visage. En revanche, la caméra de l'opérateur de la télévision était beaucoup plus près. Ainsi, même si l'apparition à l'écran avait été fugitive, Roger Marroux avait pu, lui, observer le visage du tueur motocycliste.

Il ne l'identifia pas formellement, comme Daniel Laurençon le faisait au même instant, dans sa chambre d'hôtel de la porte Maillot. Il ne sut pas que c'était Carpani, l'un des survivants de la colonne romaine des Brigades rouges, l'un de ceux qui avaient probablement participé à l'embuscade et au massacre de la via Fani, le jour de l'enlèvement d'Aldo Moro. Il sut seulement qu'il connaissait ce visage. Et que c'était celui d'un suspect. Marroux avait une mémoire démesurée : il se souvint parfaitement d'avoir déjà vu ce visage, parmi ceux des terroristes italiens soupçonnés de s'être réfugiés en France, et dont il avait pu à plusieurs reprises examiner les photos. Il s'occuperait de cela, dès son retour à Paris.

Tout à l'heure, en roulant vers la porte de Gentilly, pour gagner l'autoroute du Sud, ils avaient été pris dans un embouteillage. La rue où ils étaient bloqués longeait le parc Montsouris.

Marroux avait tourné la tête, observant le profil de Sonsoles Zapata. Le beau visage juvénile et grave masqué de nouveau par les lunettes studieuses; le corps souple et délié, qui se laissait aller en arrière, détendu; les jambes allongées, fort plaisantes, découvertes jusqu'à mi-cuisse. Il se surprit à considérer tous ces appas d'un œil paresseusement concupiscent. Il avait suffi, pensa-t-il, de la rencontre de Véronique, à l'aube, tout à fait imprévue – imprévisible, même : jamais il n'avait pensé à faire la moindre avance à la jeune femme – pour réveiller en lui un intérêt longtemps assoupi pour le beau sexe. Le démon de midi, peut-être, qui s'annonçait, se dit-il en souriant.

– Ce Netchaïev qui est de retour, d'après le

message de mon père, disait Sonsoles, vous savez qui c'est?

Il fit signe que oui.

Soudain, il prit conscience de l'endroit où ils étaient. Il avait jusque-là conduit d'instinct par l'itinéraire qu'il espérait le plus dégagé. Derrière le pur profil de Sonsoles s'étendait le parc Montsouris, sous le soleil hivernal. Il y avait eu du soleil aussi, en février 1944. Michel Laurençon s'avançait vers lui, le long d'une allée, l'après-midi, quelques heures avant qu'ils aillent voir ensemble l'*Antigone* d'Anouilh. La veille de l'arrestation de Michel par la Gestapo.

– C'est un pseudonyme, bien sûr! disait Sonsoles.

Il hocha la tête.

Alors, Sonsoles Zapata récitait d'une voix scandée, bien timbrée, le quatrième article du *Catéchisme* de Netchaïev.

– « Le révolutionnaire méprise l'opinion publique. Il méprise et hait l'actuelle morale sociale, dans toutes ses exigences et toutes ses manifestations. Pour lui, tout ce qui permet le triomphe de la révolution est moral; est immoral tout ce qui l'entrave... »

– Encore! s'exclama Roger Marroux, excédé.

Il se reprit, en voyant l'expression de mécontentement dans les yeux de la jeune fille.

– Excusez-moi de paraître impatient. Mais c'est la deuxième fois dans une seule matinée qu'on m'assène cet aphorisme!

– C'est le risque qu'on court quand on s'occupe d'une affaire Netchaïev! s'exclamait-elle. Et puis la phrase en question est au centre de toute réflexion politique. Pas seulement de celle qui s'affirme au service de la Révolution. Toute action se considérant au service du bien, d'une cause juste tend à produire ce genre de légitimation idéologique. Il faut dire aussi qu'aucune action politique ne se croit davantage au service du Bien, ni avec autant d'arrogance, que l'action révolutionnaire!

« Moins rustique que Nieves, se dit-il encore, ça c'est certain, mais tout aussi fougueuse! »

Il lui sourit.

– Pourquoi vous intéressez-vous à Netchaïev? demanda-t-il. C'est peu fréquent...

Elle lui fit la même réponse qu'à son père, ce matin. Son intérêt pour le mouvement anarchiste espagnol, d'où Bakounine, d'où Netchaïev : simple et logique, C.Q.F.D. Et puis elle lui parla de son travail actuel : la transition démocratique en Espagne, le cancer du terrorisme d'E.T.A.

Il l'écouta, tout en regardant au-delà d'elle le paysage du parc Montsouris.

Ils avaient déjà parlé de cela, en février 1944, Michel Laurençon et lui. Sans référence à Netchaïev, bien sûr : ils ne connaissaient même pas son existence. Mais ce jour-là, d'un commun accord, après mûre réflexion, ils avaient décidé de ne pas adhérer au parti communiste. De n'y jamais adhérer. Pour la raison, précisément, qu'ils se refusaient à soumettre les préceptes de leur morale à un critère fondateur de vérité, ou de justice, extérieur à la morale même : intangible, aussi changeant qu'irrécusable parce que venu d'ailleurs. Que cet ailleurs fût l'Union soviétique, patrie des travailleurs, ou l'Esprit-de-Parti, ou le dogme de la théorie, ou la transcendance de la Révolution identifiée au sens de l'histoire, peu importait. Les principes d'une morale de résistance ne peuvent en aucun cas être relatifs aux fins d'une entreprise historique, fût-elle aussi considérable – ou tapageuse – qu'une révolution. Ils ne sont relatifs qu'à eux-mêmes, aux valeurs qui leur sont intrinsèques.

Tout ce qui permet le triomphe de la morale est moral : est immoral tout ce qui l'entrave!

Une deuxième raison qui les empêchait d'adhérer au P.C., tout aussi importante – c'était un corollaire de la première, en fait –, concernait Paul Nizan, l'auteur de *La Conspiration*, livre fétiche.

En septembre 1939, lorsque Nizan avait quitté le Parti, après le pacte germano-soviétique, il avait été accusé de trahison par ses anciens camarades. Qui avaient osé affirmer que le romancier était un indicateur de police, habituel recours pour discréditer quelqu'un sans avoir à avancer l'ombre d'une preuve. Or les cadres intellectuels du P.C.F. clandestin avec lesquels Michel et lui avaient été en contact à cette époque refusaient de revenir sur cette ignoble insinuation. L'affaire est plus compliquée qu'il n'y paraît, murmuraient-ils. Il n'y avait jamais de fumée sans feu. On verra plus tard. Objectivement – c'était l'adverbe abject, qui leur évitait d'avoir à fournir une analyse objective, précisément! –, objectivement, l'attitude de Nizan a été celle d'un traître. Et ainsi de suite.

Il était clair qu'on ne pouvait pas appartenir à une organisation qui se prétendait communiste et qui maintenait de semblables pratiques.

Mais Sonsoles Zapata en était revenue à Netchaïev.

– Vous vous souvenez de ce qu'il a dit des femmes, dans son *Catéchisme*?

Non, Marroux avait oublié. Il n'avait pas relu ce texte depuis longtemps. Elle si, ce matin même. Elle n'était pas arrivée à travailler normalement après le passage intempestif de son père. « Ça concerne Netchaïev, il comprendra! » Alors, elle s'était replongée dans les livres et les documents qu'elle possédait, concernant le jeune nihiliste russe du siècle dernier.

– Netchaïev classe les femmes en trois catégories, du point de vue des intérêts de la révolution, disait Sonsoles. Dans la première, il met les femmes superficielles, sans cœur et sans esprit, qui composent l'immense majorité du sexe faible, et qu'il faut dominer, exploiter, mener à la baguette, éliminer sans pitié si nécessaire. La deuxième catégorie comprend les femmes passionnées et actives, qui n'appartiennent pourtant pas au noyau de la révolution. Celles-là, il faut les mettre à l'épreuve : les survivantes pourront être recrutées pour la Cause ! Et puis, finalement, la troisième catégorie de femmes, celles qui sont totalement initiées, qui approuvent le programme révolutionnaire. Celles-là, textuellement, « sont le plus cher de nos trésors, sans leur aide nous ne parviendrons à rien »...

Roger Marroux frémissait. Pourquoi lui parlait-elle ainsi ? Il ne lui avait pourtant pas dit que c'étaient probablement deux jeunes femmes qui avaient assassiné son père. Il ne pouvait savoir qu'elle pensait à l'assassinat de Georges Besse.

– Netchaïev était fou, fourbe, disait Sonsoles, totalement dépourvu de scrupules, meurtrier... Son *Catéchisme* est quasiment un autoportrait. Et pourtant ! Pourtant, comparé aux tueurs d'Action directe, c'était une sorte de génie !

Il regardait Sonsoles, surpris de la passion qui l'animait. De la douleur coléreuse qui transparaissait sur son visage.

– Vous croyez ? N'est-ce pas plutôt un effet de l'éloignement historique ? rétorquait-il. Le fait aussi que Netchaïev luttait contre le despotisme tsariste, qu'aucun de nous n'a envie de défendre ?

Sonsoles hochait la tête.

– Sûrement ! s'écriait-elle. Vous avez raison ! Mais il n'y a pas que ça ! Ses textes sont déments, si l'on veut. Mais ils ont de la gueule. Ça peut se

274

gueuler, se déclamer. Et puis, même quand c'est faux, c'est clair. Alors que nos terroristes d'aujourd'hui écrivent un charabia. Enfin, les communiqués d'E.T.A. militaire ou d'Action directe, c'est de la bouillie pour débiles profonds!

Elle avait raison, pensa-t-il.

Du travail d'écriture de Marx, remettant sans cesse son texte sur le métier, avec l'obsession du mot juste, de la formulation précise et artistiquement réussie, surchargée parfois à force de traquer la nuance (*Schattierung* : quel superbe mot allemand! C'est Michel Laurençon qui le lui avait signalé), aux textes d'Action directe (« Frapper sur la ligne de démarcation et d'affrontement prolétariat international / bourgeoisie impérialiste telle qu'elle est en soi : dans sa composition entre antagonisme de masse et contre-révolution, et en tant que telle, concrètement perçue et analysée par l'ensemble des prolétaires; à partir de cette ligne de fracture concrétiser l'ensemble des luttes en stratégie révolutionnaire globale capable d'initier la recomposition générale d'un prolétariat en Europe de l'Ouest et de conduire sa force offensive »... et b a ba et bla-bla-bla), on pouvait mesurer la défaite d'une pensée révolutionnaire, l'émergence d'une langue de bois qu'on peut retourner dans la bouche autant de fois que l'on voudra, comme un moulin à prières, mais qui n'a plus aucune prise, sinon sanglante, meurtrière, stérile de surcroît, sur le réel.

— Vous avez certainement lu le communiqué d'Action directe après l'assassinat de Georges Besse? demandait-elle.

Il hochait la tête affirmativement.

— Avez-vous remarqué les hispanismes?

Il la regarda, interloqué. Non, il n'avait rien remarqué.

– Ça m'a frappée, disait Sonsoles, d'abord parce que je suis bilingue. Et que je travaille sans arrêt sur des documents politiques espagnols.

Mais la circulation redevenait fluide. Roger Marroux avait filé vers le boulevard Jourdan et le périphérique, à la porte de Gentilly, pour gagner l'autoroute.

Trois quarts d'heure plus tard, à Fromont-du-Gâtinais, pendant que se termine le journal télévisé de treize heures, la voisine de Luis Zapata est revenue avec les clefs de la maison. Ils peuvent aller chercher l'enveloppe gardée dans le coffre, derrière une *Vue de Constantinople*.

Adriana Sponti comprit à cet instant même qu'elle avait perdu Marc, à jamais.

Certes, c'était elle qui avait pris l'initiative de la rupture, huit ans auparavant, elle qui s'était enfuie. Qui s'était sauvée, c'est le cas de le dire. Enfuie pour se sauver, pour le sauver lui aussi, sans doute. Ensemble, ils ne pouvaient plus que traverser l'un après l'autre tous les cercles de l'enfer.

Mais le lien entre eux n'avait pas été rompu. Pas seulement à cause de Béatrice, pas du tout. Lien direct, chaîne invisible, dépendance et préférence : lien de sang, quasiment incestueux. Du même sang, toi et moi. Les années passaient, ils se rencontraient à des vernissages, des concerts, des réceptions, à l'occasion. Echangeaient quelques mots, ou ne se disaient bonjour que de loin, d'un geste de complicité. Et puis, soudain, au gré de l'un ou de l'autre, deux ou trois fois par an, ils faisaient de nouveau l'amour ensemble. Adriana ne retrouvait pas Marc chez lui, ni chez elle. Ils avaient pourtant des appartements de toute beauté, avec des objets d'art, des livres, des fleurs, des lits pleins d'odeurs légères. Mais rien dans ces rencontres ne devait leur rappeler la conjugalité, la vie en commun, l'ordre des choses, la douceur de vivre. Ils allaient dans des hôtels de passe, des maisons de rendez-vous, parfois d'un luxe et d'un raffinement extrêmes, parfois modestes, selon l'humeur, le lieu où ils s'étaient retrouvés, le goût du jour, sombre ou allègre.

C'était parfait, chaque fois. Parce qu'ils ne demandaient ni l'un ni l'autre à ces instants que le bonheur de la jouissance, de la soumission échangée, réciproque : sacrifice à un dieu de l'ombre, ombrageux, exempt de tout apport sentimental. Ils parvenaient alors à l'état de béatitude que pourrait connaître un toxicomane ayant surmonté les effets néfastes de l'accoutumance, qui maîtriserait l'usage de la cocaïne, par exemple, au point de s'en servir à l'occasion, pour accéder à un paradis provisoire, sans retomber jamais pour autant dans les chaînes de la drogue. Ce n'était pas l'angoisse du manque qui poussait Adriana et Marc l'un vers l'autre, parfois, mais la joie de la plénitude, bien au contraire. La certitude d'un plaisir intact, inusable, jamais démonétisé ni par la banalité de l'usage, ni par les récriminations ou la grandiloquence qui accompagnent la plupart du temps la vie des couples.

Mais à l'instant, en contemplant la démarche de Fabienne, qui traversait la grande pièce du rez-de-chaussée aménagée en jardin d'hiver, Adriana Sponti vient de comprendre qu'elle a perdu Marc pour toujours. Qu'il y aurait désormais entre eux – ou, plutôt, au centre de leur mémoire lorsqu'ils se reverraient – le corps et le regard, les gestes, l'allure, la flamme, l'insolence charnelle, le goût acide de l'avenir que Fabienne portait en elle.

Adriana avait toujours pensé que cet instant arriverait. Le voici, le voilà.

A midi quinze, lorsque Fabienne Dubreuil l'avait appelée au téléphone, Adriana avait aussitôt accepté de la recevoir.

Pour deux raisons au moins. Parce que l'apparition d'un inspecteur de la P.J., en tout début de matinée, venu lui poser des questions au sujet de l'assassinat de Luis Zapata, l'avait troublée, forcément. Elle avait annulé ses rendez-vous, était restée chez elle. Béatrice, sa fille, lui avait confirmé que Marc rentrait le lendemain des Etats-Unis. Julien était à Genève, lui avait-on dit à *Action*. Elie Silberberg était sorti très tôt de chez lui, on ne savait rien de ses intentions, lui avait expliqué la garde-malade ou demoiselle de compagnie de Carola. Dans le cas d'Elie, c'était moins grave : ils avaient de toute façon rendez-vous pour la fin de la journée. Ils devaient aller ensemble au théâtre.

Ainsi, lorsque Fabienne avait téléphoné, lui faisant entendre qu'elle avait quelque chose d'important à lui dire au sujet de l'affaire Zapata, Adriana Sponti lui avait immédiatement proposé de venir chez elle, rue de Lille. « Si vous avez le temps, avait-elle ajouté, nous pouvons manger un morceau ensemble, chez moi! » D'accord, O.K.! à tout de suite!

D'une pierre deux coups.

En invitant Fabienne à la rejoindre chez elle, Adriana pouvait mettre à la porte le jeune amant qui paradait pour l'heure dans son salon-jardin d'hiver. Le jeune futur amant, plutôt. Amant subitement devenu improbable, tant pis, tant mieux.

Depuis qu'elle avait quitté Marc, huit ans auparavant, l'âge des partenaires d'Adriana ne changeait pas. Les années passaient, elle en avait trente-huit, désormais, mais ses amants avaient toujours la trentaine. Ils changeaient, pas leur âge. Par une sorte d'instinct de conservation, elle choisissait des garçons qui avaient son âge à elle quand elle avait quitté Marc. Comme si elle avait voulu perpétuer ce moment de la rupture, rendre éternelle la dure souffrance rayonnante de sa vie avec Marc. L'abominable expérience, inoubliable, unique, de cette vie. Comme si tous ces jeunes gens qui passaient à l'occasion dans son lit n'avaient d'autre rôle que de lui rappeler l'instant de la rupture : sa douleur, sa joie, à l'instant où elle avait réussi à briser la dépendance où Marc la tenait. Qui les tenait tous les deux, plutôt. La dépendance de l'un envers l'autre : des deux envers la quête désespérée d'un au-delà de l'amour.

Ce n'était certes pas aujourd'hui qu'Adriana avait compris que tous ces jeunes gens commençaient à la lasser. C'était un sentiment qui faisait son chemin, ces derniers temps, qui l'imbibait peu à peu. Qu'elle essayait de refouler pour ne pas gâcher définitivement les cinq à sept, les week-ends à Jersey ou aux Seychelles qui faisaient partie de l'équilibre d'une vie.

Rien de tout cela ne pouvait se comparer à la vie avec Marc, l'agonie du bonheur avec Marc. Mais Adriana n'avait jamais eu l'intention de comparer. Ni de retrouver ce qu'elle avait connu avec Marc. Bien au contraire : c'est ça qu'elle avait voulu extirper de sa vie, cette dévastation. Cet enfer de joies, ce paradis de trahisons, d'abjections désirées.

Adriana avait compris depuis peu, et cette perspective l'angoissait, n'y voyant aucun remède, qu'elle n'aurait bientôt plus la force ni l'envie de continuer à tricher. A se raconter des histoires. Tous ces jeunes gens étaient des veaux, elle n'allait pas perdre son temps avec des veaux, même dorés!

Celui d'aujourd'hui était encore plus jeune que d'habitude. Plus prétentieux encore, par conséquent. Il paradait, beau ténébreux, archange de boudoir, sûr qu'il était d'avoir bientôt cette femme ravissante. Et riche, ça ne gâchait rien. Ça ne le ferait pas débander, en tout cas. Si elle l'avait invité chez elle, pour un brunch, ce n'était sûrement pas seulement pour parler d'un foutu projet de scénario, la parlote ne pouvait être qu'un hors-d'œuvre. Il pérorait donc, verre à la main, à propos d'un film porno, *Julie la douce*, qu'il avait vu sur Canal Plus, qu'il décortiquait en détail, astucieusement, autant pour briller aux yeux d'Adriana que pour décrire de façon précise, et qu'il espérait émoustillante, les situations scabreuses dont le film était farci, c'était le cas de le dire.

Adriana Sponti l'écoutait avec ennui, se demandant si elle n'allait pas le mettre à la porte, ou lui mettre la main quelque part, pour clarifier la situation, la précipiter du moins, lorsque le téléphone avait sonné.

C'était Fabienne Dubreuil, une vraie chance.

Mais elle venait de comprendre qu'elle avait perdu Marc, sans doute.

Fabienne avait traversé la vaste pièce remplie de plantes vertes, de fleurs exotiques, pour allumer un appareil de télévision. Elle avait proposé à Adriana de regarder le journal télévisé de treize heures, pour voir s'il y était question du meurtre de Luis Zapata.

Adriana avait remarqué sa démarche, la grâce de son corps, le rayonnement qui l'auréolait. Son cœur se serra. Marc! Les images du passé se mirent à bouillonner dans sa mémoire. Elle tourna de nouveau son regard vers les photographies que Fabienne lui avait apportées.

Appuyé au comptoir d'une réception d'hôtel, toujours aussi blond, aussi séduisant, Daniel Laurençon semblait lui sourire. Toujours aussi vivant. Elle eut l'étrange certitude d'avoir rappelé Daniel à la vie, elle-même. L'autre jour, quand elle avait retrouvé dans un vieux dossier cette photo oubliée, la photo de Fouesnant où ils étaient ensemble, tous les cinq, quand elle l'avait offerte à Marc pour son anniversaire, elle avait rappelé sans le savoir à la vie le fantôme de Daniel. Ou celui de Netchaïev?

A ce moment, elle entendit une exclamation de Fabienne.

– Elie!

Sur l'écran de l'appareil de télévision, Elie Silberberg venait d'apparaître.

— ELIE, tu tombes bien! s'exclame Béatrice. Il y a justement un mot latin que je ne comprends pas!

C'est la fille de Marc qui lui a ouvert elle-même la porte de l'appartement.

— Tu es seule? Maïté n'est pas là?

Elie Silberberg a l'air inquiet à l'idée qu'elle soit seule.

— Si, elle est là! Mais à cette heure-ci, le mercredi, il y a paraît-il un feuilleton super-génial à la télé et il ne faut pas la déranger...

Elle hausse les épaules.

— Et puis je me suis engueulée avec elle!

Il traverse l'antichambre à la suite de Béatrice. Des masques nègres, superbes, les regardent passer.

— Tu as des nouvelles de ton père?

Elie en a. Il appelle tous les jours, mais plus tard, dans la soirée.

— Il est dans le Maine, dit Béa. Pas le Maine de la Mayenne, du Maine-et-Loire, le Maine-U.S.A. Tu connais?

Elle hoche la tête, il ne connaît pas. Il n'est jamais allé aux Etats-Unis.

En revanche, comme il voyage dans les livres et qu'il s'est toujours intéressé aux poètes, il sait que

283

Saint-John Perse a fait pendant son long exil américain de fréquents séjours à Seven Hundred Acre Island, une petite île de la baie de Penobscot. Il se souvient même des dates de la plupart desdits séjours. Mais il n'est pas certain que ce détail passionnerait Béatrice Liliental. Il le garde pour lui, avec le reste de sa connaissance approfondie, mais livresque, du Maine-U.S.A.

– J'y ai été, moi, en août, avec Marc, dit Béatrice. C'est fantastique !

Elle s'anime, elle raconte, ses yeux brillent. De grands oiseaux de mer passent dans son récit, des phoques et des dauphins plongent devant les fenêtres de sa maison, celle des Leidson, à Little Deer Isle : elle a connu le paradis terrestre.

Silberberg en est tout remué. En devenant adolescente, Béa lui rappelle chaque jour davantage Adriana Spontini, sa mère, qu'Elie a aimée depuis le premier jour, depuis la première minute de leur première rencontre.

– Il prépare un coup énorme, aux Etats-Unis, Marc... Mais je ne peux rien te dire, c'est un secret !

Dans l'immense pièce à vivre sur la place du Panthéon – c'est Béatrice qui la nomme ainsi, traduisant à sa façon living-room –, Elie s'immobilise comme chaque fois qu'il vient devant une grande toile d'Adami. *Et in Arcadia ego.* Depuis que Liliental a réussi à l'acheter, deux ans plus tôt, ce tableau fascine Silberberg.

Malgré la tension, l'inquiétude d'aujourd'hui, il ne peut s'empêcher de s'arrêter devant la toile, de la contempler, se laissant envahir par la sourde mélancolie, la tristesse lucide que sa vision provoque chez lui.

– Tu viens m'expliquer ? dit Béatrice, impatiente.

C'est vrai qu'elle voulait le consulter sur un mot latin.

– A propos de latin, dit-il. Tu peux me traduire *Et in Arcadia ego*?

Béatrice hausse les épaules et éclate de rire.

– Te fatigue pas, Elie! Marc a pris les devants, il m'a tout expliqué. Tu sais à quel point il est pédago, quand il s'y met! Nicolas Poussin et *Les Bergers d'Arcadie*, les travaux de Panofsky, l'histoire de ce mec, spécialiste de Poussin, qui était conservateur des collections d'art de la reine d'Angleterre et espion soviétique, et Flaubert, si mauvais latiniste qu'il a vu une fois une pierre tombale avec l'inscription *In Arcadia ego* et qu'il ne peut en comprendre l'intention, la qualifiant de non-sens! Tu vois que je suis incollable, mon vieux!

Il voit, en effet. Il rit.

– Je vois, dit-il. J'arrive trop tard pour briller auprès de toi. C'est quoi, ton problème de traduction?

– C'est un simple mot, dit-elle. Mais je ne le trouve pas dans le dico. Remarque que j'ai une vague idée, surtout qu'il y a un dessin dans *Libé*!

Elie se demande quel rapport il peut y avoir entre un mot latin et un dessin de *Libération*.

Mais Béa prend un air sérieux.

– N'en parle pas à papa, tu me promets? Il s'inquiète quand je m'intéresse à ces choses-là!

Elie est curieux de ce mot latin qui provoque autant de mystères. Il commence à soupçonner qu'il doit avoir un rapport avec l'érotisme. C'est vrai que Marc Lilienthal est très désorienté chaque fois qu'il constate l'intérêt normal de sa fille pour les affaires du sexe.

– A propos de papa, justement...

Béatrice a fait entrer Elie dans la partie de l'appartement qui lui est réservée. Elle ferme soigneusement la porte d'accès de son bureau derrière elle. De surcroît, elle vient de parler à voix basse, changeant subitement de ton.

– Tu as peur qu'on entende ou quoi? demande Silberberg, surpris.

– Justement, dit-elle. Tu vas voir!

Elle n'en a rien dit à Marc, hier, au téléphone, lors de son appel quotidien, pour ne pas l'alarmer. D'ailleurs, elle-même n'était pas inquiète encore. C'est juste depuis tout à l'heure, à la télé. En tout cas, hier c'était la deuxième fois que le mec rôdait autour d'elle.

Quel mec, de quoi parle-t-elle?

Silberberg est aussitôt sur ses gardes.

Mais laisse-moi te raconter, voyons!

Avant-hier, le mec rôdait autour de la sortie du lycée, juste là, sur la place. Il a suivi leur groupe, de loin. Mais c'est elle qui l'intéressait, ses copains s'en sont aperçus également. Car il a continué à suivre la partie du groupe où elle se trouvait, à mesure que chacun partait de son côté.

Moi j'ai pensé que ce type était un dragueur. On peut déjà me draguer, non? Je veux dire, Elie, je mérite d'être draguée, n'est-ce pas? Bon, bon, ne te fâche pas! T'es comme Marc, on ne peut pas parler de cul sérieusement, avec toi! D'autres copains pensent qu'on veut m'enlever pour demander une rançon à mon père. Ils proposent de me protéger. Mais je ne veux pas, ils demandent trop cher!

Comment? Ils demandent de l'argent pour te protéger?

Mais oui, c'est normal! On n'a rien pour rien! Mais ils me demandent ma collection de disques compacts et ça je ne veux pas!

Elie coupe court. Quelle allure il a ce type? L'a-t-elle vu de près? Peut-elle le décrire?

Elle l'a vu de près ce matin. Oui, elle le reconnaîtrait facilement.

De près, ce matin, où ça?

Elle rentrait d'une course à la F.N.A.C., à midi. Le type sortait de l'ascenseur de l'immeuble. Ils se sont presque cognés l'un dans l'autre. Il a été surpris, j'en ai profité, disait Béatrice. J'ai pris mon air le plus digne, je lui ai demandé à brûle-pourpoint de cesser de m'importuner. Il a fait semblant de ne pas comprendre, il a baragouiné trois mots avec un accent italien à mourir de rire. Mais il s'est tiré comme une merde!

Alors, Elie Silberberg sort de la poche intérieure de sa veste l'une des photos de Daniel Laurençon prises la veille dans un palace parisien.

Il la montre à Béatrice, lui demande si c'est son dragueur.

Elle hausse les épaules, dit que non, catégorique. Mon type à moi est plus jeune, ajoute-t-elle. Mais moins beau, hélas! Et il ne porte pas de moustache. Celui que tu me montres, c'est un copain de Marc. Un copain à toi aussi, d'ailleurs! s'exclame-t-elle. A quoi tu joues, Elie? Tu sais très bien qui c'est, ce mec!

Elie est étonné. D'où connaît-elle Daniel Laurençon?

C'est son nom? Eh bien, sur la photographie de Marc, il est plus jeune et plus maigre. Et il n'a pas de moustache. Mais enfin c'est votre copain, tu me prends pour une conne?

Quelle photographie de Marc? demande Elie, qui s'y perd un peu.

Alors, Béatrice l'entraîne vers la chambre de son père, à l'autre bout de l'appartement. Dans le couloir, elle se tourne vers Elie. T'as vu? Maïté n'a pas bougé. On pourrait m'enlever, cambrioler l'appartement, elle n'entendrait rien. Mais je me demande si c'est son feuilleton ou l'engueulade de tout à l'heure qui la tient à l'écart...

Elie Silberberg ne s'intéresse pas aux humeurs de Maïté.

Il est frappé par l'austérité quasi monacale de la chambre à coucher de Marc, où Béatrice vient de le faire entrer. Le lit est étroit, l'ameublement succinct. La vaste pièce dégage une impression de sévérité sereine. Sans doute parce qu'il y a quelques objets précieux, des livres d'art et, surtout, posé sur un socle de bois tout simple, un masque funéraire africain, un Ba-Kota double face, prodigieux.

Lorsqu'il se réveille, le premier regard de Marc doit se poser sur cette image lumineuse de la mort, de la fraternelle gravité de l'au-delà. Silberberg est bouleversé, à constater que Marc a placé auprès de son lit d'homme seul ce masque funéraire gabonais d'une déchirante beauté.

— Regarde! dit Béatrice.

Sur la table de chevet de son père, elle a pris une photographie en noir et blanc dans un cadre de bois ancien.

— Tu vois? C'est lui, là!

C'est lui, en effet.

Elie Silberberg se souvient très bien de ce voyage à Fouesnant. Adriana était belle comme le jour, cet été-là. Belle comme la nuit, comme la brume et le soleil, comme la pluie et le beau temps, comme l'émeraude liquide et dense de l'océan au large des Glénan, radieuse comme l'avenir radieux qui leur était promis. Auquel ils étaient promis. Il avait mis le paquet, Elie, pour la séduire, la fléchir, la faire faiblir, cet été-là. Tout y était passé, toutes les ressources de sa culture, de son imagination. Une phrase de Musil pour exprimer le trouble provoqué chez lui par l'un de ses gestes à elle, pour donner à

288

ce trouble la postérité du souvenir. Un fragment de lyrique grec archaïque pour dire le désir, l'inscrire dans l'éternité du verbe. Une strophe élégiaque de Virgile pour dire le bonheur d'une promenade avec elle dans la lande jaunie d'ajoncs. Un vers de Baudelaire pour annoncer la fin de l'été, la terrible douceur de l'automne et de l'amour frustré.

Car Adriana l'écoutait avec plaisir, souriait à ses trouvailles, lui donnait la main pour marcher le long de la lisière d'écume des marées, deux fois ses lèvres, légèrement, comme une offrande de sel, mais gardait la tête froide. En revanche, c'est sûrement à Fouesnant, cet été-là, que Marc Liliental l'avait faite sienne.

Béatrice observe le visage d'Elie, voit les ombres et les lumières qui le parcourent. Elle se demande quel est le mystère de cette photographie, qui soulève des sentiments visiblement aussi forts, quoique différents, chez Elie et chez son père.

Depuis que cette photographie est apparue, il y a une semaine, Béatrice est venue la contempler tous les jours. Elle aime bien venir se reposer avec un livre dans la chambre de son père. Elle s'allonge sur le lit étroit, vaguement heureuse à l'idée qu'aucune femme, jamais, n'y est venue s'allonger, y dormir. Bonheur vague non pas parce qu'il est flou, indéfinissable, mais plutôt parce qu'elle n'essaye pas d'en approfondir les raisons, de les tirer au clair. Peut-être craint-elle une trop vive lumière sur ses sentiments à ce sujet. Un bien-être diffus lui suffit.

Elle est la seule femme à s'être couchée sur ce lit, voilà tout.

Béatrice remet la photographie sur la table de chevet.

– Tu vois, dit-elle, c'est bien le même mec! Non,

celui qui m'a suivie, dragueur ou pas, c'est celui que j'ai vu à la télé, en même temps que toi!

Elie n'y comprend rien, elle lui explique, il comprend encore moins, Béatrice se fâche. Finalement, tout s'éclaircit. Le motocycliste dont le visage est apparu, à l'entrée du cimetière Montparnasse, lors de cet enterrement auquel il a assisté, Elie, et que le journal télévisé de treize heures a retransmis, c'est le type qui l'a suivie, hier. A qui elle s'est presque heurtée, à la fin de la matinée, dans le hall de l'immeuble.

Mais Silberberg n'a pas vu ce visage. La discussion aussitôt commencée avec son père l'a empêchée de faire attention à la suite du journal télévisé.

Ils en sont là lorsque le téléphone se met à sonner.

Béatrice décroche, pousse un cri de joie. « Marc, c'est génial! Tu appelles plus tôt que d'habitude! Elie est là, justement! »

Un petit bout de papier s'échappa des pages du roman que Marc Liliental était en train de lire, *The Garden of Eden*, de Hemingway.

Il le ramassa, au moment où l'hôtesse de la Delta Airlines annonçait que l'avion allait se poser dans quelques instants sur l'aéroport de Boston.

Marc reconnut l'écriture de Fabienne. Il reconnut le texte aussi. Son cœur battait, comme la première fois.

> *The lost of man is much*
> *the lost of grace is more*
> *the lost of Christ is such*
> *which no man can restore...*

C'était la première nuit, au *Pilgrim's Inn* de Deer Isle. Le vendredi 12 décembre. Fabienne flottait dans le temps gazeux, distendu, du décalage horaire, comme Marc Liliental le lui avait prédit.

A New York, elle avait dû changer d'aéroport, pour prendre le vol 528 de la Panam en direction de Boston. Mais tout était parfaitement organisé. Une limousine l'attendait, avec un chauffeur aux tempes argentées, qui s'efforçait d'avoir l'air chic et l'accent d'un milord anglais.

A La Guardia, à l'enregistrement, on avait remis à Fabienne un autre mot de Marc, qui accompagnait un deuxième livre, *The Garden of Eden*, d'Ernest Hemingway.

Le billet était bref : « Nouvelle lecture, Miss F. Encore un roman posthume du vieil Ernest. J'en ai entendu dire le plus grand mal, le plus grand bien. Mais il peut te servir de guide de voyage, jusqu'à Bangor, où je t'attends. Guide vers l'Amérique, puisque t'y voilà. Guide vers notre enfer/paradis intime, puisque, si j'ai bien compris les critiques, ce roman est l'histoire de l'exploration de l'enfer/paradis de l'amour par un couple. Mais sommes-nous un couple ? Par moments, depuis mercredi dernier, je me surprends à espérer que oui. M. L. »

A Boston, il n'y avait plus eu ni message ni livre, mais le copilote du petit avion à hélices de la Bar Harbor, dont elle semblait être l'unique passagère jusqu'à Bangor, s'adressa à elle en riant dans la salle d'embarquement : « Miss Dubreuil, je présume ? » Elle dit que oui, qu'il présumait bien. Il était chargé, lui dit-il, de lui présenter le Maine vu du ciel. « Ça tombe bien, commentait-il, le temps est superbe, la visibilité parfaite. Et vous êtes aujourd'hui notre seule passagère ! »

Fabienne s'assit au premier rang des quelques sièges de l'appareil. Rien ne la séparait du pilote et du copilote, installés à l'avant de la cabine. « Nous allons faire une route exceptionnelle, disait le pilote, pour que vous puissiez voir en détail la baie de Penobscot... »

Trois quarts d'heure plus tard, en effet, le petit appareil descendait à quelques dizaines de mètres de l'océan, afin que Fabienne puisse admirer le point de vue des milliers d'îles et d'îlots qui parsemaient les eaux moirées de la baie de Penobscot. Le copilote récitait à Fabienne la litanie des noms de l'archipel, à commencer par celui de l'Isle-au-Haut, qui l'étonna. Le jeune Américain lui rappela alors les traces nombreuses de la présence française dans la région. « C'est une partie de l'Acadie, vous savez? L'ancienne Acadie française. D'ailleurs, il y a le long des côtes et sur certaines des îles une zone naturelle protégée que nous appelons Parc national acadien. »

Marc Liliental l'attendait à Bangor.

Il l'avait ramenée vers Deer Isle, à très grande vitesse malgré les panneaux de limitation visibles partout, dans la lumière craquante et rêche de l'hiver, à travers un paysage de forêts de givre et de bras de mer d'un bleu à couper au couteau. A vous couper le souffle. Ils s'étaient arrêtés à Ellsworth pour faire le plein, à Blue Hill pour manger un morceau sur le pouce. Ils traversèrent l'Eggemoggin sur le pont suspendu qui reliait le continent à l'île aux Cerfs. Une fois qu'ils eurent déposé les bagages de Fabienne au *Pilgrim's Inn*, Marc l'emmena faire le tour de l'île. A Stonington, à quatre heures de l'après-midi – pour elle, il était déjà onze heures du soir –, ils burent un café et entrèrent chez Epstein, pour qu'elle s'achète des fringues.

Dans le magasin, Fabienne remarqua que la

petite vendeuse blonde avait rougi légèrement en disant bonjour à Marc qu'elle connaissait déjà, c'était visible. Elle lui en fit la remarque insidieuse, dès qu'ils se furent éloignés de la jeune Américaine en furetant parmi les étalages.

Marc éclatait de rire.

C'est vrai que j'aurais trouvé cette petite appétissante, disait-il à Fabienne, si elle ne s'obstinait pas à porter des tennis. Des jeans sur des tennis, c'est trop pour moi, même quand on a un joli cul. Les jeans ne sont dignes d'intérêt que portés sur des bas, visibles autour d'une cheville découverte et si possible avec des escarpins de cuir. Ils ne sont apéritifs que lorsqu'ils suggèrent autre chose que la rudesse rustique de la toile pionnière!

De toute façon, disait Fabienne, caustique, je ne vois pas pourquoi tu aurais à m'expliquer si tu sautes ou ne sautes pas cette petite gourde!

Marc s'était souvenu de Béatrice, à cause du verbe « sauter », bien sûr.

Il riait, détendu.

Je n'ai rien à t'expliquer, mais je t'explique. Et c'est toi que je vais sauter, penses-y! C'est pour ça que tu es venue, non?

Fabienne ne réagit pas à cette grossièreté; elle l'avait bien cherché, à le titiller sur une question aussi futile. Aurait-elle l'illusion d'être unique dans la vie de Marc, elle qui le connaissait depuis trois jours tout juste? Peut-être la tentation, ou l'espérance, de le devenir?

A fouiller parmi les affaires exposées dans le magasin, Marc avait constaté que les vêtements de toile, typiquement américains par leur coupe et leur coloris, portaient très souvent des étiquettes montrant qu'ils avaient été fabriqués en Chine, en Corée du Sud ou à Singapour.

Il signalait le fait à Fabienne, en riant.

– Tu te souviens de Staline? s'écriait-il. Son dernier texte théorique de 1952? A propos du marché mondial?

Fabienne le regardait, abasourdie.

– Je ne sache pas que Staline ait jamais écrit un texte réellement théorique! déclarait-elle, péremptoire. D'ailleurs, je n'ai jamais lu une ligne de Staline!

– Ce n'est pas possible!

Il avait vraiment l'air de n'en pas croire un mot.

– Mais quel âge crois-tu que j'ai? disait Fabienne, ulcérée. Staline, c'est la préhistoire!

Il la prenait dans ses bras, l'embrassait derrière l'oreille, dans le cou, riant comme un fou.

– Enfin! Voici la nouvelle Eve, la femme promise aux féroces infirmes retour des pays chauds, des dogmes froids! Quelle chance ai-je eue de tomber sur toi!

– Mais qu'est-ce qui te prend?

– Tu me jures que tu n'as vraiment jamais lu une ligne de Staline, Fabienne?

Elle s'écartait de lui, croisait les doigts, jurait.

– Ni de Mao, ni de Thorez, ni de Trotski, ni de Togliatti... Je te le jure! J'ai fait de la philo, moi!

– Et Marx? demandait-il.

– Mais tu ne vas pas comparer, non? D'abord, Marx est un écrivain. Et puis il était génial. Complètement fou, mais génial! Tu te souviens des lettres qu'il écrivait à Engels, en 1857?

Il la regardait dans les yeux, lui caressait la nuque sous la courte chevelure.

– Parle, parle! Je sens que tu vas me faire bander!

Elle ne riait même pas, poursuivait, imperturbable :

– Marx se plaint auprès de son *alter ego*, parce

que, dit-il, la crise imminente du capitalisme, son effondrement inévitable – nous sommes en 1857, t'as bien noté? – vont rendre inutile son travail de dévoilement des lois du système capitaliste-marchand. Il va arriver trop tard, se plaint-il... Et le livre qu'il écrivait, qui est resté à l'état de brouillon, est un livre génial, les *Grundrisse*. Dès qu'il faisait des prévisions concrètes, dès qu'il travaillait sur la matière immédiatement politique, le pauvre Marx s'est toujours planté. Dès qu'il abordait les généralités abstraites de l'universel-historique, il a tapé dans le mille.

Marc Lilienthal sifflait doucement, la reprenait dans ses bras, lui parlait à l'oreille.

– Je vais baiser une jeune femme délicieusement belle et pervertie qui n'a pas seulement lu *La Conspiration* mais aussi les *Grundrisse*! Ça risque d'être sublime!

Elle enfouissait son visage dans l'épaule de Marc, puis le regardait.

– Baiser, baiser, on en parle beaucoup! Quand est-ce qu'on passe aux actes?

– Je note le pluriel, disait-il. C'est de bon augure!

Il l'embrassait encore, lui caressait la hanche, le sein.

Quelques paquets tombaient d'une étagère, renversés par un geste maladroit de Fabienne. Elle se penchait pour les ramasser. C'étaient des enveloppes de cellophane qui contenaient des bas.

– *Black illusion*, s'écriait-elle, ravie, en regardant la marque.

Mais le temps avait passé, c'était la nuit dans leur chambre du *Pilgrim's Inn*. Fabienne revenait vers le lit, titubante de fatigue, fourbue par l'âpreté de son plaisir.

Elle s'allongeait à côté de Marc.

Soudain, Fabienne remarqua un abécédaire brodé, visiblement ancien, sous verre, qui était accroché au mur de la chambre, au-dessus de la table de chevet, de son côté à elle. Se redressant à demi, sur un coude, elle déchiffra l'inscription qui s'y trouvait, surmontée par une date : 1838.

Elle lut à mi-voix.

> *The lost of man is much*
> *the lost of grace is more*
> *the lost of Christ is such*
> *which no man can restore...*

Marc rit, en écoutant le quatrain que Fabienne avait récité comme une comptine.

– Décidément, s'était-il exclamé, il est toujours là, *l'éternel voleur des énergies*!

Toujours, en toute circonstance, en effet. Impossible d'éviter cet affrontement, depuis les soirées d'enfance dans l'arrière-boutique de la rue du Roi-de-Sicile où il écoutait les compagnons de son père, juifs pieux pour la plupart, discuter, Maimonide à l'appui, du scandale théologique que représentait la figure du Christ, diviseur arrogant de l'Unique, briseur iconoclaste de l'indicible Unicité de Dieu. Impossible dès lors de ne pas affronter les mystères du divin dans l'homme, à travers le chemin provocateur – invocateur – du mal.

– Tant pis, tant mieux, dit Marc, en caressant la hanche de Fabienne.

La première nuit de ces trois nuits, au *Pilgrim's Inn*.

Il rangea le petit bout de papier dans les pages du livre, le livre dans son sac de voyage. A l'aérogare de Boston, il prit sa carte d'embarquement pour le vol 527 de la Panam à destination de New

York. Ensuite, il fonça vers une cabine téléphonique.

Béatrice répondait au téléphone, enfin.

Mais elle passait tout de suite l'appareil à Elie Silberberg, celui-ci avait quelque chose d'important à lui dire, disait-elle.

La voix d'Elie était blanche et sèche. Luis Zapata avait été assassiné, ce matin, à huit heures. Daniel Laurençon était revenu. Oui, Daniel, « Netchaïev », vivant. Il restait sans voix, Liliental. Il ne pensait ni aux raisons possibles, ni aux conséquences de cette absurdité. Il ne pensait qu'à la photographie qu'Adriana lui avait donnée pour son anniversaire. Mais Silberberg poursuivait son récit, d'un ton haché. Il disait l'essentiel : les photos que Fabienne tenait de Pierre Quesnoy; le commissaire Roger Marroux, le beau-père de Laurençon. Et puis Béatrice... Quoi, Béatrice ? hurlait Marc. Un type semblait rôder autour d'elle, depuis hier. Il criait de rage, Marc Liliental. Elie, je t'en supplie, Elie, qu'il n'arrive rien à Béatrice ! Silberberg ne lui dit pas – à quoi bon le rendre fou d'inquiétude alors qu'il n'y pouvait rien ? – que ce type était vraisemblablement le tueur qui lui avait tiré dessus, ce matin, au cimetière Montparnasse. Il promit qu'il n'arriverait rien à Béatrice, qu'il la protégerait, ne la quitterait plus d'une semelle ! Il faut rentrer, Marc ! disait Silberberg. Mais je rentre, je suis en route, à Boston. J'ai avancé mon retour de quelques heures. J'ai rendez-vous chez *Lipp*, ce soir, avec Fabienne. Fabienne ? La même Fabienne ? demandait Elie. Mais oui, bien sûr, la même. Merde ! disait Elie, tu es toujours sur les bons coups ! Mais Liliental ne riait pas. C'est bien le moment, tu crois ? Bon, d'accord, c'est pas le moment ! Retrouvons-nous tous chez *Lipp*, disait Marc. Julien est à Genève, on n'a pas encore pu le prévenir, disait

Silberberg. Tous les autres, disait Marc. Bien, si je peux je t'amènerai Daniel aussi, disait Elie, sarcastique. Il nous expliquera pourquoi il est vivant, alors que nous l'avions condamné à mort. Il nous expliquera pourquoi il a fait descendre Zapata, qui est sans doute celui qui lui a sauvé la vie... Tu crois que c'est lui? demandait Marc. A vrai dire, je ne crois pas, disait Elie. Et le commissaire Marroux me semble même convaincu du contraire.

Mais on appelait les passagers du vol 527 pour New York, il fallait en rester là.

Béatrice! criait encore une fois Marc Liliental. Je t'en prie, Elie, protège ma Béatrice!

VII

– Sonnez-moi, si vous avez besoin de quelque chose. Je m'appelle Iris !

Il la regarde.

Ça remue des bribes de souvenirs, ce prénom : des brins de l'écheveau du temps passé, des brindilles de mots anciens, brillantes.

Il sourit, soudain. Son visage, qu'Iris avait trouvé d'une dureté inquiétante, en est tout transformé.

– Iris ! s'exclame-t-il.

Daniel Laurençon rit franchement, subitement rajeuni.

– Iris, messagère des petits bonheurs, messagère des dieux ! Ça vous va à merveille...

Autrefois, elle s'appelait Claudine, en vérité, mais ils l'avaient surnommée Iris. C'était quand ils étaient tous rue d'Ulm, à Normale Sup. Claudine était une Sévrienne charmante, gaie, cultivée, pas farouche, généreuse de ses attraits et de ses talents. A l'école, ils couchaillaient tous avec elle (non, pas tous : pas Silberberg, trop timide ou trop romantique pour ces jeux; ou trop platoniquement amoureux d'Adriana Sponti : on sait que les platoniques sont les amours les plus exclusives !). Elle allait de l'un à l'autre, messagère des petits bonheurs, en effet. Ils avaient produit à trois – Marc, Julien et lui-même – un texte érotique, chacun d'entre eux écrivant un chapitre, qu'ils avaient appelé « Claudine à l'école ».

Autrefois, rue d'Ulm, dans une autre vie.

Mais l'Iris d'aujourd'hui a failli sursauter, montrer son étonnement.

Elle se maîtrise, pourtant. Elle a appris à se dominer en toute circonstance, à ne jamais rien laisser paraître de ses sentiments. Elle conduit vers les chambres des *Rives du Styx* les couples qu'on envoie de la réception à l'étage où elle officie. Elle apporte des boissons, si on en commande. Des repas froids, le cas échéant. Elle apporte tout ce qu'on lui demande : c'est le point d'honneur de la maison, on y accède à tous les désirs des clients. Champagne, alcools, cigares, journaux et revues en toutes langues, produits de beauté, estampes japonaises, cravaches, bas et collants de toutes nuances – on sait combien nombreux sont les hommes qui se croient obligés de les déchirer, au moment de l'extase –, n'importe quoi. Demandez, la maison fera le reste, aura réponse à tout ! Certains habitués – peu nombreux, à vrai dire, triés sur le volet – sont même autorisés à exiger de leurs chambrières une participation active à leurs ébats.

Dans ces cas-là aussi, si elle est sollicitée, Iris sait se tenir.

Elle devine du premier regard, une fois dans la chambre où l'on aura souhaité sa présence, pendant qu'elle défait sa coiffe blanche, son tablier immaculé, du premier regard sur le couple qui l'aura convoquée, elle devine s'il faut caresser madame pour émoustiller monsieur, ou vice versa. Elle a déjà enlevé ses escarpins à hauts talons, son strict uniforme noir; elle vérifie avec une complaisance amusée, une nouvelle fois, que leur regard s'allume aussitôt : incendie du désir dans l'œil aussi bien de l'homme que de la femme à contempler son corps de rousse parfait, la profusion de sa toison d'or vénitien. Elle marche déjà vers le lit où l'on attend ses services ou ses sévices. Car elle fait fonction de chambrière au double sens du mot : servante, certes, mais aussi fouet à long manche pour réveiller les monstres, à l'occasion. Et elle a déjà compris si ces deux-là l'ont fait venir seulement par jeu, par provocation, par défi ou bien par désespoir : parce que au bout de leur enfer il n'y a rien d'autre que l'enfer, parce qu'ils sont dans une nuit après laquelle le soleil ne se lève pas.

Dressée à toute éventualité, Iris. Soumise à tout désir, que le sien traverse, parfois.

Pourtant, elle a failli réagir, exprimer sa surprise, à entendre cet inconnu dire presque exactement la phrase de M. Marc. Iris, messagère des dieux, messagère des petits bonheurs!

Parmi les clients habituels, Iris a une prédilection pour M. Marc. Les gros pourboires y sont pour quelque chose, mais ce n'est pas l'essentiel. D'autres habitués lui en donnent de tout aussi considérables et elle les méprise, ou les trouve ridicules, dans son for intérieur.

Un jour, après le départ de sa compagne du moment – c'était la quatrième ou cinquième fois qu'il venait avec celle-là –, M. Marc était resté dans l'appartement bleu. Il lui avait commandé un carafon de vodka glacée. Pouvez-vous me tenir compagnie, Iris? Mais ce n'était pas pour ce qu'elle avait cru. Ou plutôt si, en fin de compte. Mais pas seulement. Ils avaient parlé, il avait réussi à lui faire raconter sa vie. Ensuite, il n'avait pensé qu'à elle, à sa jouissance à elle, l'obtenant d'ailleurs – à la grande surprise d'Iris qui en avait perdu le goût avec les hommes –, interminablement, jusqu'à ce que sa voix en fût devenue rauque.

En partant, M. Marc lui avait caressé le visage, le contour de la bouche, la pointe des seins, la hanche. Il lui avait raconté l'histoire d'Iris, messagère des dieux. C'est l'épisode du Styx qui l'avait impressionnée, par-dessus tout. L'eau froide et pure du Styx qu'Iris doit aller chercher aux Enfers pour que les dieux puissent prêter leur serment.

L'homme d'aujourd'hui, qu'Agathe avait amené, qu'elle avait dû draguer dans l'un des bars du voisinage où elle travaillait habituellement, devait avoir l'âge de M. Marc. Un peu plus jeune, peut-être, entre trente-cinq et quarante ans. Il était beau, mais il avait un regard morne, un œil de volcan éteint, aride, un pli d'amertume brutale autour des lèvres. Elle se demanda si Agathe n'avait pas été imprudente, si elle l'avait bien examiné avant de l'inviter à la rejoindre ou de se laisser inviter.

Pourtant, il venait d'avoir un sourire juvénile et charmeur, d'innocence joyeuse, quand il avait répété son prénom. « Iris, l'eau froide du Styx, de l'oubli, dans le creux de vos mains », avait-il murmuré, la regardant.

Regardant bien au-delà d'elle, dans le passé.

Il souriait toujours, sur le pas de la porte.

Agathe était déjà en train de défaire sa jupe, appuyée contre la cheminée dont le manteau de marbre s'ornait d'un nu de bronze, allongé. C'était la chambre Barbedienne, Iris ignorait pourquoi on l'appelait ainsi.

– Tenez, disait l'homme, en lui glissant des billets dans la main.

La porte s'était fermée, elle regarda. C'étaient des billets de vingt dollars, trois. Elle retourna à l'office où elle attendait les appels. Elle avait une lecture en train, le dernier Cioran.

Daniel regarda Agathe, qui avait déjà enlevé sa jupe et son slip à dentelle, qui s'offrait, appuyée contre la cheminée, cambrant les reins pour mettre son pubis en évidence.

Il aurait préféré qu'elle ne se déshabillât pas ainsi, sans attendre, pas une minute à perdre, comme une prostituée de la rue Saint-Denis.

C'est sa distinction apparente qui l'avait attiré, le manteau de fourrure, cette allure de dame attendant une amie pour prendre le thé plutôt qu'un micheton. Certes, on voyait bien, à mieux l'observer, qu'elle n'avait pas de véritable aisance dans l'univers du luxe. Peut-être en aurait-elle dans celui de la luxure.

Il se souvint d'une phrase qu'ils disaient autrefois, rue d'Ulm, Elie, Marc, eux tous, quand ils voulaient commenter l'apparence des jeunes filles en fleur. Ils disaient qu'elles avaient, ou n'avaient justement pas, plusieurs générations de Palmolive, de cachemires et de sonates derrière elles.

Agathe n'avait sûrement pas des générations de sonates à son crédit.

Daniel Laurençon l'avait trouvée dans le premier bar des Champs-Elysées où il était entré, à sa recherche. C'est-à-dire à la recherche d'une femme de cette sorte. Juste après la fin du journal télévisé de treize heures.

Bientôt ils furent à la même table, elle lui dit ses prix. Il n'en avait rien à foutre, des prix. Pour ce qui lui restait de temps à vivre, il avait largement assez de dollars et de francs suisses. De quoi faire la fête, sans problème. Mais il prétendit que c'était cher, pour le principe. Il avait trop longtemps vécu au Moyen-Orient pour n'y avoir pas appris les plaisirs du marchandage. La fille avait reconnu que ce n'était pas donné. Mais elle avait vanté certains de ses talents, avait énuméré les trucs qu'elle acceptait qu'on lui fît, d'une voix précise et neutre. Ajoutant, sur le même ton d'exquise professionnalité, qu'elle était séronégative, qu'elle pouvait le démontrer, certificats à l'appui.

Elle le conduisit dans un hôtel de passe du voisinage, luxueux, où elle avait ses habitudes.

Daniel s'avança dans la chambre, déposa soigneusement son manteau de vigogne sur un fauteuil. Dans les toilettes du bar où il avait fait affaire avec Agathe, il avait dénoué l'étui spécial qui lui permettait de porter son arme sous l'aisselle gauche. Il avait mis le tout, 357 et étui, dans la poche intérieure de son manteau, pour que la fille ne s'aperçoive de rien.

Agathe l'attendait.

Ça l'avait un peu défrisé, Daniel, qu'elle se déshabillât ainsi, qu'elle s'offrît comme une mouquère. Montrer son cul, toutes les filles de Beyrouth savent le faire, et elles en ont souvent de superbes : fermes, rebondis, nacrés, paradisiaques. Mais il lui fallait une femme, depuis ce matin. La gâterie de la dame aux bas noirs, chez l'Artiste, n'avait fait qu'aiguiser son appétit. Une femme, celle-ci, n'importe. Tant pis pour sa vulgarité de la dernière minute.

Il pourrait réfléchir calmement en la possédant.

« La profondeur d'une passion se mesure aux sentiments bas qu'elle renferme et qui en garantissent l'intensité et la durée. »

Iris corna la page, marqua l'aphorisme d'un léger coup de crayon.

Non pas qu'elle approuvât d'emblée, elle n'en savait trop rien. Mais la formule était frappante, Iris éprouvait le besoin d'y réfléchir. D'autant plus que dans *Aveux et anathèmes*, le dernier Cioran, livre qu'elle lisait pendant les moments libres de son service, des formules frappantes il n'y en avait pas des masses. Jusqu'alors, la lecture lui en avait semblé laborieuse. Iris y avait trouvé des redites, de la complaisance. A force de répéter sur la vie et sur soi-même des formules radicalement négatives, sans en tirer les conséquences, l'acuité de Cioran s'émoussait : une lame qui rouille. Il y faudrait du sang – le sien propre, ce serait parfait – pour la rendre à nouveau brillante, acérée. Le problème était, bien sûr, qu'il est impossible de continuer à écrire des aphorismes pertinents sur le suicide après le passage à l'acte. D'un autre côté, sans passage audit – le dit étant action, pour une fois –, les aphorismes finissent par s'édulcorer, deviennent de la pure fiction.

Or il n'y a rien de plus lassant, pensait Iris, qu'un suicide fictif. Et à répétition, de surcroît. Le néant ne supporte pas la fiction : il déborde de réalité.

Dix pages plus tôt dans le Cioran, au moment où elle s'était interrompue pour conduire à la chambre Barbedienne sa copine Agathe et ce type inhabituel, inquiétant mais plein de séduction, Iris venait d'écrire d'un trait de crayon rageur le mot « idiot » en marge de quelques phrases du livre.

Jugeons-en nous-mêmes :

« Trop disserter sur la sexualité, c'est la saboter. L'érotisme, fléau des sociétés déliquescentes, est un attentat contre l'instinct, est l'impuissance organisée. »

Iris avait haussé les épaules : c'était vraiment simplet, sans parler du parfum vichyssois de la sentence. Elle était déçue par Cioran, pour une fois. Plutôt que « fléau des sociétés déliquescentes », en effet, l'érotisme est l'un des fleurons des sociétés épanouies, pensait Iris. On ne trouvera nulle part, à aucune époque de l'histoire de l'espèce humaine, de grande culture ne comportant pas une codification essentielle de l'érotisme, que ce soit pour le glorifier ou le sataniser.

Un peu plus tard, après qu'elle eut installé Agathe et son client dans la chambre Barbedienne, Iris nota cet autre aphorisme sur la bassesse, que Cioran qualifiait de garantie de la durée et de l'intensité d'une passion. C'était aigu, ça valait sûrement la peine d'y réfléchir plus avant. Mais elle n'arrivait pas à concentrer son attention, à fixer son regard spirituel sur cette phrase de façon assez soutenue pour en éclairer le sens, les nuances.

Elle était distraite, occupée par l'idée de cette coïncidence qui avait fait dire à l'inconnu d'Agathe les mêmes mots que M. Marc à propos de son prénom.

Iris, messagère des petits bonheurs!

C'est à M. Marc qu'elle devrait faire lire, une prochaine fois, l'aphorisme de Cioran. Sans doute aurait-il quelque chose à ajouter à ce sujet. La semaine d'avant, quand il était venu avec sa nouvelle conquête – pas besoin d'être fine mouche pour comprendre que c'était la première fois qu'il la baisait, pour deviner aussi qu'il n'y avait pas que ça : une aventure commençait, peut-être, une histoire entre eux –, il avait dit quelque chose de ressemblant.

A un certain moment, M. Marc lui avait commandé des boissons par téléphone. Elle était entrée dans l'appartement bleu, avec le plateau, jusqu'à la chambre à coucher. Fabienne – il l'avait appelée de ce prénom, en arrivant, une heure plus tôt – était seule dans le grand lit, nue. Vêtue seulement, plutôt, de bas à jarretière incorporée, d'un noir lumineux. Iris se demanda quelle en pouvait être la marque, curieuse : ça avait l'air super! Mais Fabienne avait tiré le drap sur elle, vivement. M. Marc était sorti de la salle de bain, à cet instant, vêtu du peignoir-éponge rouge qui faisait partie des fournitures de l'appartement bleu. Il avait ri, en surprenant le geste de pudeur de Fabienne. Pendant qu'Iris disposait les verres et les bouteilles sur une table basse, il s'était assis sur le bord du lit et avait découvert à nouveau la nudité de Fabienne, en rabattant le drap d'un geste brusque. Fabienne essayait de résister, mais M. Marc l'avait immobilisée d'une main rude.

Iris s'était approchée. Elle avait compris que M. Marc sollicitait son regard, qu'il souhaitait qu'elle regardât attentivement, avec tout son désir, le corps de Fabienne. Elle regarda. Elle vit que la jeune amie de M. Marc rougissait sous ce regard, qu'elle n'esquivait pourtant plus. D'autant moins qu'il lui avait écarté les longues jambes gainées de noir pour la caresser. Il parlait à Fabienne à voix basse : « Une prochaine fois, s'il y a prochaine fois, c'est probable, je demanderai à Iris de se déshabiller, qu'elle vienne près de nous pendant que je te prends. Et un jour c'est toi-même qui me demanderas de la prendre sous ton regard, et tu la caresseras pendant que je la prendrai. » Et Fabienne, rougissante, l'œil noir, opposait une dénégation furieuse, disait quelques mots qu'Iris ne saisit pas bien à propos d'aberration, ou d'abjection. Et il avait éclaté de rire, tout en continuant de caresser Fabienne. « Il n'y a pas de vraie passion, avait-il dit, sans exploration de l'enfer. Ce que tu appelles abjection. Tu verras ! » Fabienne remuait la tête, convulsivement, de droite et de gauche, pour manifester son refus de cette idée. Mais le mouvement s'apaisa peu à peu, devint harmonieux, ses lèvres s'entrouvrirent dans un gémissement continu. Elle ne quittait pas du regard les yeux d'Iris, qui s'approcha encore, lui posant une main douce sur le sein gauche, au moment où Fabienne atteignait au plaisir.

Oui, elle en parlerait à M. Marc, la prochaine fois.

Car il y aurait des prochaines fois, nul doute à ce sujet. Mieux encore, elle leur lirait le texte à tous les deux, à M. Marc et à Fabienne, ensemble. « La profondeur d'une passion se mesure aux sentiments bas qu'elle renferme et qui en garantissent l'intensité et la durée. » De quoi parler, certes.

Mais elle dut abandonner le Cioran, de nouveau. C'est bien pour cela qu'Iris en était arrivée à préférer à toute autre la lecture des livres aphoristiques : Kraus, Lichtenberg, Nietzsche, Gómez de la Serna, Cioran lui-même, on l'a vu. C'était plus facile de l'interrompre, de la reprendre, sans avoir les problèmes du fil narratif à renouer. Ou alors, ce qui marchait aussi très bien, c'était Proust. Quitter le fleuve de son récit pour s'y replonger une demi-heure après ne posait aucun problème. De toute façon, on s'y baignait toujours dans la même eau ! Mais Iris avait déjà lu six fois *A la recherche du temps perdu*, en entier. Ça allait comme ça. *La Prisonnière*, pourtant, elle relirait volontiers encore une fois.

D'une manière ou d'une autre, elle avait été obligée d'interrompre sa lecture. On l'appelait de la chambre Joséphine de Beauharnais.

– Heimkehr…

Daniel Laurençon avait murmuré le mot, en s'allongeant auprès d'Agathe, qui le saisissait déjà.

Lorsqu'il avait vu la gueule de Carpani, au journal télévisé de treize heures, Daniel avait tout d'abord pensé à foncer boulevard de Port-Royal, pour prévenir Silberberg, le mettre en garde.

Il savait qu'Elie y habitait de nouveau, avec sa mère.

Toutes ces années d'exil, Daniel était parvenu à savoir à peu près ce que ses anciens camarades devenaient. Ou bien par le truchement de Christine, ou par tout autre moyen occasionnel, il s'était tenu au courant des péripéties de leur vie. Bientôt, d'ailleurs, il lui avait suffi de lire la presse française, à des rubriques différentes, pour avoir de leurs nouvelles. Sauf Elie, ils faisaient tous partie du beau monde.

Mais c'est la réussite professionnelle d'Adriana Sponti qui l'avait le plus impressionné : il n'aurait pas cru qu'elle parviendrait à se dégager de l'emprise de Marc, à construire une situation autonome.

Après l'autodissolution de l'Avant-Garde prolétarienne et sa rupture avec Marc, Adriana était d'abord partie travailler en usine. C'étaient les années où les gauchistes français réinventaient les attitudes des populistes russes de l'époque de Netchaïev. Attitudes archaïques et arcadiques : comme s'il suffisait de partager eucharistiquement la vie prolétarienne, pendant une période variable mais toujours provisoire, fondamentalement marquée par la possibilité d'en sortir, de retrouver le giron maternel de la petite-bourgeoisie dont ils étaient issus, pour en assumer réellement la nature de classe! Laquelle se définit d'un côté par la fatalité des origines, de la naissance – sa pesanteur sociologique, disait-on naguère – et de l'autre côté par la volonté farouche d'en sortir, la nécessité dynamique de se dépouiller de l'être ouvrier comme d'une peau morte pour accéder à la vraie vie – qui n'est qu'une imitation, la plupart du temps, ou même une caricature, de la vie bourgeoise –, soit individuellement, soit collectivement par la voie utopique, illusoire, de la révolution, dont on connaît les désastreuses conséquences au cours du XXᵉ siècle.

Entre cette fatalité de naissance et cette volonté d'en sortir se joue le drame de la condition prolétarienne, que seule la transformation interne du système et des moyens de production peut dépasser – si tant est qu'elle y parvienne : ce n'est pas dit –, et qu'aucun intellectuel, même lucide, ne parviendra jamais à assumer vraiment, dans toutes ses conséquences destructrices, pour nobles que soient ses aspirations ou élevés et brillants les écrits qu'il rapporte à l'occasion de ces stages littéraires et religieux *in partibus infidelium*.

Adriana Sponti, donc, était entrée en usine comme on entre au couvent. Au bout de neuf mois, revenue dans le monde, elle avait commencé à travailler dans le cinéma, à de petits boulots de secrétariat de production. En six ans, elle avait franchi allégrement, et non sans quelque férocité, toutes les étapes et les obstacles, pour devenir la productrice fétiche et phare d'une profession en crise permanente, où il se fait par conséquent un renouvellement ininterrompu de figures de proue.

La réussite de ses anciens camarades n'étonnait ni n'indignait Daniel Laurençon. Il savait bien que les plus intelligents des révolutionnaires – les cons sont une majorité, mais ne l'intéressaient pas –

parviennent à une connaissance des lois de la société tellement riche et précise qu'elle les aide à réussir lorsqu'ils changent de côté – même si c'est pour des raisons parfaitement respectables – dans l'affrontement social intrinsèque et indispensable à une société démocratique de masse et de marché.

En fait, ce n'était pas seulement pour protéger Silberberg que Daniel songea un instant à se présenter boulevard de Port-Royal. C'était aussi parce que c'était un lieu privilégié de sa mémoire. Y revenir serait un retour aux sources, en quelque sorte.

Heimkehr.

Quand ils étaient ensemble en hypokhâgne, à H. 4, Elie et lui, il allait souvent travailler chez Silberberg, boulevard de Port-Royal. Le fait que le pavillon d'en face eût appartenu à Lucien Herr les excitait beaucoup tous les deux. C'est là que le bibliothécaire de l'école, l'homme clef de l'affaire Dreyfus, celui qui avait rameuté les intellectuels de gauche pour défendre l'officier calomnié, le maître à penser de tant d'esprits brillants de ce siècle, avait vécu les dernières années de son existence.

Parfois, se retournant sur le perron du pavillon d'Elie, ce dernier et lui avaient évoqué les hommes qui avaient dû franchir le seuil de la maison d'en face, cherchant auprès de Herr un conseil, une orientation de travail, la solution de quelque problème intellectuel ou moral.

Sans oublier que Lucien Herr, et peut-être était-ce son titre de gloire le plus éclatant à leurs yeux, apparaissait dans les pages de *La Conspiration*, leur livre de chevet, grâce auquel ils s'étaient connus. Les héros du roman, en effet, rencontraient Herr, le jour de novembre 1924 où les cendres de Jaurès furent transférées au Panthéon.

« Lucien Herr, qui portait déjà, avec le poids invisible des grands livres qu'il n'avait pas écrits, le fardeau de sa prochaine mort, s'approcha d'eux : ils le saluèrent. »

Heimkehr.

Quand Daniel Laurençon avait eu seize ans, on lui avait remis une grande enveloppe cachetée. Elle contenait un texte dactylographié d'une centaine de pages, qui portait curieusement ce titre allemand. Une sorte de récit, une suite de réflexions où son père, Michel Laurençon, lui laissait en héritage l'histoire de sa survie à Buchenwald. De sa survie ou de sa mort? Malgré le titre, *Heimkehr*, ce n'était pas vraiment le récit d'un retour au foyer, d'un retour d'exil. Car celui qui revenait de cet exil – le narrateur, Michel Laurençon – semblait persuadé d'y être resté. L'âme de son écriture, sèche, concise, dépouillée, grattée jusqu'à l'os d'une phrase courte, pratiquement dépourvue de sujet repérable, n'était pas celle d'un survivant, c'était celle d'un défunt. Et le foyer vers lequel il avait cru revenir était *unheimlich*, demeure sournoise d'une mort différée.

Une dédicace manuscrite s'inscrivait sur la première page de ce texte insoutenable : « A mon fils Daniel, parce qu'il a seize ans. »

Tout avait commencé là, à ce moment terrible et dérisoire où ces mots posthumes – doublement posthumes : écrits quand lui-même n'était pas encore né; lus par lui quand leur auteur, Michel Laurençon, était mort depuis longtemps – lui imposaient une filiation stérile mais irrécusable. Tout avait commencé à ce moment.

L'homme qui avait survécu à toutes les morts de son vrai père, l'homme qui vivait avec sa mère, Roger Marroux, lui avait remis cette enveloppe cachetée, quand il eut seize ans. Sa mère n'avait pas osé. Elle n'était pas très courageuse, Juliette Blainville : faible femme. Belle et faible femme, mère adorable et insaisissable. C'est lui qui avait remis l'enveloppe, le flic : le jour dit, à l'heure dite, au moment établi par ce mort oublié, Michel Laurençon. Ce mort qui ne ressuscitait avec son testament inoubliable que pour semer la mort autour de son absence.

Le flic : Daniel l'avait aimé, comme un père, cependant. C'est comme ça qu'on dit, dérisoirement : aimer comme un père. Mais c'était dans le mensonge et l'illusion d'une fausse filiation, d'une paternité usurpée.

Il s'en était voulu ensuite, haineusement, d'avoir aimé comme un père cet usurpateur. Il avait haï cet amour qu'il avait eu et l'amour que cet homme avait eu pour lui. Pour sa mère aussi. Et surtout l'amour – oui, sans doute pouvait-on employer ce mot –, l'amour entre les deux hommes. Il avait détesté l'idée de cet amour entre eux, cette complicité, cette entente. L'idée de leur commun amour pour Juliette. Il avait détesté le corps de cette femme qui était allée de l'un à l'autre, qui avait connu le bonheur charnel, semblait-il, et avec l'un et avec l'autre. Il avait haï cette réalité qui lui échappait, cette chose d'avant sa naissance, mais qui le marquait à tout jamais. De qui était-il le fils, en réalité ? Le fils par l'esprit, bien entendu, Daniel se fichait des futiles liens du sang. Il ne respectait pas les liens du sang. Etait-il le fils de Juliette et de Michel Laurençon ? Ou bien celui de Roger Marroux et de Juliette ? Ou encore celui des deux hommes ? Le fils d'un mort – de la mort – qui l'avait enfanté dans l'au-delà de la vie ? Mais était-ce pour perpétuer la vie ? Ou bien pour perpétuer la mort ?

Soudain, en buvant un dernier verre de vodka,

après le journal télévisé de treize heures, Daniel Laurençon se rendit compte qu'il venait de perdre à tout jamais le testament de cet inconnu, son père. A tout jamais le fil d'Ariane susceptible de l'orienter dans le labyrinthe de la filiation et de la mort.

Le testament de Michel Laurençon, en effet, qui était son seul héritage, était resté rue Campagne-Première, chez Christine. Il lui avait confié le texte, en 1974, quand il avait quitté la France. Tout à l'heure, il n'avait pas pensé à le reprendre, bien sûr. Perdu à jamais, *Heimkehr,* le récit d'un retour au foyer flamboyant de la mort. Mais peut-être cette perte n'avait-elle plus aucune importance. Peut-être importait-il peu de savoir d'où l'on vient quand on sait où l'on va.

Il savait où il fallait aller, désormais. Maintenant qu'ils avaient assassiné Luis Zapata, il n'allait pas fuir devant eux, se cacher sans cesse, vivre dans l'angoisse de la traque. Il n'allait pas non plus se réfugier en Suisse, comme Julien Serguet le lui avait proposé la veille, en attendant qu'on trouve en haut lieu une solution discrète à son cas. L'époque n'était pas propice aux solutions discrètes de cas comme le sien, surtout en haut lieu.

Il allait les débusquer dans leur repaire, les autres. Lui seul pouvait le faire. Il allait peindre la ville en rouge, voilà ce qu'il allait faire.

Daniel ouvrit les yeux, contempla le visage extasié d'Agathe.

Elle avait commencé par prendre l'affaire en main, rondement. Et je te fais bander d'une bouche experte, et je me frotte tout le corps avec ton sexe, avant de l'enfoncer en moi, au plus profond, et je t'entoure les reins de mes jambes tout en

314

tanguant sous toi, te murmurant à l'oreille des mots d'une rutilante obscénité, entrecoupés de cris rauques distillés quand il faut.

Du beau travail, destiné à provoquer une explosion rapide du plaisir. Et au suivant, sans doute. Du travail de pro.

Mais Daniel était trop averti pour se laisser vider ainsi de son désir en trois coups de reins. Trop adulte aussi pour se laisser rassasier par des amuse-gueule. Il avait besoin de réfléchir, de surcroît, de mettre de l'ordre dans son esprit. Ce n'est pas dans la bousculade d'un corps à corps fugace qu'il y parviendrait.

Il se souvint d'une phrase que Julien Serguet leur serinait sans cesse, autrefois – tiens! il ne l'avait pas dite hier soir, quand ils s'étaient rencontrés par hasard au *New Morning*, à une heure du matin! –, à en devenir chiant. « Il y a dans toute situation un élément positif, il suffit de le trouver et de travailler dessus », ou quelque chose d'approchant. Il pensa avec une ironie joyeuse que le seul élément positif, pour l'heure, c'était Agathe elle-même. Il travaillait dessus, certes, pas exclusivement, d'ailleurs. En tout cas, le fait de réfléchir l'aidait à faire durer le plaisir et la durée de celui-ci facilitait la réflexion.

Un bon exemple de dialectique, en somme.

Cette disposition d'esprit l'aida à laisser passer l'orage froid, expert et minuté, minutieux, du travail au corps d'Agathe. Ensuite, il reprit progressivement l'initiative, la pliant peu à peu à la durable impatience d'une jouissance différée, y entraînant Agathe avec une brutalité maîtrisée, à son corps – son esprit, plutôt – défendant, tout d'abord; avec sa complicité dévergondée, émerveillée, jubilante, pour finir.

Il contempla le visage d'Agathe, révulsé de bonheur inespéré : Agathe écartelée sous lui, moite de leur sueur et de leur semence répandues, disant des mots sans suite.

– Tu me tues, ne me laisse pas, je t'appartiens, baise-moi, bats-moi, je serai ta femme, ta putain...

Elles disent n'importe quoi, pensa-t-il, exaspéré, toujours n'importe quoi : des hystériques. C'est quand même inouï : moins on les aime, plus c'est facile de les faire jouir. Plus on est froid, dépassionné, mieux on les baise. Et elles finissent toujours par dire des sottises, elles y croient dur comme bite, les pauvres! Agathe, pourtant, une fille de joie, devrait savoir que tout ça c'est du vent.

Il lui caressa les seins, d'une main rude, à la faire crier. Puis il la pénétra de nouveau. Il allait la limer jusqu'à ce qu'elle implorât un peu de répit, un instant de repos. Il la conduirait dans la salle de bain, alors, la caresserait doucement sous l'eau de la douche. Elles n'y résistent pas, d'habitude.

Et il demanderait à Iris de leur apporter du champagne. Ça s'arrose, le dernier jour de la vie.

VIII

La bande magnétique grésillait, on entendit des bruits identifiables : celui d'une cuiller tintant contre une tasse de porcelaine, d'un verre qui se remplissait de liquide, qu'on posait ensuite sur une table.

Puis la voix de Luis Zapata :

« Pourquoi ne pas t'adresser à Marroux, tout simplement ? Au commissaire ? »

Roger Marroux ferma les yeux.

Il connaissait la suite. Il avait déjà entendu la réponse de Daniel Laurençon à cette question de Zapata. Il avait déjà écouté tout l'enregistrement de la conversation entre eux, que Luis avait dû faire à l'insu de Daniel, certainement. Mais il voulait entendre de nouveau la réponse de celui-ci : sa voix, ses intonations.

Il ferma les yeux.

« Oui, disait la voix de Daniel. Oui, bien sûr... Tu crois que c'est facile ? Pour finir, oui... Je finirai sans doute cette histoire avec lui... »

On entendait le rire bref, presque brutal, de Daniel.

« Je lui avais laissé un message, autrefois... Je ne sais s'il l'a trouvé... A San Francisco el Alto, tu te rappelles ? J'ai laissé dans la chambre un carnet rouge que je traînais toujours avec moi, où je notais des impressions, des réflexions... A l'époque j'étais complètement fasciné par Netchaïev, je voulais écrire un livre sur lui, à propos de lui... Une espèce de roman et d'essai à la fois... Sur les années soixante-dix du siècle dernier... Bon, c'était aussi une sorte de journal intime, j'imagine... J'ai un peu oublié, c'est vieux... Mais je l'ai laissé dans cette chambre, pour lui... J'étais sûr qu'il ferait le voyage du Guatemala, qu'il suivrait les traces que nous avions laissées, jusqu'à San Francisco... J'espérais qu'il trouverait le carnet rouge... C'était à la fois un défi : vois ce que je pense de votre société pourrie! et un dernier message... Les sandales d'Empédocle sur le bord du volcan! Je me demande s'il l'a trouvé... ce qu'est devenu mon carnet... »

Roger Marroux mit la main à la poche intérieure de sa veste, pour tâter la converture cartonnée du carnet de Daniel.

Il ne l'avait plus.

Bouleversé, il stoppa le défilement de la bande magnétique, dévala les escaliers et alla voir dans le petit salon de la maison de Zapata, à Fromont, s'il n'avait pas laissé le carnet rouge dans l'une des poches de son manteau.

Mais il n'y était pas non plus.

Il essaya de se souvenir quand il l'avait vu pour la dernière fois. Et tout lui revint d'un seul coup. Il l'avait à la main, chez Elie Silberberg, tout à l'heure, il voulait en lire un passage à celui-ci, lorsque la sonnerie l'avait averti d'avoir à téléphoner à la P.J. On venait justement de retrouver Sonsoles Zapata.

La jeune fille surgissait, l'ayant entendu descendre les escaliers quatre à quatre.

– Il est près de trois heures, disait Sonsoles.

Vous ne voulez pas manger un morceau? J'ai préparé quelque chose à la cuisine...

Marroux la regarda.

– Y a-t-il du whisky, surtout? Je me taperais volontiers un verre bien tassé... J'ai le cœur mort.

L'œil de Sonsoles fut réprobateur.

– Encore! Vous n'allez pas continuer à boire à jeun, non? Mangez mon repas, d'abord!

Elle se demanda de quel droit elle lui parlait ainsi, elle eut un geste d'excuse. Mais il avait éclaté de rire, il l'accompagnait à la cuisine, la main sur l'épaule de Sonsoles.

Vers treize heures trente-cinq, ils étaient devant la *Vue de Constantinople*.

C'était une toile de bonne facture, non signée. Provenant sans doute d'un atelier de peintre véni- tien du XVIIIᵉ. La basilique de Sainte-Sophie dres- sait ses coupoles et ses flèches au fond du paysage portuaire. Des navires étaient à l'ancre. Au pre- mier plan, une barque lourdement chargée s'avan- çait, halée par ses rameurs.

Sonsoles commença à composer la combinaison qui permettait d'ouvrir le coffre caché par le tableau.

Roger Marroux se souvint des *Ménines*. Ou, plutôt, du regard de Luis sur la toile de Vélas- quez.

Il n'oublierait jamais cette visite du Prado avec Zapata, d'abord contraint et mal à l'aise, ensuite émerveillé par tant de beautés ignorées, curieux de tout. Au bar du Pont-Royal, un peu plus tôt, Sonsoles lui avait dit qu'il avait très bien raconté la visite du musée. C'était faux, il n'avait réussi qu'à transmettre une infime partie de sa vérité, de sa richesse. Ainsi, il n'avait même pas fait allusion à l'essentiel. Il aurait fallu remonter trop loin, se perdre dans trop de digressions, de chemins de traverse, pour qu'elle comprît de quoi il parlait.

Dans la salle des *Ménines*, ornée sur l'une de ses parois par une immense glace, qui permettait au visiteur de renouveler pour son compte le jeu optique du tableau lui-même, Marroux avait longuement parlé à Zapata du propos pictural de Vélasquez. A un moment donné, il avait eu l'impression qu'un homme l'écoutait. Un type qui était là, seul, immobile, leur tournant le dos, mais pouvant distinguer leur image dans la grande glace latérale, et qui avait l'air de prêter attention, discrète, à ses paroles. Peut-être comprenait-il le français. Soudain, cet homme s'était tourné vers Zapata et lui, avant de quitter la salle des *Ménines*. C'était quelqu'un qui approchait de la quarantaine, sans doute, grand et maigre, aux cheveux drus et noirs.

L'inconnu lui avait jeté un coup d'œil, en passant.

Le sang de Roger Marroux s'était figé, il en avait eu le souffle coupé. Il reconnaissait le regard de cet homme. N'importe où, jusqu'à la dernière minute de sa vie, il aurait reconnu le regard de cet inconnu qui contemplait les *Ménines*, au Prado, un jour de l'année 1961. C'était le regard du jeune déporté espagnol de Buchenwald. « Mais le crématoire s'est arrêté hier... Il n'y aura plus jamais de fumée... »

L'inconnu, à voir l'expression du visage de Marroux, avait compris que celui-ci le reconnaissait, croyait le reconnaître du moins. Il détournait le regard, pressait le pas, disparaissait.

– Alors ? disait Luis, étonné de ne plus entendre les explications de Marroux.

Et puis, l'ayant observé :

– On dirait que t'as vu un fantôme, vieux1 s'exclamait-il.

Non, il n'avait pas bien raconté à Sonsoles, au Pont-Royal, la visite du Prado avec son père. Il ne lui avait pas dit l'essentiel. Mais c'était impossible de lui dire l'essentiel. Ça prend trop de temps, ça nécessite des digressions, des retours en arrière, des mises au point, l'essentiel. Il faut souvent perdre le fil du récit pour raconter l'essentiel d'une histoire.

L'essentiel, ce jour-là, au Prado, ç'avait été le regard de cet inconnu. Mais s'y arrêter lui aurait fait perdre le fil du récit. Luis Zapata, en tout cas, à qui Marroux avait tout raconté, puisqu'il avait le temps de tout lui raconter, en avait été d'accord. C'était bel et bien l'essentiel de cette journée, ce regard surpris, venant d'ailleurs, de si loin.

Mais Sonsoles avait ouvert le coffre. L'enveloppe destinée à Roger Marroux était parfaitement visible. La jeune fille trouva également sans difficulté le paquet qui devait contenir l'argent annoncé. Elle l'empocha sous l'œil indifférent du commissaire.

Pendant que Sonsoles refermait le coffre et replaçait le tableau, Marroux ouvrit la grosse enveloppe. Elle contenait une note manuscrite de Luis Zapata, sorte de résumé de la situation, quelques documents internes marqués de l'étoile à cinq branches des organisations terroristes et deux cassettes. L'une était datée de 1974 et c'était une vidéo-cassette. L'autre, plus petite, une radio-cassette. Elle était datée de la veille, 16 décembre 1986. Sans doute s'agissait-il de l'enregistrement de la conversation que Luis Zapata et Daniel Laurençon avaient dû avoir, le jour précédent.

– Vous voulez qu'on rentre tout de suite à Paris

pour prendre connaissance de tout ça? demandait Sonsoles.

Marroux ne répondait pas. Il lisait la note de Zapata.

La jeune fille s'assit un peu plus loin, attendant qu'il eût fini sa lecture.

Quelques minutes plus tard, le commissaire leva les yeux.

— Il y a de quoi voir et écouter les bandes, dans cette maison? demandait-il.

— Il y a, disait Sonsoles. Dans la chambre de mon père, au premier. Un magnétoscope et un grand appareil de radio avec cassettophone.

Marroux la regardait.

— Etes-vous pressée de rentrer à Paris? demandait-il.

Elle haussa les épaules, indifférente.

— Je préférerais voir ces documents tout seul... Avant de les verser au dossier de l'enquête...

Sonsoles attendait la suite. Car il y avait une suite, la façon dont Marroux avait laissé sa phrase en suspens le laissait entendre.

— « Netchaïev » est mon beau-fils, disait Marroux.

Elle portait la main à sa bouche, pâle de saisissement.

Marroux lui dit en quelques mots l'histoire de Daniel Laurençon. Qui était d'abord l'histoire de Michel, son copain à lui. Et l'histoire de Juliette. L'histoire des cinq jeunes gens qui avaient fondé l'Avant-Garde prolétarienne. Toute l'histoire qui aboutissait au meurtre de Zapata, ce matin.

— Vous êtes la fille de Luis, disait-il. Vous avez le droit de savoir. Pour moi, en tout cas, vous l'avez!

Il lut à Sonsoles la note de son père.

« Commissaire : voici les faits; vous trouverez

dans les documents ci-joints de quoi compléter ces informations. 1°) Daniel ne s'est pas suicidé, au Guatemala, en 1974. Vous l'aviez deviné en partie, c'était une mise en scène que j'ai organisée, avec lui. Il avait été condamné à mort par son organisation et moi j'avais accepté d'être l'exécuteur des basses œuvres. Par amitié, admiration, pour Marc Liliental. J'ai changé d'avis à la dernière minute. Pourquoi? Parce que j'ai appris, tout à la fin, que le chef d'accusation principal contre lui, outre les divergences politiques, fondamentales, était que Daniel avait caché à ses camarades qu'il était le beau-fils d'un flic. On le soupçonnait d'être un mouchard, un provocateur travaillant pour les Renseignements généraux. Or je vous connaissais (ils l'ignoraient, les gens de l'Avant-Garde; ils l'ignorent toujours). Je savais que c'était impossible. Mais il était tout aussi impossible de les convaincre, eux. Ou de convaincre Daniel d'abandonner ses projets démentiels de guérilla et d'attentats. Donc, j'ai sauvé Daniel. Mais les détails à ce sujet se trouvent dans la vidéo-cassette. 2°) Netchaïev est de retour, mais il veut abandonner la lutte, désormais. Ça fait plusieurs mois qu'il tente de trouver une issue, de déserter en ayant une chance de survivre à cet abandon. Il va essayer de profiter d'une série d'opérations terroristes prévues en France dans les prochaines semaines pour prendre le large (détails dans les documents et la cassette-magnétophone). Il m'a donné aujourd'hui le plan de ces opérations, les noms des personnes visées, le calendrier prévu, etc. Il donnera encore plus s'il obtient une garantie de jugement équitable et de réinsertion possible. Il m'a chargé de négocier cela par l'entremise de ces anciens camarades (dont certains sont sur la liste des attentats, d'ailleurs : Serguet, Liliental). Bien sûr, c'est avec vous qu'il devrait discuter de tout cela. Qu'il voudrait aussi, au plus profond de lui-même, j'en suis convaincu. Son retour vers la vie, vers la société, est aussi un retour vers vous. Mais ce n'est pas simple pour lui, bien sûr, d'arriver à formuler cela. 3°) Daniel est persuadé que notre entrevue de cet après-midi n'est pas connue des gens de l'organisation terroriste. Ils ne sont pas au courant, dit-il, du rapport qu'il a avec moi. Admettons! Je suis moins confiant que lui. Je pense qu'il doit être surveillé, car on se méfie de lui depuis quelque temps. Je ne suis pas sûr qu'ils ne sachent pas déjà que nous nous sommes vus tout à l'heure. En revanche, je suis sûr (faites confiance à mon vieux savoir-faire!) qu'ils ne savent pas où je planque ces documents. Je prends le risque de donner à Sonsoles les clefs de ce coffre, à elle qui est ce que j'ai de plus cher au monde, parce qu'elle habite boulevard Edgar-Quinet sous un autre nom, parce que personne ne sait dans son entourage qu'elle est la fille de Luis Zapata, ancien truand. Elle ne le sait pas elle-même, à quel point elle me ressemble! Donc, si je suis pris en chasse demain matin à partir de chez moi – j'irai à Fromont en hélico, impossible qu'ils m'y suivent! –, s'ils me voient m'arrêter boulevard Edgar-Quinet – la porte à côté du domicile de Georges Besse, que dites-vous de ça? –, ils vont avoir du mal à découvrir à quel locataire de l'immeuble, ils sont fort nombreux, j'aurai rendu visite.

« Le reste, commissaire, est dans les documents joints. Et entre vos mains, surtout. Car si ce mot vous parvient, ça voudra dire qu'ils m'ont eu. Comme disait Nieves (vous vous souvenez de Nieves? Elle nous a bien aidés à Gerona, quand on a braqué cette banque!), *Siempre habrá un Zapata*

324

para abrir brecha o cubrir la retirada... Bonne chance à vous, commissaire! Luis. »

Il y avait eu du silence. Marroux n'osa pas regarder tout de suite le visage de Sonsoles. Il savait que la jeune fille pleurait.

– *Deus nullo modo est causa peccati, neque directe, neque indirecte...*

Sonsoles le regarda, ravie. Cet homme était vraiment déconcertant. Même dans un roman elle aurait eu du mal à y croire, à un flic parlant de Thomas d'Aquin, grommelant en latin un truc à propos de Dieu et du péché. Pourtant, il était là, en chair et en os. Sans une once de graisse, de surcroît. Drôlement séduisant... Juste un peu trop âgé. Et encore, faudrait voir de plus près.

Il était quinze heures. Le commissaire et elle étaient dans la grande cuisine de la maison de Fromont. Sonsoles avait fait du feu dans la cheminée, elle avait préparé un poulet tandoori, au grand étonnement satisfait de Marroux qui ignorait l'existence de cette sorte de plats surgelés.

Il avait eu son whisky-glaçons, quand même.

– Distinguer la ligne du bien et la ligne du mal, en somme, ajoutait Roger Marroux.

Il venait d'allumer une cigarette, la première de la journée. Il aspirait la fumée avec bonheur.

C'est à cause de Sonsoles qu'il en était venu à évoquer Thomas d'Aquin. Jacques Maritain, aussi. Et Dieu, certes. On peut difficilement évoquer Jacques Maritain ou le docteur Angélique sans que Dieu ne rôde dans les parages. Car Sonsoles lui avait posé une question, le regardant dans les yeux. Quels étaient les critères moraux qui permettaient de distinguer des actes de violence – des meurtres, disons les choses comme elles sont! – les uns des autres, tenant les uns pour légitimes, les autres pour criminels? Par exemple : le meurtre de cet ancien lieutenant-colonel de l'O.A.S., ou d'un mouchard de la Gestapo, pendant la Résistance, de celui de Georges Besse, le patron de Renault, par les révolutionnaires d'Action directe? N'étaient-ce pas des actes terroristes, aussi bien les uns que les autres? Quels critères pour les différencier?

– J'ai les miens, bien entendu! avait-elle ajouté. Mais j'aimerais connaître votre opinion...

– Pourquoi appelez-vous des révolutionnaires les assassins de Georges Besse? avait-il demandé tout d'abord.

Sonsoles s'enflammait.

– Si ça vous choque, disait-elle, c'est que vous donnez encore une valeur positive à ce mot, à l'idée de révolution! Ça vous semble sacrilège, en somme, d'utiliser ce mot pour parler des terroristes d'Action directe. Pour moi, c'est un mot neutre, un concept, c'est tout... Ça sert à classer des expériences, à établir des hiérarchies de notions qui fonctionnent... Ces crétins d'Action directe, car ils sont débiles en plus d'être criminels, vous lisez leurs textes? Ces cons, donc, se présentent comme des militants, parlent en tant que tels, ont un discours global, sont installés dans une vérité sur le monde, la société : d'où leur vient tout cela, sinon de la tradition révolutionnaire, même déviée, dévoyée?

– D'accord, d'accord, ne vous emballez pas, Sonsoles! Il est vrai qu'on ne peut pas détacher Action directe ou les Brigades rouges, mettons, de la tradition révolutionnaire. Ou plus précisément : de la tradition léniniste, que Netchaïev préfigure en partie, mais qui n'est pas la seule tradition révolutionnaire. Même si elle a eu longtemps l'éclat de l'évidence, aveuglant. Cela dit, la moindre analyse interne du discours d'Action directe, prenons leur communiqué après l'assassinat de Besse, permet de saisir pourquoi il est aberrant, où et comment il décolle du réel, du principe de réalité, pour devenir logomachique...

Mais elle l'interrompit, exaltée.

– Par définition, s'exclama-t-elle, par définition, voyons! Le discours révolutionnaire contourne toujours le principe de réalité, c'est une caractéristique qui lui est essentielle... Il n'y a que les réformistes qui sachent prendre en compte la réalité, les révolutionnaires sont obligés de la nier... Car la réalité n'est jamais révolutionnaire... Elle peut être critique, catastrophique... Elle peut même être bloquée, figée, sans issue, mais elle n'est jamais révolutionnaire, dans le sens léniniste du terme... Donc, ils ont besoin de nier le principe de réalité pour s'octroyer une légitimité historique grâce à l'imminence proclamée de la Révolution, qui sanctifie tout, fin ultime qui justifie tous les moyens... A propos, et pour revenir à ma question : quels critères pour différencier les actes de violence, pour savoir lesquels sont justes?

Marroux la regardait, pensif.

– Il n'y a pas de critères établis une fois pour toutes, dit-il, ce serait trop facile! L'Histoire ne nous évitera jamais la violence, en tout cas. Il faudra toujours rechercher la justice dans la violence historique : malgré elle, à travers elle, aussi. Disons qu'il y a un principe d'orientation : n'est juste que la violence qui rétablit la justice, l'Etat de droit, la rigueur de la loi démocratique... La violence qui donne la parole aux citoyens, et non aux armes! En arrivant à La Havane avec l'armée révolutionnaire, Fidel Castro eut un mot superbe, qu'il s'empressa d'oublier et de trahir, bien entendu. Il a dit : « Les fusils, maintenant, doivent se mettre à genoux devant le peuple... » Voilà : la violence n'est légitime que si elle s'agenouille devant la volonté populaire... si elle fonde une légitimité démocratique...

C'est alors qu'il se souvint de Dieu. Ou, plutôt, de ses porte-parole : Maritain et Thomas d'Aquin.

« Si l'on se rappelle la vérité d'où découlent toutes les autres, la bonté abolue de Dieu et son ignorance absolue du mal, les sophismes s'effondreront d'eux-mêmes. Nous n'avons pas le droit d'interroger le Créateur sur quoi que ce soit. »

Dès les premières pages de son traité sur *Dieu et la permission du mal*, Jacques Maritain cite cette phrase étonnante, proprement insensée, de Lautréamont. Tellement insensée que le philosophe est obligé de la corriger, d'en redresser la folie qui en faisait pourtant l'inadmissible beauté.

« Lautréamont s'exprimait de travers en disant que Dieu ignore absolument le mal », dit Maritain. Et l'on ne peut que lui donner raison, si l'on accepte les prémisses de toute construction théologique. Comment Dieu, en effet, l'Ominiscient par définition et antonomase, pourrait-il ignorer quoi que ce soit, Lui qui embrasse la Création, la créature et l'Incréé d'une seule vision transcendant le Temps et l'Espace ?

« Dieu connaît le mal, bien sûr, et il le connaît parfaitement, poursuit Maritain. Mais ce que Lautréamont voulait dire, c'est que Dieu est absolument innocent du mal, et c'est aussi que Dieu n'a pas l'idée ou l'invention du mal. Il n'y a en Dieu, comme l'enseigne saint Thomas d'Aquin, aucune idée, aucune matrice intelligible du mal. »

Ce qui est encore plus insensé que la phrase de Lautréamont, bien évidemment.

C'est à cause de Daniel que Marroux avait lu le traité de Maritain.

Daniel venait d'avoir seize ans, il lui avait donné l'enveloppe que son père avait laissée. C'était un texte, une sorte de réflexion sur les camps de la mort, comme on dit. Réflexion que ne peuvent faire que les survivants, qui ne concerne donc la mort que latéralement, par le biais de la survie. Mais justement, Michel y avait-il vraiment survécu ? Daniel ne voulait rien dire de ce texte de son père. Seulement le titre, *Heimkehr*. Qui n'étonnait pas Marroux : son copain avait été un germaniste distingué. Qui le bouleversait pourtant parce que le retour de Michel dans son foyer, dans sa patrie, avait été un voyage de l'agonie vers la mort, rien d'autre. La patrie ou la mort ? La patrie de la mort...

Mais la lecture de ce testament avait troublé Daniel, c'était visible. Il posait des questions sur des problèmes qui ne semblaient pas l'avoir concerné, jusqu'à cette date. Dieu était-il innocent de tout le mal que les camps d'extermination avaient signifié ?

Marroux avait lu Maritain, pour en discuter avec Daniel.

Mais dès les premières pages du traité sur *Dieu et la permission du mal*, une sourde colère avait grondé en lui. Si Dieu, en effet, est innocent du mal, s'il n'en a pas la moindre idée – tout en ayant une parfaite connaissance de sa réalité –, c'est parce que l'homme, ou pour le dire avec les mots de Maritain, « la créature a l'initiative première du mal moral, c'est à elle que remontent l'initiative et l'invention du péché ».

Ainsi, si l'on accepte les postulats de Maritain (qui avoue par ailleurs son impuissance rationnelle, avec une candeur qui est une dernière ruse intellectuelle : « La transcendance divine est obscure pour nous, elle est une nuit pour notre raison. Si obscur que soit le mystère, l'aséité ou absolue indépendance de Dieu d'un côté, l'absolue innocence divine d'un autre côté y brillent avec une clarté souveraine, et c'est cet éclat lui-même que notre œil a peine à soutenir. » Bien sûr, pensa Marroux, se souvenant d'Aristote, bien sûr : comme les chauves-souris!), si l'on s'y laisse prendre, donc, il nous faudrait accepter l'idée un peu obscène d'un Dieu qui s'en lave les mains, une sorte de Ponce Pilate à l'échelle de l'univers, un roi fainéant qui n'assumerait que les aspects gratifiants du monde, qui aurait programmé le libre arbitre de la créature quand celle-ci choisit la « ligne du bien », mais qui l'abandonnerait à la négativité néantissante de son autonomie coupable dès qu'elle choisit ou invente le mal, ce qui est à la portée de toute créature, on ne le sait que trop bien.

Jacques Maritain a-t-il pourtant pensé aux conséquences de sa ruse de guerre, se demandait Marroux, de sa machinerie dialectique destinée à préserver Dieu de toute contagion du mal? Car si celui-ci est affaire de l'homme, en effet, si Dieu n'y est pour rien, si le mal est même le seul espace concret d'historicité où l'homme puisse agir de façon autonome, totalement libre, en tant que pour soi, sans dette d'aucune sorte envers nulle transcendance, sans autres limites que celle de son choix, de ses propres critères, n'est-ce pas là faire du Mal – la majuscule s'impose – l'affirmation suprême de l'humanisme de l'homme, de son humanité? N'est-ce pas abandonner les territoires de l'histoire universelle concrète aux entreprises d'un autre Dieu, puisque, inévitablement, l'homme conscient d'une liberté absolue, même fondée sur le mal, ne peut que se prendre pour Dieu? Pour son héritier légitime, du moins? Et l'homme qui se prendrait pour Dieu n'est-il pas forcément un fou? Ou un tyran? Ou les deux à la fois, pourquoi pas? Ou un Netchaïev? Le terroriste n'est-il pas précisément l'homme qui se prend pour Dieu, qui s'octroie le droit divin de vie et de mort?

C'est à ce moment de la discussion que Marroux se rappela le regard d'autrefois, le regard de Michel Laurençon et de l'inconnu de Buchenwald – ce type qu'il avait cru revoir à Madrid, au Prado, devant les *Ménines* –, ce morne regard d'au-delà de la mort, qui témoignait de l'humaine inhumanité du mal, mais aussi de la possibilité humaine d'y survivre, en ayant pris sa mesure. En s'y étant brûlé l'âme, probablement.

Il y avait eu du silence. Ils rêvèrent, chacun pour soi. Sonsoles se souvenait de son père, d'une phrase de Marroux, au Pont-Royal, dont elle voulait lui demander l'explication. Marroux se souvenait de son fils. Plutôt du fils qu'il n'avait pas eu de Juliette, que Michel Laurençon avait eu d'elle, avec elle.

Il parla, ensuite, en écrasant sa première cigarette de la journée.

– Tout à l'heure, j'ai conseillé à Silberberg d'écrire un roman plutôt qu'un essai, à propos de Netchaïev... Il s'y intéresse aussi!

– Il serait temps! s'écria la jeune fille. C'est étonnant que Netchaïev n'ait encore inspiré aucun romancier!

Il sursauta.

– Comment? Et Dostoïevski? Vous oubliez *Les Possédés*?

Mais non, pas du tout, elle n'oubliait pas Dostoïevski. Son roman, d'ailleurs, était inoubliable. Sa gravité, sa tension interne, son foisonnement vital étaient inoubliables. Mais Dostoïevski s'est-il vraiment inspiré de Netchaïev ? Je veux dire, disait-elle : l'anecdote, sans doute, le meurtre d'Ivanov, le procès, le fait divers, en somme, oui, ça l'a inspiré. Directement inspiré. Dostoïevski a même réagi à l'actualité avec une vivacité dont semblent incapables les romanciers d'aujourd'hui ! Mais il y a mis, disait-elle, c'est normal, c'est la marque de son génie d'écrivain, il a mis dans ce roman ses obsessions, tout ce qui provenait de son autre projet de l'époque, le livre auquel il travaillait depuis des années, *La Vie d'un grand pécheur*... Il y a mis ses propres angoisses, son goût de l'expiation, son inquiétude métaphysique face au mal qui dévore les âmes.

En un sens, poursuivit-elle, volubile, son Nicolas Stavroguine est plus proche de Dostoïevski lui-même que de Sergheï Netchaïev. D'ailleurs, remarquez qu'il a dédoublé le personnage... Stavroguine en est l'incarnation sulfureuse, le démon du mal et de la conscience du mal, l'homme de l'aveu sans repentir... Pierre Verkhovenski en incarne les aspects rationnels, cyniques, dépourvus de scrupules, objectivement comiques, par moments, dérisoires du moins... Mais Netchaïev, le personnage historique, l'homme réel, d'après ses lettres, ses textes, les témoignages de ses amis et de ses ennemis, et celui, capital, de la fille de Herzen, Natalia, est beaucoup moins dostoïevskien, beaucoup moins « âme slave »... Plus européen, en somme, c'est bien pour cela qu'il est exemplaire... Et ce n'est pas le mal qui le préoccupe... C'est au nom du bien qu'il commet des crimes... Le bien absolu, la révolution. Bref, il est plus moderne, plus léniniste, si vous me permettez l'anachronisme... Ce n'est pas lui qui irait se confesser comme Stavroguine, comme Bakounine non plus... C'était un illuminé criminel, mais tout d'une pièce, indomptable... Non, vraiment, il mérite un roman pour lui tout seul, Netchaïev! Il n'y a rien à inventer, sauf la vérité d'ensemble... la gravité sereine de la littérature...

– Rien que ça! s'exclama Marroux.

Ils riaient.

Mais il était temps de partir, de regagner Paris.

– Tout à l'heure, au Pont-Royal, dit Sonsoles, en bégayant d'émotion, vous avez fait une allusion à ma mère... Vous avez dit que mon père ne la connaissait pas encore, lorsque vous avez fait ce voyage en Espagne... Vous l'avez connue, après?

Il la regardait sans comprendre.

– Je n'ai jamais su qui était ma mère, murmura Sonsoles.

Sous le coup de la surprise, Marroux alluma une deuxième cigarette.

– Je l'ai connue, dit-il. Luis me l'a présentée... J'ai même quelque part des photos de nous trois... C'est une histoire assez triste, vous savez?

Elle hochait la tête.

– Les histoires d'amour sont souvent tristes, non?

Les histoires de désamour encore plus, pensa-t-il. C'est la vie qui est triste souvent. Ce n'est pas une grande découverte!

Mais Sonsoles se levait de table, soudain, s'approchait de lui, lui posait ses mains sur les épaules, lui effleurait les lèvres d'un baiser, s'éloignait.

– Un jour, quand tout ceci sera classé, disait-elle, venez me voir avec ces photos.

Il promit de venir.

IX

SUR la route de Brissago, le pare-brise d'une voiture accroche un rayon du soleil déclinant et le renvoie, éblouissant.

Julien Serguet ferme les yeux.

Des paillettes brillent, blanches comme neige tourbillonnante, derrière ses paupières closes. La fatigue de la journée? Le désarroi? Il rouvre les yeux, fait quelques pas, lourdement, contemplant l'horizon du lac Majeur.

Il lui faut du café très fort, un verre d'eau fraîche. Il s'éloigne de la porte de l'hôtel, vers l'une des tables en plein air sur la promenade du bord de l'eau, à Ascona, au soleil de l'hiver tessinois.

Du café fort, voilà, dehors : dans quelques minutes, le soleil va disparaître, il fera trop frais.

La forêt en marche!

C'est pour l'aspect délirant de cette référence shakespearienne que Julien Serguet avait choisi un extrait du dernier document d'Action directe. Ce matin, à Genève, c'est par un commentaire de ce texte qu'il avait commencé son exposé au colloque sur le terrorisme.

« Organiser le front révolutionnaire en Europe

de l'Ouest signifie mener la lutte dans la métropole à un niveau politico-militaire et à travers une orientation stratégique qui mettent en question le système impérialiste dans son ensemble et initient le processus de reconstruction de la classe en Europe de l'Ouest comme processus internationaliste. Que certains louvoient encore dans le labyrinthe idéologique qui les conduit à toujours plus de dogmatisme et de sectarisme stérile, que les services de police européens psalmodient que nous avons été isolés et battus, ne peut cacher '' la forêt en marche! ''. »

Par une simple analyse linguistique interne de textes comme celui-là (mais il avait également mis à contribution des documents des Brigades rouges, d'E.T.A. militaire et des Cellules communistes combattantes, tout aussi déments), Julien Serguet avait essayé de montrer dans son exposé la décomposition du langage marxiste-léniniste, symptôme évident de l'éloignement définitif de la perspective révolutionnaire. Et il l'avait fait avec d'autant plus de conviction qu'il parlait, en quelque sorte, de lui-même : il avait, lui aussi, écrit des textes comparables. Il avait eu, lui-même, à briser cette ritournelle néfaste, mortifère.

Mais cette décrépitude du langage politique – avec ses clichés, ses topiques, ses barbarismes (dans le document en question d'Action directe, Serguet avait noté des hispanismes flagrants : « *initient* le processus de reconstruction » pour « commencent », en était un; un autre, *conscientisation* pour « prise de conscience », employé à diverses reprises; et Serguet s'était demandé si le fait que l'un des chefs historiques toujours en cavale d'Action directe eût commencé sa vie militante dans les G.A.R.I., dont les liens avec des groupes espagnols sont connus, était suffisant pour expliquer semblable contamination du langage politique, ou s'il ne fallait pas y voir la preuve d'une collaboration actuelle avec les hommes d'E.T.A. ou du G.R.A.P.O.), cette décrépitude n'était que le reflet de la marginalisation croissante du projet révolutionnaire par la société moderne.

La théorie de Marx concevait l'émancipation de la classe ouvrière comme le résultat de l'activité de la classe elle-même, dans son ensemble : nul besoin pour cela de la création d'un parti spécifique des communistes! La théorie de Lénine substituait à l'activité de la classe – considérée par lui incapable de dépasser l'horizon borné de ses intérêts économiques – celle d'un parti séparé professionnellement de la société, s'imposant à elle. Et la théorie des marxistes-léninistes prônant la lutte armée substituait à l'activité du parti prolétarien, accusé de dégénérescence bureaucratique, celle d'un noyau militaire ou d'un foyer de guérilla ou d'un parti combattant chargé de « reconstruire la classe », ni plus ni moins!

La forêt en marche? Quelle dérision sanglante!

Somme toute, le colloque s'était bien passé. *Sin pena ni gloria*, aurait-il dit en espagnol. Julien ponctuait parfois sa pensée d'expressions dans cette langue, qu'il maîtrisait parfaitement. Ça s'était passé sans gloire ni douleur, somme toute. Vers onze heures moins le quart, après son intervention et la discussion qui s'en était suivie, il s'était éclipsé en douceur. Une voiture l'attendait pour le conduire à Cointrin, l'aéroport de Genève, où il avait rendez-vous avec la femme aimée.

C'est Fabienne Dubreuil qui l'appelait ainsi. C'est tout ce qu'elle savait de Bettina, d'ailleurs : ce prénom et qu'elle était la femme aimée. L'invisible et mystérieuse maîtresse de son patron. Maîtresse était peut-être un bien grand mot pour d'aussi épisodiques rapports.

Julien avait rencontré la femme aimée à Madrid, quelques mois plus tôt, à la fin du printemps 1986.

Dès qu'il en avait la possibilité, et même s'il ne l'avait pas vraiment, Julien Serguet allait passer deux ou trois jours à Madrid. C'était l'une des villes les plus toniques d'Europe, à son avis. Il s'installait au *Palace*, arrivé par le dernier avion de Paris. Il dînait avec des amis journalistes, écrivains, à *La Ancha*, au *Pescador*, ou tout autre bistrot, selon l'humeur, la saison, la dernière découverte ou l'entichement de l'un ou de l'autre. Mais le lendemain, même s'il avait veillé tard, il était au Prado dès l'ouverture des portes.

Il y passait une partie de la journée.

C'est avec son père, Robert Serguet, le prof, que Julien avait découvert dès l'enfance les beautés de ce musée. D'ailleurs, le Prado avait joué un rôle déterminant dans la vie de son père. C'est à cause de ce musée, en effet, que Robert Serguet avait tant tardé à rompre avec le parti communiste français, dont il ne partageait plus depuis triste lurette ni la morale ni la stratégie.

Entendons-nous : il n'y avait pas que le Prado. Il y avait plusieurs raisons à une rupture aussi tardive, puisqu'elle n'avait eu lieu qu'en 1968, après l'invasion de la Tchécoslovaquie par les troupes soviétiques. L'une d'elles était que le distingué professeur, amateur raffiné des subtilités gracianesques, avait beaucoup aimé la fraternité communiste des simples militants. Le sentiment primaire, primitif si l'on veut, d'appartenir à une communauté de justes, porteuse d'avenir millénariste; à une fratrie fondée sur les valeurs de dévouement et d'altruisme, ce sentiment avait longtemps survécu à la certitude rationnelle du mensonge historique, de l'abjection collective, globale, auxquels avaient abouti dans l'historicité concrète du siècle tant d'abnégations communistes individuelles.

Une autre raison, plus importante encore, était que sa connaissance de la langue et du pays avait fait choisir Robert Serguet par la Commission des cadres du P.C.F. pour travailler avec l'organisation clandestine des communistes espagnols. Ainsi, depuis 1954, il avait accompagné en Espagne, avec sa voiture, parfois pendant de longues semaines, des militants du parti espagnol qui y voyageaient avec de faux passeports. Cette activité-là le consolait des déboires et des colères que provoquait chez lui l'obscène entêtement des dirigeants de son propre parti à toujours faire les choix politiques les plus sinistres.

Et c'est ici qu'intervient le musée du Prado. Julien avait parfois accompagné son père dans ces voyages, en période de vacances scolaires. Et à Madrid, le musée du Prado était au centre de tout : outre le trésor de ses collections, c'était un lieu idéal pour des rendez-vous clandestins!

Julien était une nouvelle fois devant *Les Ménines* de Vélasquez, quelques mois plus tôt, à la fin du printemps, lorsque Bettina se tourna vers lui pour lui demander un renseignement.

Il ne fut pas étonné, il avait l'habitude : on lui demandait toujours des renseignements, des itinéraires, partout. A Paris, dès qu'il faisait beau, dès qu'il s'aventurait à marcher dans les rues, des touristes japonais le harcelaient, implacablement polis, pour lui demander le chemin du Sacré-Cœur, ou de la tour Eiffel, ou de la *Brasserie Lipp*. Ils avaient laissé filer des dizaines de passants, l'œil indifférent, avant de se précipiter vers Julien avec des sourires chatoyants et carnassiers. Qui dit

Japonais pourrait tout aussi bien dire Ecossais, Bavarois ou Péruviens. Sans compter les autochtones, bien entendu. Julien Serguet avait fini par croire qu'il avait la tête de quelqu'un de savant et de serviable tout à la fois, qui ne rechignait pas à donner des réponses pertinentes aux promeneurs égarés ou incapables de se débrouiller avec un plan de la ville pour tout viatique.

Mais s'il ne fut pas étonné que Bettina – enfin, cette inconnue d'une trentaine d'années – s'adressât à lui, il fut en revanche sidéré par sa beauté.

Obnubilé par la toile de Vélasquez, qu'un récent nettoyage avait rendue à la luminosité de son coloris originaire, Julien n'avait pas encore remarqué la jeune femme, parmi les contemplateurs immobiles et fervents de ce jour-là.

Lorsqu'elle vint à lui, de l'autre bout de la salle – qui n'était plus celle où Julien avait fréquenté ce tableau pendant son adolescence –, pour lui demander quelque précision au sujet du nettoyage des *Ménines,* il fut saisi par la grâce de sa démarche. L'espace cessait d'être, autour d'elle, simple vide, creux immatériel : il s'animait d'ondulations et de frémissements au rythme de sa marche, comme si les plis de la robe qui la moulait vaporeusement s'étaient multipliés dans son sillage, semblables à des ailes de libellule.

Julien lui donna les renseignements qu'elle souhaitait et ne la quitta plus, lui faisant faire la visite du Prado comme on fait faire le tour du propriétaire. Il l'aima, dès le premier instant. Ou plutôt, il aima l'idée de la femme qu'elle incarnait à ses yeux. L'idée de la femme idéale. Julien avait une tendance à aimer les femmes idéales, peut-être à cause du voisinage conjugal d'une femme réelle, trop réelle. Trivialement réelle. Pourtant, cette fois-là, au printemps, à Madrid, l'idée de la femme lui fut propice, ou bienveillante, ou aimante. En tout cas, Bettina se retrouva dans sa chambre du *Palace*, après le Prado. Se retrouva même dans son lit, même s'il serait exagéré de prétendre qu'elle s'y perdit. Ou s'y abandonna, vraiment. Car Bettina n'était pas une femme facile, loin de là. Mariée à un illustre savant, bien plus âgé qu'elle, qui était quasiment le seul homme de sa vie, père bienveillant, à peine incestueux, plutôt qu'amant fougueux, ou simplement mari attentif, Bettina était d'une ignorance quasi surnaturelle dans les questions du sexe. Toute disposée à apprendre, cependant. Mais ici intervenait un deuxième obstacle à son épanouissement érotique, dont elle ne refusait pas le principe : elle n'avait aucune mémoire dans ce domaine-là.

Quelques semaines après cette rencontre de Madrid, quand Julien l'avait déjà eue plusieurs fois dans ses bras, il avait dit à Bettina quelques phrases de Nizan qui la définissaient parfaitement, croyait-il, dans son intimité. Mais Bettina n'avait même pas entendu parler de Nizan. Il faut dire à sa décharge que Bettina von P. descendait d'une illustre famille allemande. Un de ses arrière-arrière-grands-oncles avait joué un rôle près du chancelier de fer, Bismarck. Une autre de ses ancêtres, nièce du précédent, avait failli avoir une aventure avec Karl Marx, sur le bateau à vapeur qui reliait en 1867 Hambourg à Londres. Mais ce détail n'était pas connu de Bettina, et Julien se garda bien de le lui révéler. En revanche, ce que Bettina savait, tout en feignant de l'avoir oublié, c'est qu'un autre des membres de sa famille avait été l'attaché naval de l'état-major personnel de Hitler.

Allemande, donc, bien que née en Autriche où sa mère s'était installée après la Seconde Guerre mondiale, Bettina von P. n'avait aucune raison particulière de connaître Paul Nizan, dont on ne peut pas dire que les Français eux-mêmes fassent grand cas, hélas!

Alors, Julien lui avait lu le passage en question :

« Mais Bettina (en réalité, dans *La Conspiration*, le personnage s'appelle Catherine, belle-sœur de Bernard Rosenthal, devenue sa maîtresse), Bettina manquait d'imagination et son corps de mémoire. Bernard ne se doutait pas qu'elle n'avait accueilli les contractions et les détentes du plaisir que comme des chances, des accidents délicieux; elle ne se disait pas qu'elle ne pourrait plus vivre sans elles. C'était une femme qui était dans l'amour comme ces gens que la musique bouleverse à la minute qu'ils l'entendent, mais qui ne retiennent pas les airs. »

Pas rancunière pour un sou, Bettina avait applaudi des deux mains. Elle trouvait que la phrase de Nizan dépeignait assez bien sa propre situation. Elle trouvait surtout que c'était superbe.

— Pourquoi n'écrit-on plus comme ça? avait demandé Bettina.

— Parce que les romanciers fuient comme la peste toute considération psychologique. Ils sont terrorisés par la critique, craignent de paraître démodés. La psychologie est réservée aux romans de gare. C'est eux qui parlent le mieux des mystères de l'âme féminine! disait-il.

— Lisons des romans de gare, alors! s'était exclamée Bettina.

Elle avait ri.

— Il faudrait que tu me fasses entendre plus souvent ta musique, ajoutait-elle. Je finirais par en connaître la mélodie...

– Chiche! s'était-il écrié.

Elle avait fait un geste de la main, repoussant cette perspective.

– C'est impossible, tu le sais bien!

Il le savait, bien sûr. Ses obligations sociales, son vieux mari, les voyages, les réceptions, les concerts : il ne lui restait qu'une sorte d'heure, par-ci, par-là, à accorder à Julien. Celui-ci savait qu'il ne passerait probablement jamais une nuit avec la femme aimée. Il ne l'aurait jamais dans ses bras, après l'amour du soir, avant l'amour de l'aube. Jamais, ce n'était pas possible. Elle ne ferait jamais que ça devienne possible, non plus, ce qu'il fallait pour que ce fût possible. Il en mourrait, disait-elle, son mari. Son illustre vieux mari.

Si tu le quittais pour une nuit? Elle hochait la tête : il en mourrait. Il ne survivrait pas non plus s'il savait que tu as un amant? avait demandé Julien une fois, furieux.

Bettina était sûre d'elle, calme.

Il survivrait à tout, je crois, avait-elle dit, si je restais avec lui. Elle le disait avec une pointe de satisfaction. De fierté, même. D'être une femme dont l'idée qu'elle vous quittât pourrait vous faire mourir.

Il la soupçonnait parfois d'aimer cette situation, de s'y complaire.

Le véritable amour doit être protégé par le secret, avait dit un jour Bettina. Par le non-dit, la clandestinité. Ce n'est pas un sentiment qui supporte le plein jour, ni les trompettes de la renommée, ni même le souffle de la rumeur. Elle aimait les rendez-vous secrets, le mensonge qui les protégeait, les mots de passe, les hôtels itou. La double vie, en somme.

Julien s'était décidé à la suivre, un soir, dans un grand restaurant où elle dînait avec son mari, d'autres illustres hommes de science et leurs épouses. Même de loin, même sans entendre un mot de la conversation, il avait eu la certitude que les sentiments et les idées tintaient comme du cristal, à leur table. Il était clair aussi que Bettina était au centre de l'attention, que tout tournait autour d'elle : les mots, les gestes, les sourires. Il la vit rayonner d'un éclat intérieur, resplendir de tous les feux de sa féminité triomphante.

Il s'arrangea pour passer près de sa table, à la fin, avec Fabienne. Car il avait invité Fabienne, délibérément, à cause de sa beauté. Mais Fabienne ne savait rien de cette intrigue. Elle traversait la salle du restaurant, aux côtés de Julien, de sa démarche de prima donna, sans savoir quel rôle elle jouait dans cette saynète. Mais les regards masculins se levaient sur elle, comme d'habitude.

A la fin du repas, Julien passa près de la table où Bettina dînait avec son mari, si distingué, si vieux.

Il fut doublement récompensé. L'un des illustres professeurs le reconnut, chuchota son nom aux autres convives. Mais surtout, il put remarquer la soudaine fixité du regard de Bettina, la décomposition de tous les traits de son visage, avant qu'elle ne se reprenne. Julien garda comme un diamant dans sa mémoire l'éclat noir, féroce du regard de Bettina sur Fabienne.

Mais il n'aurait jamais cette femme dans ses bras, avait-il cru jusqu'à ce jour, au milieu de la nuit, dans la solitude fervente de la nuit, dans le sommeil léger d'une nuit entrecoupée des rires et des râles de la jouissance.

Aujourd'hui, cependant, l'impossible allait se réaliser.

Bettina von P. avait réussi à convaincre son mari de la laisser partir avec une amie de jeunesse en

Suisse italienne, à Lugano, pour visiter les collections de la villa Favorita. L'illustre professeur accompagnait Bettina quasiment partout : au concert, aux essayages chez son couturier, il venait la déposer et la reprendre chez son coiffeur; et ainsi de suite. Mais il y avait des endroits où il ne la suivait pas, parce qu'il ne s'intéressait absolument pas à la peinture : c'étaient les expositions, les musées, les vernissages.

Il avait donc reculé devant l'idée de se déplacer quarante-huit heures rien que pour les collections Thyssen-Bornemisza de Lugano. Recul et refus qui ouvraient à Julien la perspective sublime de deux nuits entières avec Bettina.

Ainsi, Serguet était à l'aéroport de Cointrin, à onze heures du matin, attendant l'arrivée de Paris de la femme aimée. Ils auraient juste le temps de gagner le terminal des lignes intérieures helvétiques pour prendre à onze heures trente-cinq un vol de la Crossair pour Lugano.

Tout serait pour le mieux, donc, baignant dans l'huile, comme aurait dit son copain Quesnoy, si Julien n'avait pas rencontré, la nuit précédente, Daniel Laurençon. « Netchaïev », oui, lui-même, surgi du néant, revenu de la mort.

Serguet avait travaillé tard à *Action*, mettant au point la maquette du journal avec l'équipe de la rédaction. En fait, ils avaient bouclé avec vingt-quatre heures d'avance, en raison de son départ pour Genève, le lendemain mercredi. Après, il avait été dîner à la brasserie *Flo*, avec Fabienne. Vers une heure du matin, il eut envie d'aller écouter du jazz au *New Morning*. Fabienne avait failli l'accompagner. Et puis elle s'était ravisée. Elle devait se lever de bonne heure, le lendemain. De bonne heure, pourquoi? demandait Julien. Nous avons bouclé, c'est okay! Fabienne avait rougi légèrement. Il fallait qu'elle soit réveillée, vaguement habillée, à huit heures du matin : elle attendait un télégramme. Ça n'avait pas de sens, bien entendu. On n'attend pas un télégramme à heure fixe! On ne sait pas d'avance l'heure des télégrammes, par définition imprévue. Elle, si, c'était comme ça : tous les matins à huit heures, un télégramme de Marc Liliental. Julien avait regardé Fabienne, qui s'esquivait. Bon, ciao, à bientôt, bonne Bornemisza! Mais il l'avait retenue une seconde. Dis donc, il met le paquet, Marc! Tu ne m'as d'ailleurs rien dit de ton week-end dans le Maine... C'était Super, Julien! Il avait failli se fâcher. T'as fini de parler comme une débile, c'est pas ton genre! Allez, ciao, c'était super! Ça n'a jamais été ton style. Alors, parle comme une adulte ou tais-toi! Elle l'avait regardé gravement. Tu as raison, Julien... Je vais te dire la vérité... Je n'ai jamais été aussi heureuse... Je n'ai jamais eu aussi peur du bonheur!

Il l'avait serrée contre lui, une seconde. Ils s'étaient embrassés.

Au *New Morning*, rue des Petites-Ecuries, quand Julien y était entré, un trompettiste qu'il ne connaissait pas – il est vrai qu'il avait décroché de l'évolution du jazz, ces dernières années – jouait avec une très bonne petite formation *On the sunny side of the street*. Il s'assit, immédiatement saisi aux tripes, au cœur, à la nostalgie de leurs jeunes années. Bêtement, le fantôme de Laurençon vint hanter sa mémoire. C'est Laurençon qui aimait vraiment le jazz, autant que lui. Marc n'en avait rien à foutre, n'écoutait que Schönberg, à cette époque. Et Elie savait tout sur le jazz, comme sur tout autre sujet imaginable, mais n'aimait pas vraiment. N'aimait pas avec ses tripes, son cœur, sa tristesse, son malheur de vivre, son sexe, son imagination.

On the sunny side of the street, il en avait les larmes aux yeux, Julien.

Alors, dans la pénombre, la fumée du tabac, les rires aigus des filles, dans l'aura de ce folklore universel et nostalgique de l'Occident, Julien Serguet vit se tourner vers lui le visage de Daniel Laurençon.

Il lui dit à mi-voix, « Salut, '' Netchaïev '' », tout naturellement, avant de prendre conscience, une seconde plus tard, qu'il venait de saluer un mort. Un revenant, du moins.

Mais Bettina s'avança vers lui, d'un pas léger. Elle parlait avec une femme de son âge, élégante, d'une beauté toute différente, brune, qui semblait l'accompagner, qui portait aussi à bout de bras un sac de voyage.

– Anne, tu connais Anne? Je t'ai déjà parlé d'Anne, n'est-ce pas?

Bettina, volubile, faisant des gestes inutiles, elle qui avait si bien tué la marionnette. Oui, il connaissait Anne. De nom, en tout cas. C'est toujours Anne qui fournissait les alibis de Bettina, quand les escapades duraient plus longtemps que d'habitude, quand il fallait un véritable alibi, en somme. A Antibes, en septembre, quand ils s'étaient retrouvés pour le dernier jour de l'exposition de Nicolas de Staël, c'était Anne, encore, qui servait de prétexte et d'alibi. Bettina était descendue à la propriété familiale des environs de Grasse pour passer la journée avec Anne, voilà.

Elle expliquait, Bettina. Anne avait été obligée de l'accompagner réellement. Son mari les avait rencontrées la veille, par malchance. Elles faisaient des courses. Il avait décidé de les conduire lui-même à l'aéroport, pas moyen de l'en empêcher, d'insister pour y aller seules, il aurait eu des soupçons, aussitôt. Donc, voilà, Anne était là. Bon, mais Lugano? Elle n'allait pas les suivre à Lugano, quand même? Mais si, c'était forcé. Son mari téléphonerait, voudrait parler avec Anne, certainement. Il aimait beaucoup Anne, d'ailleurs. Mais quel mari? Le mari d'Anne, celui de Bettina? Les deux, semblait-il. Les deux maris téléphoneraient.

Anne le regardait, pendant ce temps. Le détaillait, même. Examinait d'un œil critique l'amant inconnu de sa meilleure amie. Semblait le trouver à son goût, finalement. En tout cas, elle faisait un sourire enjôleur à Julien.

– Vous verrez, Julien, disait-elle d'une voix un peu rauque, sensuelle. Je serai discrète...

Elle éclatait d'un rire bref, maîtrisé, aigu comme une lame de couteau.

– Vous enverrez Bettina dans ma chambre quand vous en aurez assez... Ou quand elle sera épuisée... Je lui rendrai des forces...

Il ne savait plus quoi dire, Serguet. Même pas quoi penser. Mais on appelait à l'embarquement les passagers de la Crossair pour Lugano.

Sur la route de Brissago, le pare-brise d'une voiture avait renvoyé les rayons du soleil déclinant.

Reflets éblouissants.

Des paillettes blanches, très brillantes, comme de la neige tourbillonnante, derrière ses paupières closes.

Julien Serguet avait ouvert les yeux, contemplant l'horizon du lac Majeur.

Il avait commandé un café très serré, double, une bouteille d'eau minérale, glacée.

A Ascona, aux portes de Locarno, sur la promenade du bord de l'eau, quelques minutes avant cinq heures de l'après-midi, le mercredi 17 décembre 1986.

Daniel Laurençon allait l'appeler au téléphone, maintenant.

Las barricadas cierran las calles pero abren las perspectivas.

– Les barricades ferment les rues mais elles ouvrent les perspectives, c'est ça? disait Daniel Laurençon.

La nuit précédente, au *New Morning*.

Daniel avait bu une gorgée de whisky, longue, renversant la tête en arrière. La moustache lui donnait un air très britannique, pensa Serguet.

Le groupe jouait maintenant *In the shade of the old apple tree*. Décidément, c'était une nuit du souvenir. A l'encan, même, la mémoire. Mais ça ne leur rappelait pas forcément les mêmes choses, ce morceau qu'ils avaient appris à aimer joué par Louis Armstrong. Daniel, ça lui rappelait quelqu'un qu'il n'avait pas connu, son père. Michel Laurençon parlait d'Armstrong, du jazz, des surprise-parties sous l'Occupation, dans ce récit qu'il avait écrit pour son fils : ce testament.

Très vite, ils avaient fait le point de la situation. La vie de Daniel, depuis qu'il était mort, était facile à résumer. Plutôt monotone, même. L'avenir s'annonçait plus mouvementé, en revanche. Pourquoi avait-il contacté Zapata, au lieu de s'adresser directement à eux? avait demandé Julien. Parce que Zapata, ils connaissent pas, répondit Daniel. Parce que vous êtes surveillés. Parce que Liliental et toi, vous êtes sur la liste des prochains attentats. L'opération commence dans une semaine. Zapata était mon intermédiaire. Bon, d'accord, avait dit Julien. Maintenant, tu parles avec moi... Qu'est-ce qu'on

349

fait? Que proposes-tu? avait demandé Laurençon. Julien Serguet y avait déjà réfléchi, pendant qu'il écoutait le récit de Daniel. Voilà, disait-il. Je pars pour Genève demain matin... Tout à l'heure... Un colloque sur le terrorisme...

Daniel éclatait de rire. Une femme se retourna sur eux, leur demandant du silence.

– Le terrorisme! Emmène-noi comme assesseur, vieux!

– Bon, sois sérieux, « Netchaïev », ce n'est pas le moment!

– Avec toi ce n'est jamais le moment, Juju! Mais ton sérieux t'a joué des tours. T'es toujours marié avec Engels?

– Justement! s'écria Serguet. Après Genève, je fais une fugue avec une femme aimée, à Locarno...

Daniel en riait de plus belle.

– Locarno? Tu te rends compte... c'est là que Bakounine passait l'hiver, fuyant la bise genevoise... C'est là que Netchaïev lui a rendu visite...

Il finit son verre, le remplit de nouveau à la bouteille qui était sur la table, y mit plein de glaçons.

– « J'ai maintenant un spécimen de ces jeunes fanatiques qui ne doutent de rien et qui ne craignent rien... Ils sont admirables, des croyants sans Dieu et des héros sans phrases... » Tu te rappelles, Julien? C'est ainsi que Bakounine annonce à James Guillaume l'apparition de Netchaïev, en avril 1869...

Mais Serguet l'interrompait.

– Fous-nous la paix une seconde avec ton Netchaïev! Il faut que tu prennes le large, Daniel! Je ne suis pas aussi sûr que toi qu'ils ne connaissent pas Zapata, qu'ils ne t'aient pas eu à l'œil aujourd'hui... Tu disparais, tu viens me retrouver à Locarno... A Ascona, plutôt...

– Ascona! s'exclama Daniel, je connais... Un endroit charmant... Il y a eu une réunion, une fois... Avec des Allemands et des Italiens... Le type qui organisait passait pour allemand, lui aussi... Mais c'était sûrement un guébiste, un mec des services soviétiques...

Serguet l'avait regardé. Son instinct de journaliste réagissait aussitôt.

– T'en as des choses à raconter, Daniel!

– Et des choses à ne pas raconter, encore plus! disait Daniel. L'obligation de réserve, comme pour les diplomates. Ou les vieux kominterniens... Tu crois qu'ils ont tout raconté, les vieux kominterniens des services spéciaux venus au chaud de la démocratie? Trepper, les autres... Tiens, sans aller plus loin... David Silberberg, le père d'Elie, tu crois qu'il n'aurait pas des trucs à dire, encore?

Mais Serguet revint à son propos.

– Tu t'installes à Ascona, au chaud toi aussi de la plus vieille démocratie d'Europe...

– Mon cul, interrompit Daniel. Demande à Netchaïev... Les Suisses l'ont bel et bien extradé, livré à la police tsariste... Il a fini par pourrir dans les cachots de la forteresse Pierre-et-Paul...

– Ils ne vont pas t'extrader, toi, puisqu'il n'y a aucune raison qu'ils te cherchent, voyons!

– Bien... Je suis à Ascona... Et qu'est-ce qui se passe ensuite?

– Ensuite, moi, à Paris – n'oublie pas que j'ai un journal! –, je m'occupe avec l'aide que tu voudras bien me donner de démanteler l'opération terroriste et de préparer ton retour au bercail... Il faudra que je voie ton beau-père, absolument!

Daniel éclusa son verre.

– Gentil mot, bercail! murmura-t-il, rageur. C'est pour me rappeler que je suis un mouton?

Julien ne répondit pas. Il posa la main sur le bras de Daniel, simplement.

Par une association d'idées facile à reconstruire, Daniel avait alors parlé de Hans-Joachim Klein, de son témoignage. Aussi bien dans son propre livre, *La Mort mercenaire*, que dans celui de Cohn-Bendit, *Nous l'avons tant aimée, la Révolution!*

Dans le bouquin de Dany, ton texte était très bon, Julien... Passionnant... Ton histoire de Barcelone...

Un jour de septembre 1977, à Barcelone, en effet.

Tôt le matin, Julien Serguet était allé se promener au Parque Güell, sur les hauteurs dominant la ville. Il aimait cette forêt pétrifiée, luxuriante de mosaïques multicolores comme des mousses tropicales, cette végétation de rêve figée dans le marbre ou le granit, que Gaudi avait imaginée. Il aimait bien ce paysage maîtrisé d'Arcadie urbaine – c'est-à-dire : polie par l'usage civil et l'échange de convivialités – dominant une ville qui était, elle, devenue démesurée, ayant brisé tous les carcans rationnels de l'urbanisme fin-de-siècle, proliférant sur l'alentour comme une forêt vierge, implacablement en marche, sorte de chaudron amazonien, de jungle d'asphalte.

Il faisait beau, ce jour-là : septembre était limpide sur l'horizon maritime de la ville.

Au moment où il descendait vers la sortie du parc, Julien croisa sur l'esplanade centrale un groupe de jeunes filles et de garçons. Les filles étaient en fleur, ou plutôt : en jeans et débardeur. Elles étaient minces, graciles, délurées. Elles cajolaient les garçons qui les accompagnaient, se les renvoyant de l'une à l'autre pour des embrassades ou des simulacres d'empoignade. Ils parlaient, les unes et les autres, un catalan assez sommaire, avec les intonations chantantes du Sud. Sans doute étaient-ils fils et filles de travailleurs immigrés d'Andalousie, d'Estrémadure ou de Murcie, chassés de leurs provinces par le prodigieux brassage de l'expansion du marché intérieur du Capital : brutale, sauvage expansion, mais porteuse de changements historiques. Leur génération avait grandi dans les profondeurs de la société civile que ce développement – au grand scandale obtus des doctrinaires du marxisme épigonal – avait revitalisée sous la croûte compassée, vitrifiée, infâme, des institutions du franquisme. Maintenant, ils partaient à l'assaut du ciel de leur propre vérité, de leur terrestre et quotidienne liberté.

Au passage, l'une des adolescentes cria à Julien une phrase de bienvenue. Il répondit par un geste enjoué.

Plus tard, dans l'une des rues étroites, en pente abrupte, qui dévalaient la colline du Punxet, Julien s'était arrêté devant une inscription en lettres capitales, bombée sur un pan de mur blanc. *Las barricadas cierran las calles pero abren las perspectivas.* C'était signé d'un A majuscule entouré d'un cercle, signe distinctif du mouvement libertaire.

« Les barricades ferment les rues mais elles ouvrent les perspectives » : en quelques mots, une tradition plus que centenaire était évoquée, avec la concision d'une épitaphe, la beauté d'un chant de cygne.

– Tu te souviens de Blanqui, bien sûr ? disait Julien à Daniel Laurençon, cette nuit-là. Dans l'*Instruction pour une prise d'armes* – qui est de 1869, note-le, l'année même où ton Serghëi Gennadievitch Netchaïev se présente en Suisse, pour y séduire tout le monde, à commencer par Bakounine, qui en a été positivement amoureux, de ce jeune fanatique! Et d'ailleurs Netchaïev se situe dans la tradition du blanquisme : conspiration, sociétés secrètes, insurrection –, dans l'*Instruction* d'Auguste Blanqui, la barricade est comme un temple au centre de l'univers de la révolution. Il en parle avec la même minutie que le marquis de Sade mettait à décrire les postures et combinaisons érotiques! « Le cube total de la barricade et de sa contre-garde sera de 144 mètres qui, à 64 pavés par mètre cube, donnent 9186 pavés, représentant 192 rangées à 4 × 12 ou 48 par rangée. Ces 192 rangées occupent 48 mètres de long. Ainsi la rue sera dépavée dans une longueur de 48 mètres, pour fournir les matériaux du retranchement complet. » Dingue, non? Les anarchistes espagnols, même s'ils n'ont pas lu leur ennemi Friedrich Engels, sa préface de 1895 aux *Luttes de classe en France* de Marx, où il annonce la fin des barricades et de la lutte armée comme moyen de la prise de pouvoir prolétarienne, les anarchistes savent fort bien, par leur propre expérience des combats en Espagne, qui n'est pas mince au XXᵉ, que la barricade c'est fini! En juillet 1936, à Barcelone, ils ont pratiqué avec succès la guerre de mouvement et ce sont plutôt les troupes soulevées par les généraux factieux qui se sont barricadées dans les casernes. Dans le graffiti en question, le mot « barricade » est employé comme une métaphore, que je trouve d'une beauté bouleversante, malgré son extrême fausseté. Comment le faux peut-il être beau, c'est un autre problème. Qui concerne Platon plutôt que Blanqui, n'est-ce pas?

– Nous demanderons à Silberberg, disait Daniel Laurençon. Sur Platon, il était incollable.

– Il est toujours incollable, Elie! Sur Platon et sur tout le reste!

Ce jour de septembre 1977, poursuivait Julien à la demande de Laurençon, était celui de la *Díada*, fête de la Catalogne, de la célébration de sa liberté, de son autonomie nationale retrouvée. Des centaines de milliers de personnes avaient défilé en cortège dans les rues de Barcelone. Julien avait marché longtemps au milieu de la foule, dans l'émotion de cette victoire sans barricades, de cette certitude sans exclusives. Il avait écouté les chants, les mots d'ordre, les cris, les rires. Il avait regardé les visages, s'était laissé porter par ce fleuve, cette marée humaine.

– Toute notre expérience politique, mon vieux « Netchaïev », disait Serguet, toute l'articulation idéologique de notre vision du monde s'est fondée sur une critique radicale de la démocratie, toujours qualifiée de formelle. Ou de bourgeoise. Le léninisme, pour l'essentiel de son contenu stratégique, n'est rien d'autre : la codification des moyens politiques de masse tendant à cette fin ultime : la destruction de la démocratie représentative. Tout le reste n'est que manœuvre de repli provisoire, ruse de guerre et rideau de fumée, lorsque la bataille de mouvement devient bataille de positions. Bien sûr, il y a toujours dans les partis communistes un courant qui prend au sérieux ces phases de répit tactique, qui s'efforce d'en déduire une stratégie démocratique. Mais ces divers courants rénovateurs sont toujours balayés par le mouvement communiste. A la belle époque de Staline et de Mao, ils étaient même exterminés, en tant que boucs émissaires du changement de cap. Et l'abandon récent de la référence au léninisme par les partis occidentaux n'est pas l'indice d'une vraie mutation, mais simplement le signe de leur déclin, le symptôme du rejet historique de la greffe léniniste par les couches et les classes salariées des sociétés démocratiques développées. Ce qui n'améliore en rien la situation, d'ailleurs : dans la mesure où les perspectives du socialisme réel ne dépendent plus d'une avancée nationale des partis communistes, mais exclusivement de celle de la puissance soviétique, seule avant-garde désormais, toute chance d'influencer ou même d'infléchir la politique desdits partis par leur insertion dans le jeu et les enjeux parlementaires tend à disparaître... Aujourd'hui qu'il n'y a plus de Komintern, c'est le K.G.B. qui fait la médiation entre l'U.R.S.S. et les mouvements révolutionnaires... Et c'est là que l'on retrouve le problème du terrorisme...

Daniel hochait la tête affirmativement.

— Parfait ! Très bon édito... mon Julien... Tu auras vingt sur vingt !

Il dressait l'oreille, soudain. Le trompettiste du *New Morning* venait de se lancer dans le solo de *Big Butter and Egg Man*.

— Merde, murmura-t-il. C'est un festival des vieux hits d'Armstrong !

— Pourquoi la France devient-elle la cible principale ? demandait Serguet.

Laurençon éclusa son cinquième whisky.

— Parce que c'est le maillon le plus faible de la chaîne impérialiste, malgré les apparences, répondait Daniel. L'une de ces apparences étant aujourd'hui la force de frappe, qui ne dissuade plus que les Français eux-mêmes de voir la réalité en face ! D'un côté, c'est parce qu'elle se prend encore au Moyen-Orient pour une grande puissance de l'époque de Lord Curzon, qui pourrait jouer les

356

Etats arabes ou islamiques les uns contre les autres... C'est parce que la France s'imagine qu'elle peut fournir des Exocet à l'Irak et de bonnes paroles à l'Iran, des sourires à Israël et des salamalecs à Assad, qu'elle est l'otage de l'Islam chiite... Il faudra un drôle de courage pour la sortir de l'engrenage! D'un autre côté, parce qu'elle est la puissance démocratique la plus forte militairement en Europe, la France est objectivement pour l'U.R.S.S. l'ennemi principal. Dans le cas d'un affrontement comme dans celui d'une détente provisoire, même prolongée! Dans le premier cas, parce que c'est l'armée française qu'il faudra écraser, le reste ne compte pas... Les missiles français qu'il faudra détruire, les sous-marins nucléaires qu'il faudra repérer et neutraliser... Dans le cas d'une détente, parce que c'est l'autonomie gaullienne de la force de frappe française, même si elle est partiellement obsolète, qui demeurera comme une menace latente dans toute négociation de désarmement entre Soviétiques et Yankees... Et aussi entre Otan et Pacte de Varsovie... Donc, même si le K.G.B. n'y est pour rien, du moins directement, l'U.R.S.S. ne peut voir que d'un bon œil, qu'elle feindra de montrer apitoyé et compréhensif, le cas échéant, tout affaiblissement de la France provoqué par le terrorisme islamique et les pièges du Moyen-Orient.

– Il faut vraiment que tu viennes à Ascona! s'exclamait Julien. On en a des choses à se dire!

– Mais tu vas à Ascona pour causer ou pour baiser? Tu baises la femme aimée ou tu te bornes à l'admirer?

– Je la baise un peu, quand même! Du moins je l'espère!

– Remarque, Julien! Je comprends très bien

qu'on puisse aimer à la folie sans baiser... Le grand amour de ma vie restera à jamais une jeune femme italienne que j'ai vue dix minutes sur le quai d'une gare, à Savona... dont je ne sais même pas le nom... « Car j'ignore où tu fuis, tu ne sais où je vais. O toi que j'eusse aimée, ô toi qui le savais ! »

– Bravo ! disait Julien. Douze ans se sont passés et tu récites encore les vers de Baudelaire dont Elie nous cassait les oreilles...

Mais il n'avait pas terminé son histoire de Barcelone, lui rappelait Laurençon.

C'est ce jour-là, parmi la foule catalane, que Julien avait redécouvert, de façon à la fois conceptuelle et sensible, quasi charnelle, l'universalité des valeurs démocratiques. Ce ne fut pas une révélation, bien entendu. Plutôt l'aboutissement d'un processus : un moment de prise de conscience, de fusion instantanée d'idées disperses et disparates en un ensemble cohérent. En tout cas, ce que j'ai compris ce jour-là, à Barcelone, disait Serguet, c'est que l'affirmation nationale catalane – en soi forcément réductrice et particulariste, comme toute autre de ce genre – contribuait à l'enrichissement d'une Espagne pacifiée dans ses différences, parce qu'elle se nourrissait de cette universalité démocratique, qu'elle s'ouvrait sur elle. Par contre, c'est parce qu'elle n'est pas branchée sur la démocratisation, mais bien plutôt sur une conception totalitaire du contrat social, que l'affirmation nationalitaire basque s'ensable et s'appauvrit, jusqu'à devenir démente, dans l'arrogance terroriste de son identité mystique. Et mystifiée.

– Moi, disait alors Laurençon, cette découverte-là, aboutissement d'une prise de conscience analogue, ce n'est pas à Barcelone que je l'ai vécue...

C'est à Jérusalem! Aidé par la lecture d'un essai d'Orwell, *The Lion and the Unicorn*...

– Orwell? Je comprends maintenant pourquoi tu portes une moustache tellement britannique d'officier de l'armée des Indes! Raconte, Daniel... Raconte-moi Orwell et Jérusalem!

Daniel Laurençon refusait d'un geste.

– A Ascona, disait-il, gardons quelque chose pour Ascona...

Il ne savait pas que Zapata allait mourir quelques heures plus tard. Qu'il n'irait pas à Ascona, qu'il ne pourrait donc pas raconter à Julien les soirées de discussion avec Ehoud Avirel, dans la bibliothèque de ce dernier, à Jérusalem.

Daniel levait la tête.

– Tu entends ça, vieux? demandait-il.

Le musicien anonyme venait d'entamer le solo de *Cornet Chop Suey*.

Ils écoutèrent, marquant la cadence de leurs mains jointes sur la table.

Julien Serguet avait ouvert les yeux, contemplant l'horizon du lac Majeur, l'eau moirée dans le soleil déclinant.

Il tourna le regard vers l'ouest, l'embouchure de la vallée de la Maggia.

A Ascona, aux portes de Locarno, où Bakounine passait l'hiver, autrefois.

Que disait le *Catéchisme* de Netchaïev?

« Le révolutionnaire est un homme perdu... Sévère pour lui-même, il doit être sévère pour les autres. Tous les sentiments tendres et amollissants de parenté, d'amitié, d'amour, de reconnaissance et même d'honneur doivent être étouffés chez lui par la seule et froide passion de la cause révolutionnaire. Il n'existe pour lui qu'un plaisir, une consolation, une récompense et une satisfaction : le succès de la révolution... »

Une jeune employée de l'hôtel tout proche courait vers lui : on le demandait au téléphone.

Cinq heures. Daniel Laurençon était au rendez-vous.

X

Le ciel était dégagé, on voyait Paris au loin.

Daniel Laurençon composait le numéro de l'hôtel d'Ascona, tout en regardant par la fenêtre du salon. « La colline qui joint Montlignon à Saint-Leu », ce n'était pas dans Victor Hugo ? Oui, certainement. « Connaissez-vous sur la colline qui joint Montlignon à Saint-Leu », et « colline » rimait avec « s'incline », voilà, « une terrasse qui s'incline », et « Saint-Leu » rimait avec « ciel bleu ».

A peu près ça.

Le ciel de décembre était bleu, aujourd'hui également. Comme chez Victor Hugo. Daniel voyait au loin le profil urbain de Paris, du Sacré-Cœur, sorte de meringue blanchâtre, au fuseau gris de la tour Eiffel.

On répondait à Ascona, la voix de femme avait un accent rugueux, suisse alémanique. Il demanda à parler à Julien Serguet. Oui, en effet, M. Serguet attendait un coup de fil, on allait le chercher !

Un accent de Zurich, c'est ça.

Sergheï Gennadievitch Netchaïev était arrivé à Zurich, au printemps 1872. Il venait de Paris, où il avait vécu pendant la guerre franco-allemande, rue du Jardinet et rue Saint-André-des-Arts... Il n'avait qu'une petite valise et deux livres à la main, les

Confessions de Jean-Jacques Rousseau et les *Mémoires authentiques* de Robespierre. Quel début de roman, bon dieu!

On lui dit de ne pas quitter, M. Serguet arrive.

Il lève les yeux, Véronique est entrée dans la pièce. C'est ainsi qu'elle semble s'appeler, l'infirmière ou demoiselle de compagnie de sa mère. Qui se méfie de lui depuis qu'il est arrivé, une demi-heure plus tôt. Elle est entrée dans la pièce où il y a le téléphone, une sorte de salon, elle rôde, faisant mine de vaquer à quelque mystérieuse recherche d'objets inexistants. Pour le surveiller, bien sûr.

— Mademoiselle, dit-il poliment. Voulez-vous me laisser? C'est une conversation privée...

Elle le regarde, le foudroie du regard.

— Privée? Comment privée? Vous n'êtes pas chez vous, ici!

Il lui sourit.

— Mais si, dit-il, placide. Ou presque... Mme Marroux est ma mère... Il me semble qu'elle vous l'a dit, non?

Oui, Juliette l'a dit, en effet.

Elle a accueilli Daniel sans surprise, à vrai dire. Je savais bien que tu étais de retour, mon Daniel! Mais personne ne veut jamais me croire!

— Tirez-vous! dit Daniel à Véronique, d'une voix soudain coupante.

Elle hésite, elle va protester. Il sort le magnum 357 de son holster, le brandit.

— Barrez-vous, oui! aboie-t-il.

Elle se barre, que faire d'autre?

— Julien? dit-il.

Oui, c'est Julien. Etrange voix, blessée, pour lui demander quand il vient.

— Je ne viens plus, dit Daniel.

Mais comment, mais hier, mais voyons, mais il n'y a que ça à faire...

Il coupe, Daniel.

– T'es à Ascona, avec la femme aimée...

– Foutre oui! s'exclame Julien. Deux femmes d'un coup. La femme aimée et la meilleure amie de la femme aimée... C'est la première fois que ça m'arrive.

Il rit, Daniel. D'un rire glacial.

– Profites-en bien, Juju. C'est peut-être la dernière! Donc, je disais, tu ne dois pas connaître la nouvelle?

Il dit à Julien, pour Luis Zapata. Il lui dit que c'était trop tard pour qu'il aille en Suisse, qu'ils combinent une stratégie, la suite. C'était très bien hier, tout ça. Aujourd'hui, c'était la guerre. Il n'avait une chance de leur faire du mal, vraiment, qu'en agissant tout de suite, sans perdre une seconde.

Adieu, Julien. Presque sûrement adieu. Il aurait mieux fait de m'achever, Zapata, il y a douze ans.

Serguet essayait d'argumenter, de le retenir au bout du fil, comme on retient au bout d'un cordage un homme qui se noie. Mais qui était le noyé, dans le cas présent, « Netchaïev » ou lui, Julien Serguet?

Daniel Laurençon avait raccroché.

Un peu plus tôt, après qu'il eut sablé le champagne avec Iris et Agathe, pris rendez-vous avec toutes les deux pour souper – son avenir était peuplé de femmes qui l'attendraient, aujourd'hui! – il avait marché vers l'Alma.

Il lui fallait une voiture pour aller à Saint-Leu.

Il n'était pas dupe de ce désir qui avait surgi en lui, fort. Il savait bien que le fait d'aller prendre congé de sa mère était une manière de s'approcher de Roger Marroux, son beau-père. Il le savait fort bien. Obscurément bien.

Près de l'Alma, la femme avait tendu la main, sans un mot, sans un regard, avec les clefs de la voiture. Le groom se précipitait, ramassait les clefs. Il n'avait pas eu droit au moindre mot, au moindre regard. Peut-être aurait-il un pourboire, tout à l'heure. La femme s'était déjà retournée, elle marchait vers la porte de la boutique de luxe.

Le groom rangerait la voiture.

Daniel avait senti monter en lui une bouffée de haine. Comme une régurgitation bilieuse lui brûlant amèrement la bouche.

C'était tout près de l'Alma, quand on y arrive par l'avenue du Président-Wilson, au coin d'une petite rue qui descend vers les quais de la Seine.

L'arrogance de ce bras tendu, ce port de tête indifférent, ce regard déjà tourné vers l'entrée de la boutique. La femme était belle, la taille bien prise dans une jupe de lainage mordoré, le buste marqué sous le cachemire beige. On voyait sa silhouette dans l'entrebâillement d'une fourrure somptueuse.

Elle tourna les talons, Daniel contempla ses longues jambes gainées de nylon fumé.

Il respira profondément. C'est elle qu'il aurait dû baiser, à la place d'Agathe. Il aurait sorti son arme, l'aurait braquée contre les reins de l'élégante. Bon, ça va. Assez joué comme ça.

Le groom revenait, ayant garé la voiture de la belle un peu plus loin, les clefs à la main. Il avait une tête de con, à dire vrai. Tête de miteux, face de jeune rat minable, rôdeur sournois dans les toilettes des dames, c'est sûr. Une sorte de Gaby, plus ou moins. Ce n'est pas avec des minus pareils qu'on réinventerait la lutte de classe.

364

Il rit très fort, coupa la route du groom. Lui prit les clefs des mains, le braqua, l'entraîna avec lui, jusqu'à la voiture. L'autre était terrorisé, ne pipait mot.

Quand il démarra, le groom n'avait pas encore retrouvé ses esprits ni sa voix.

Le plein d'essence venait d'être fait. Il fonça dans la G.T.I. vers le nord de Paris, l'autoroute A 15, puis la dérivation A 115, qu'il quitta à l'échangeur du Plessis-Bouchard-Gros-Noyer. Il monta tout droit vers Saint-Prix, tourna à gauche dans la rue Auguste-Rey, vers Saint-Leu.

Ça devait être par là. C'était là.

Véronique lui avait ouvert la porte, avait fait des difficultés pour le laisser entrer. Quand Daniel apprit que Juliette était seule, très agitée aujourd'hui à cause d'un cauchemar à propos du retour d'un fils disparu, il lui coupa la parole.

– Disparu ? Qu'en savez-vous ?

Et il l'écarta, pénétrant à l'intérieur de la maison, à la recherche de la chambre de sa mère.

Juliette était assise, pas du tout agitée, pour l'instant, face au paysage de la forêt, à l'opposé de la façade tournée vers le sud et vers Paris. Elle feuilletait un album de photos de famille. Des photos de Daniel, en fait. De l'époque où il se laissait encore photographier, avant la clandestinité de l'Avant-Garde prolétarienne.

– Daniel, comme c'est gentil de penser à moi ! Je savais bien que tu étais revenu, mais personne ne veut jamais me croire...

Elle se tournait vers Véronique, qui avait suivi Daniel dans la chambre, inquiète.

– Vous voyez bien que j'avais raison, Véronique ?

La jeune femme hochait la tête. Mais son inquiétude ne s'était pas évanouie pour autant. Il n'y avait aucune raison pour qu'elle trouvât rassurante l'apparition d'un revenant mort au Guatemala douze ans plus tôt.

Elle songea à s'esquiver discrètement et à téléphoner au commissaire Marroux.

Mais à peine avait-elle fait deux pas dans le couloir qu'elle sentit la main de Daniel qui lui serrait le bras.

– On va être sage, mademoiselle! On ne va pas téléphoner au commissaire... Pas tout de suite, en tout cas...

Il avait ramené Véronique dans la chambre de Juliette Blainville. La jeune femme n'avait plus osé bouger, glacée par le regard de Daniel Laurençon.

Puis le temps avait passé, à évoquer des souvenirs avec sa mère. Futiles, déchirants : des souvenirs. Il avait été cinq heures. Le moment de téléphoner à Julien était arrivé.

Il avait raccroché juste à temps pour intercepter de nouveau Véronique dans l'entrée de la maison. Elle avait mis un manteau, essayait de filer en douce.

– Comment, avait ironisé Daniel, on abandonne sa malade? C'est pas joli-joli, mademoiselle!

Elle l'avait regardé, butée.

– Il faut que je prévienne le commissaire... Il a le droit de savoir ce qui se passe chez lui... Il vous croyait mort, vous êtes revenu... vous ne pensez pas qu'il est important qu'il le sache?

Si ça se trouve, il le sait déjà, pensa Daniel. Ça m'étonnerait que Zapata, vieux renard, n'ait pas laissé quelque part des traces de notre entrevue. Peut-être même un message pour Marroux. Copains comme ils l'ont été...

On sonnait à la porte.

– Allez ouvrir, disait Daniel, à voix basse. Mais n'essayez pas de faire des salades! Je vous jure que je vous casse une jambe après l'autre, si vous déconnez!

Il lui montrait à nouveau le 357, pour qu'elle comprenne. Véronique devenait livide, convaincue qu'il disait vrai.

Elle alla ouvrir, c'était Fabienne Dubreuil.

Enfin, ni Daniel Laurençon ni Véronique ne surent sur le moment que c'était Fabienne Dubreuil. Ils virent une jeune femme avenante qui demandait à voir Mme Marroux.

Soudainement, Fabienne remarqua la présence de Daniel, un peu en retrait, dans l'antichambre de la maison.

Elle poussa un petit cri de surprise joyeuse et dit quelque chose d'incongru.

– Quand est-ce que vous vous êtes rasé la moustache?

Daniel n'en fut pas étonné, plutôt excédé. Mais enfin, dans quel monde vivait-on? Hier, dans la nuit, au *New Morning*, Julien l'avait vu surgir, lui avait dit « Salut, Netchaïev! », comme s'ils s'étaient quittés la veille. Aujourd'hui, sa mère lui parlait, elle, comme s'ils ne s'étaient jamais quittés. Et cette jeune pécore – ravissante, seigneur! – lui parle de sa moustache coimme si elle le voyait tous les jours!

De quoi piquer une rogne, non?

Mais il n'en montra rien, lui répondit avec le plus grand naturel.

– Ce matin, bien sûr! Où m'avez-vous vu pour la dernière fois avec une moustache?

Elle fit quelques pas à l'intérieur de la maison, ferma la porte sur la froidure hivernale.

– Pas moi... Un appareil photographique! Mais

vous connaissez le photographe... Pierre Quesnoy, le copain de Serguet... Nous travaillons tous à *Action*...

Fabienne dit son nom, se présenta.

Pourquoi Julien ne lui avait-il rien dit de ces photos ? Ça l'intriguait. Où avaient-elles été prises, d'ailleurs ?

La dernière question, il n'eut pas besoin de la poser. Fabienne prenait les devants.

– Pierre a pris ces photos hier, au bar de l'*Athénée*... Par hasard... Ce n'est pas vous qu'il essayait de surprendre, mais un homme d'affaires saoudien... Vous y êtes apparu par hasard, monsieur Lachenoz !

Il siffla entre ses dents.

– Vous commencez à m'intéresser, dit Daniel.

Elle lui dit tout ce qu'elle savait, en quelques mots. Y compris que Serguet n'était au courant de rien. D'ailleurs, elle n'avait pas réussi à le joindre, au Tessin, tout à l'heure. Ni à Genève, non plus, à midi.

– Moi, je viens de lui parler, dit Daniel, imperturbable. A Ascona, il m'a l'air d'avoir deux femmes sur le dos... La femme aimée et la meilleure amie de la femme aimée... Situation dont rêverait tout homme normalement constitué, mais qui a l'air de l'excéder, allez savoir pourquoi !

Fabienne en restait bouche bée, béate.

Il lui dit aussi ce qu'il voulut bien lui dire. La rencontre au *New Morning*, en tout cas. La proposition de Julien de le retrouver en Suisse.

Plongés dans leur conversation, ils n'avaient pas remarqué la disparition de Véronique.

Celle-ci revenait dans l'antichambre, la bouche en fleur.

– Le commissaire voudrait vous parler, monsieur Laurençon !

Daniel fit un geste de refus. Mais Fabienne lui prit le bras.

– Parlez-lui, voyons! Au point où vous en êtes!

Il la regarda avec animosité. Que savait-elle du point où il en était, celle-là? Mais il se dirigea vers le téléphone.

– Salut, disait Daniel.

– J'ai trouvé le carnet rouge, tu sais? dit Marroux, comme entrée en matière.

La voix de Roger Marroux n'avait pas changé, pensa-t-il. La voix de son enfance, pédagogique, patiente, chaleureuse : paternelle. La voix qu'il avait détestée, ensuite. Précisément parce qu'elle continuait d'être patiente et paternelle.

– Dans la chambre de la *fonda*, à San Francisco el Alto?

– Mais tout à l'heure je l'ai oublié chez Silberberg, boulevard de Port-Royal, poursuivait Marroux. Je l'avais emporté ce matin, quand on m'a annoncé la mort de Zapata...

Mais pourquoi parlait-il de cela? se demanda Daniel. Comment Marroux savait-il que Zapata et lui avaient parlé hier de ce carnet rouge?

– Si je comprends bien, dit Daniel à son beau-père, Zapata t'a laissé un message...

– Il m'a tout laissé, Daniel! Entre autres, un enregistrement de votre entretien d'hier...

Il riait, Daniel.

– Je pensais bien qu'il me piégerait! s'écria-t-il. Mais ça ne me gêne pas... En somme, ça nous fait gagner du temps... Tu sais tout, désormais...

– Presque tout, dit Marroux, de sa voix posée.

– Presque?

– Je ne connais pas tes intentions, Daniel! Il faudrait qu'on en parle... Attends-moi à Saint-Leu... J'arrive en une demi-heure, en fonçant un peu...

Daniel souriait.

– Une demi-heure? Je serai parti, mon vieux!

Ça lui était revenu, sans y penser, la façon qu'il avait de l'appeler autrefois.

– Attends-moi, Daniel! On peut finir cette histoire ensemble!

La voix de Marroux s'agitait, à présent.

– On pourrait, oui, dit Daniel. C'est une fin possible, en effet... J'y avais pensé... Mais il faudrait que tu sortes de la loi, pour cela... Alors que tu as toujours incarné la loi... C'est une chose que je trouve positive depuis peu, tu sais? Il faut que tu incarnes la loi jusqu'au bout, mon vieux! La Loi... T'auras remarqué que c'est à peu près ce nom-là à l'i grec près que Liliental a choisi... Non, je vais finir cette histoire tout seul parce qu'elle finit mal et que je suis hors la loi... Je vais employer les ressources de mon illégalité pour rétablir la loi, en quelque sorte... De toute façon, c'est plus juste... Tu me vois balancer les autres salauds et laisser la loi faire son travail? Trop facile, non? C'est moi qui rétablirai la loi, qui ferai justice. A mes risques et périls... J'ai déjà fait tuer Luis, ça suffit comme ça! Les prochaines morts, ça va être dans leur camp!

– Mais toi, Daniel!

– Pourquoi échapperais-je à la loi? Même si c'est moi qui l'applique? Pourquoi éviterais-je la violence de la loi?

Il y eut du silence. Daniel entendait la respiration haletante de son beau-père, au bout du fil.

– Ecoute-moi, vieux, disait Daniel, presque avec tendresse. Après la mort de Zapata et ma disparition, ils vont peut-être modifier leurs plans, changer les dates et le programme de l'opération... Les petits chefs ont deux planques dans les environs de Paris... Ils ne peuvent pas être sûrs que je les connaisse, mais dans le doute, ils vont en changer, probablement. Si j'agis très vite, je vais les cueillir au saut du lit... Tu comprends ?

Marroux comprenait très bien. Il ne savait que faire, devenait fou de désespoir impuissant.

– Daniel ! On y va ensemble... Tous les deux... Hors la loi, je m'en fous !

Il ne discutait plus, Daniel.

– Vieux, écoute-moi, vieux ! Rue Campagne-Première, au 13, quatrième étage, porte A... Ils ont dû abandonner l'appartement, fuir... Mais peut-être n'ont-ils pas pu enlever le cadavre de Gómez-Cobos... Dans la penderie de la chambre à coucher... C'est moi qui l'ai descendu, ne cherche pas ailleurs... Mais ce n'est pas ça... Dans l'un des tiroirs du secrétaire, il doit y avoir le manuscrit de...

Il hésita une fraction de seconde.

– ... de mon père... Enfin, de ton copain, Michel Laurençon... Tu te souviens ? Le cadeau de mes seize ans...

Il riait, c'était terrible.

– Le testament... Va le reprendre, je te le donne... *Heimkehr*, tu te souviens ? Moi aussi je suis revenu à la maison... Pour la même chose, vieux... Pour mourir... Il n'y a pas d'autre solution... Pas d'autre issue...

Il raccrocha très vite.

Fabienne Dubreuil l'attendait dans l'antichambre.

– Vous venez ? demanda Daniel. Je vous offre une exclusivité... Le retour de « Netchaïev »... Le dernier entretien de Frédérique Lachenoz, dit Laurençon, Daniel... Ou l'inverse, peu importe ! Un ancien terroriste se confesse, la veille de sa mort !

Ils partirent ensemble. Véronique les vit courir dans l'allée, vers la route de Saint-Leu.

À Ascona, quand Julien Serguet était remonté dans la suite qu'il avait retenue pour Bettina et pour lui, les deux jeunes femmes étaient en train de prendre le thé.

Elles avaient prévu une tasse pour lui, quand même.

— Ce coup de téléphone s'est bien passé ? demandait Anne, pendant que Bettina lui beurrait un toast.

— Très bien, dit-il. Un meurtre, des attentats en perspective, une résurrection...

— C'est la résurrection qui peut nous intriguer, à la rigueur ! s'écriait Anne. Le reste est banal...

Jamais une femme ne l'avait fait jouir comme Anne, tout à l'heure, pendant leur drôle de sieste libidineuse. Et pourtant il ne l'aimait pas. Il n'éprouvait même aucun sentiment digne de ce nom à son égard. Et elle l'avait fait jouir devant Bettina — avec la complicité de Bettina : son regard, ses mains, sa bouche — situation totalement impensable, du moins pour lui, jusqu'à ce jour.

— J'aime le bon sens de ton amie, dit-il à Bettina. Presque autant que son sexe, qui est brûlant, nous le savons tous les deux, désormais !

— Vous regrettez ? demandait Anne, provocante.

Il se pencha vers elles, les embrassa l'une et l'autre, leur caressa les seins, les ventres qui s'offraient dans le négligé de leur toilette.

— Rien, dit-il, je ne regrette rien... Ou si, une chose... D'avoir tant tardé à découvrir que le plaisir ne dépend pas forcément de l'amour...

— Mais c'est l'amour ! s'écriait Bettina, la voix frémissante.

Julien s'était défait, pour être à l'aise. Il attira

Bettina vers lui, en la prenant par la nuque avec autorité, jusqu'à s'enfoncer dans sa bouche.

Anne, brune déité, se rapprocha d'eux, effleura d'une main experte et tendre les épaules de Bettina, son dos d'ivoire blond, ses reins cambrés.

– L'amour? demanda-t-il.

Quelque chose s'arrachait en lui, très loin, avec une joie désespérée.

– Tout comme, disait Anne sobrement.

Elle s'écartait de Bettina, venait se serrer contre lui. Sa bouche avait un goût de gardenia.

C'était arrivé de façon toute naturelle, comme un jeu, une improvisation, un spectacle dont on invente les règles au fur et à mesure qu'il se développe. D'abord, Julien lui-même avait fait un effort pour prendre les choses du bon côté, en rire. Aux dépens du vieux mari, bien sûr, cocu de la fable. Il évitait de penser à ce que seraient ces deux journées, avec la présence continuelle d'Anne. Bon, il lui resterait les nuits!

A Lugano, ils avaient pris une voiture, pour aller à Ascona, petite ville proche que Bettina avait choisie parce que plus discrète. On y risquait moins de faire de mauvaises rencontres. Des amis du vieux mari, par exemple. Ils avaient déjeuné, parlant de tout et de rien, apparemment détendus. Mais demeurait à l'arrière-plan, agaçante, l'incertitude sur leurs rapports dans l'avenir. Chez lui et chez Bettina, du moins. Anne avait l'air plus assurée. Peut-être était-ce la seule à avoir une idée, ou un désir, concernant les heures à venir, l'organisation de leur vie en commun.

C'est Julien qui avait tout déclenché, involontairement. Par un mot d'esprit. Même pas, à vrai dire. Un mot, tout simplement. Ils étaient montés dans leur appartement, après le déjeuner – ils avaient réussi à avoir pour Anne une chambre à côté de leur suite, communicante –, et Bettina avait dit, probablement pour gagner du temps, pour ne pas avoir à choisir trop vite le comportement qui serait le sien pendant ces deux jours, elle avait dit qu'elle était fatiguée, levée à l'aube, ferait bien une petite sieste. Alors, Julien, sans penser à mal ni à bien, leur avait expliqué un compliment espagnol, *piropo*, propos masculin pour vanter l'attrait sexuel d'une femme : *¡Qué siesta tienes!* Quelle sieste tu as!

Elle avait saisi la balle au bond, Anne. Avait dit en riant que Bettina avait une bonne sieste, en effet, qu'elle méritait bien qu'on fît la sieste avec elle, autrement dit. D'un mot à l'autre, d'un rire à l'autre, d'une allusion à un geste, sans qu'ils en eussent décidé expressément, Anne et Julien se retrouvèrent à faire la sieste avec Bettina. A lui faire la sieste. Et la fiesta, bientôt.

Qu'Anne eût, sinon l'habitude – probablement était-ce la première fois qu'elle pratiquait ce désordre amoureux réglé comme du papier à musique, les variations étant réduites à la gamme ternaire –, du moins l'imagination de ce genre de situations paraissait évident. Mais que Bettina y trouvât une sorte d'épanouissement soudain, violent – les larmes et les reproches se mêlant aux soupirs de joie –, d'une sensualité jusqu'à ce jour plutôt en demi-teinte et demi-mesure, fut une surprise autant pour Julien que pour Anne. Autant pour l'amie que pour l'amant. Divine surprise? Ils en profitèrent en tout cas, tous les deux, avec une science allègre de la part d'Anne, avec un bonheur mêlé d'amertume désespérée de la part de Julien.

Anne qui se mélange au drap pâle et délaisse
Des cheveux endormis sur ses yeux mal ouverts
Mire ses bras lointains tournés avec mollesse
Sur la peau sans couleur du ventre découvert...

Plus tard, deux heures plus tard, alors que tournait déjà vers son déclin la lumière du soleil, Julien avait murmuré ces vers de Valéry, dans la pénombre de la chambre d'amour.

Bettina avait effleuré de ses lèvres le ventre lisse et mat de son amie.

Mais ce n'est pas par goût des femmes, révélé à cette occasion, que Bettina von P. s'était prêtée à ces jeux avec furie. C'est par goût de son propre corps, par narcissisme exacerbé. Quel meilleur miroir de sa propre beauté qu'un beau corps de femme, en effet? C'est elle-même, toutes les ressources cachées de son propre corps, tous ses désirs latents que Bettina découvrait soudainement dans le miroir mat et ombrageux du corps d'Anne.

Julien se souvenait d'un incident qui l'avait frappé, quelques jours plus tôt, mais dont il n'avait pas compris toute la signification.

Il avait rendez-vous avec Bettina pour aller voir au musée Antoine-Bourdelle une exposition de René-Xavier Prinet. C'est toujours par la visite d'un musée ou d'une galerie que commençaient leurs rencontres amoureuses, on s'en souvient. Ce jour de décembre-là, Bettina désirait connaître les toiles de Prinet parce que les critiques qu'elle avait lues soulignaient l'ambiance proustienne des scènes de plage et de promenade peintes à Cabourg, précisément. Et c'était vrai, mais il y avait entre l'univers de Proust et celui de Prinet une autre ressemblance, bien plus profonde, étrange même. Ces femmes entre elles, à l'abri de tout regard masculin hormis celui de l'artiste, voyeur par définition et vocation, autant celles de *La Partie de billard* que du *Cours de danse*, évoquaient la vie d'Albertine, son goût des jeunes filles en fleur, de façon réellement frappante, avait pensé Julien Serguet.

Dans le *Cours de danse*, deux femmes s'enlaçaient au premier plan, dans le tournoiement de la valse, joue contre joue, pubis contre pubis, le bras de l'une, ganté de noir, se détachant sur la robe de taffetas rose de la deuxième, blonde et fragile, qu'elle serrait à la taille de façon possessive.

Bettina s'était longuement arrêtée devant cette toile, mais c'est devant *La Partie de billard* que le trouble l'avait gagnée, visiblement. Dans ce dernier tableau, une jeune femme s'appuyait de la hanche gauche contre la table de billard. La torsion du corps soulignait sa sveltesse : taille mince, jambe moulée par la longue robe d'un gris moiré que le mouvement plaquait sur son flanc droit, de la rondeur du buste à celle du genou, alors que le tissu flottait et virevoltait de l'autre côté de ce corps glorieux, arrogant, qui aspirait quasiment toute la lumière de la scène, attirant de ce fait, magnétisant, le regard de quelques jeunes filles groupées sur la partie droite de la toile, vêtues elles de couleurs plus éteintes, qui observaient le geste de la joueuse tenant la queue de billard dans son dos et s'apprêtant à frapper la boule d'ivoire, déhanchée dans une posture chargée de grâce sensuelle.

La facture du tableau était conventionnelle, certes. Mais l'opposition des figures féminines était habilement mise en scène, dégageait une tension perceptible. Massées dans la pénombre de la salle de billard, les cinq jeunes filles semblaient fascinées par le corps de femme qui s'offrait à leur regard : à leur désir ou leur envie jalouse, qui sait? De l'autre côté, la féminité triomphante de la joueuse, maniant avec une assurance provocante le long phallus de bois verni, exposait une nudité imaginable, que voilait sans doute la longue robe d'un gris chatoyant, mais que soulignaient les plis moulant tous les vallonnements d'un corps tendu dans la joie d'exister charnellement.

– Allons, viens! avait dit Bettina, d'une voix changée, à ce moment-là.

L'entraînant vers la rue, l'hôtel de passe, le plaisir. Pourquoi avait-elle faibli alors, en contemplant un corps de femme glorieusement féminin, offert à la sombre lumière du désir homosexuel dans une salle de billard? Julien s'était posé la question, ce jour de la semaine précédente.

A Ascona, il voit la bouche de Bettina qui effleure le corps d'Anne, le pubis, la courbe du ventre, la pointe des seins. Il vient de murmurer des vers de Valéry. Ça le ramène à la réalité, par un étrange détour. Car c'est Elie Silberberg qui leur récitait des poèmes, autrefois.

Il faut qu'il rentre à Paris, il faut.

Mais il succombe une nouvelle fois à ce bonheur acide, sulfureux, ne semblant pas avoir de frontières ni de lois. L'amour de la femme aimée, partagé, profané, avec Anne la joueuse enjouée, sa complice.

XI

La comédienne avait travaillé sa voix, qu'elle avait naturellement chaude, prenante, gorgée de résonances musicales. Elle l'avait pour ainsi dire passée à la pierre ponce, réduite en poussière râpeuse, minérale, pour en faire quelque chose de morne, d'immémorial : une voix sans âge, sortie du fond des âges, primitive et rusée, avec la force incantatoire des vérités enfouies, traversée des lourds frémissements sensuels, quasiment vulgaires par moments, d'une vie tout à la fois de servitude et d'arrogance féminines.

Dans la pénombre du décor représentant une chambre sommairement meublée – et on pouvait deviner, au-dehors, au-delà des volets clos, même si on n'avait pas lu le roman dont étaient extraits les récits de la servante Zerline; on pouvait supposer le calme vaguement accablant de la fin d'un dimanche d'été, ponctué par le carillon des cloches de la petite ville –, la comédienne, assise à une table, pelant une pomme ou froissant et défroissant sans fin un morceau de tissu, maîtrisait superbement les silences, la sonorité sourde et banale des mots, l'éclat soudain d'une image suggérant la violence du désir : la vie latente dans le long et lent

379

monologue se dévidant comme l'écheveau d'un destin.

La comédienne n'avait qu'un interlocuteur – si tant est que l'on pût nommer ainsi l'homme allongé dans la pénombre de cette pièce, sans doute dans l'intention de goûter le repos d'une sieste dominicale –, quasiment muet, dont les brèves questions, interjections plutôt, ne servaient même pas à relancer le soliloque, le cours fluvial et parfois plein de méandres du récit de la servante Zerline, mais plutôt à souligner la tranquille indécence qui en constituait certainement la vérité profonde, fidèle reflet de la chatoyante indécence de la vie.

La voix de la comédienne s'éleva de nouveau, après un silence, psalmodiant le texte.

« C'était le meilleur des amants. Aucun autre ne pouvait lui être comparé. Il était à la quête de mon plaisir, comme un homme qui cherche avec précaution son chemin... »

Elie Silberberg remua sur son siège inconfortable.

Dans l'ombre du théâtre, il regarda le visage d'Adriana Sponti, son profil. Elle se tourna légèrement vers lui.

Quelques heures plus tôt, quand elle était chez elle avec Fabienne Dubreuil et que le visage d'Elie était apparu à l'écran du journal télévisé, Adriana s'était souvenue du long jeune homme timide, au regard bouleversant, que Daniel Laurençon lui avait présenté. Elle s'était souvenue des pages de *La Conspiration* qu'Elie lui récitait au Luxembourg, pour la séduire. Elle avait pensé, le cœur battant, que c'était absurde, que c'était du gâchis de se priver de cet amour, de cette longue impatience d'Elie. De sa tendresse facile à imaginer, de son intelligence, de son respect aussi.

380

Adriana n'avait pas pensé au plaisir, à ce moment-là, lorsque la silhouette d'Elie au cimetière Montparnasse était apparue sur l'écran de l'appareil de télévision.

Mais il était question du plaisir, maintenant, dans le texte de Broch que disait Jeanne Moreau et l'ombre de Marc Liliental s'était glissée entre eux, soudainement. L'ombre lourde, charnelle de Marc, dans la pénombre poreuse du théâtre.

C'est Marc Liliental qui avait fait se précipiter le cours du temps, s'avancer les aiguilles des horloges. C'est lui qui avait transformé le jour en nuit, lui qui avait vécu cette journée dans un méridien différent de celui de tous les autres personnages de l'histoire, dans l'ambiguïté du décalage horaire.

C'est un coup de téléphone de Marc Liliental qui provoqua l'arrivée de la nuit sur cette histoire.

A New York, peu avant treize heures, à l'aéroport Kennedy, Marc Liliental avait eu de nouveau la possibilité d'appeler Paris. Chez lui, place du Panthéon, il n'y avait personne. Chez Silberberg, ce fut Sarah, la jeune garde-malade de la mère d'Elie, qui répondit. Non, Elie n'était pas rentré. Enfin, chez Adriana Sponti, c'est Béatrice elle-même qui décrocha le téléphone. Tout allait bien. Elle était venue coucher chez sa mère, Elie préférait. Non, Adriana était allée au théâtre avec Elie, précisément. Mais non, elle n'était pas seule. Il y avait le couple qui s'occupait de l'appartement de maman, bien sûr! Maria et Roberto, c'est ça... Tout allait bien, elle avait l'intention de choisir une cassette de film et de la passer au magnétoscope. Non, Marc, je ne prendrai pas n'importe quelle merde, je te promets! Un film intéressant, compte sur moi...

Marc Liliental raccrocha l'appareil.

Par ce simple coup de fil donné à New York, il avait fait avancer cette histoire vers sa fin, il avait accéléré son dénouement. Comme un film qui s'emballe, dont les personnages semblent courir dans tous les sens d'une allure raide et saccadée, le temps avait fait un bond en avant. Plus moyen de reprendre cette histoire au point où on l'avait laissée.

La nuit était tombée, la nuit d'hiver après laquelle le soleil ne se lèverait plus pour Daniel Laurençon.

« L'impatience le faisait trembler comme s'il était secoué d'un frisson, mais il n'y a pas succombé, et il ne m'a pas fait succomber; il a su attendre jusqu'à ce que j'aie été entraînée dans l'abîme où l'être humain pressent sa chute dernière... »

Adriana s'était tournée vers Elie, ses yeux brillaient.

« Il était le docteur, le maître et aussi le serviteur de ma jouissance » disait la voix de Jeanne Moreau.

Adriana ferma les yeux, comme si elle avait voulu fuir des images trop aveuglantes : trop blanches, trop crues, d'une lumière dévastatrice. Ou dévastée.

Elie Silberberg pensa qu'il allait la perdre une nouvelle fois, à l'instant même où le bonheur semblait si proche.

Que Marc allait de nouveau la lui arracher. Le souvenir de Marc, de son emprise sur elle, dans les mots de Hermann Broch et de la servante Zerline.

Tout à l'heure, Adriana l'attendait vêtue d'une

382

robe aux couleurs sourdes et chaudes, maquillée, portant quelques bijoux.

Il avait aussitôt paniqué.

– Tu sors? s'était-il exclamé. Tu as changé d'idée?

Adriana riait, détendue.

– Mais c'est pour toi, Elie! On boit un verre et je t'emmène au théâtre, comme convenu!

Elle l'avait pris par les mains, entraîné dans le grand salon du rez-de-chaussée qui se prolongeait par une sorte de jardin d'hiver.

Un peu plus tard, Béatrice vint leur dire au revoir. Elle s'était installée chez sa mère dans l'après-midi, puisque Elie avait préféré qu'elle ne restât pas seule place du Panthéon. Elle avait terminé sa version latine, ce n'était pas trop difficile. « A propos de latin, s'était souvenu Elie, tu n'avais pas un mot à me demander? » Béatrice avait jeté un coup d'œil rapide à sa mère. « Je ne sais pas si on peut en parler devant maman, Elie! avait-elle murmuré, très sérieusement. C'est sûrement un peu cochon! » Adriana et Elie s'étaient regardés, surpris. Un peu gênés, aussi. « Mais ça ne fait rien, ajoutait Béatrice, je me débrouillerai! » Ils n'avaient pas osé approfondir.

En quittant le salon, Béatrice s'était une dernière fois tournée vers eux. Les avait longuement contemplés, assis côte à côte sur un canapé.

– Pas mal, pour un couple de vieux!

Et elle s'était esquivée.

Adriana avait eu un rire forcé. « Qu'est-ce que c'est que ce mot latin un peu cochon? », s'était-elle demandé. Elle s'était souvenu que le mot en question avait un rapport obscur avec un dessin de *Libération*. Ils cherchèrent dans le quotidien. Ce jour-là, *Libé* présentait dans ses pages centrales un dossier, illustré de dessins, sur les voies de transmission du virus du Sida. Sur la colonne de gauche, une série de vignettes commentait les risques encourus dans les divers genres de rapports hétérosexuels. La dernière de ces vignettes était consacrée au *cunilingus*.

Ils trouvèrent donc, aussitôt, au premier coup d'œil, à peine Elie eut-il ouvert le journal sur la table basse, devant eux. Mais ils ne firent aucun commentaire. Elie Silberberg rougit, replia le quotidien. Adriana força de nouveau son rire. Quelques secondes passèrent, elle finit son verre.

– Allons-y, dit-elle, d'une voix un peu assourdie. Ça commence tôt, aux Bouffes du Nord, et c'est la bagarre pour les bonnes places !

Elle se pencha vers lui et lui caressa la bouche d'une main sensible et légère, avant de se lever.

« Mes cris de plaisir étaient la récompense qu'il lui fallait, qui lui était nécessaire pour éperonner sans cesse à nouveau son désir », disait la voix de la comédienne, maintenant.

Elie avait envie de serrer Adriana dans ses bras, de lui dire à l'oreille qu'il pouvait être, lui aussi, le maître et le serviteur de sa jouissance, qu'il se préparait depuis si longtemps à sa jouissance à elle, disposé à y consacrer, sacrifier même, et son temps et sa vie et ses jours et ses nuits. Lui murmurer que les mots du roman de Broch, quand il les avait lus, des années avant que quelqu'un ne pensât à en extraire un texte dramatique, ces mots lui avaient aussitôt fait penser qu'il donnerait sa vie pour qu'un jour Adriana les dise en pensant à lui.

Il regardait dans la pénombre du théâtre le visage d'Adriana, masque funéraire d'un déchirant bonheur, et il avait envie de lui crier que le récit de Zerline n'était pas dit, ce soir, pour évoquer tristement le passé, mais en guise de présage joyeux.

Tassé dans l'inconfort de son siège, blessé par chacun des mots prononcés, Elie luttait de toutes les forces de son âme, de son espérance, pour ne pas être rejeté dans les ténèbres, loin du paradis sauvage où Marc, lui, avait déjà entraîné Adriana, jadis.

« Nous nous tenions au bord de l'abîme tous deux, disait la voix de la comédienne, mais comme un seul être, pendant toutes ces nuits et ces journées-là. Je savais malgré tout que c'était mal. »

Au bord de l'abîme, certainement, pensait Adriana.

Elle avait deviné quels sentiments envahissaient le cœur d'Elie, quelles craintes avaient dû surgir dans son esprit. Elle avait perçu l'inquiétude d'Elie, à ses côtés, lorsque les paroles de Zerline avaient convoqué le fantôme de Marc.

« Plus mes paroles étaient brutales, plus son amour était véritable », disait la voix de la comédienne et Adriana, dans la pénombre alourdie par le silence rauque et grave d'un public fasciné, communiant dans la ferveur candide et sensuelle du récit de Zerline, Adriana s'était rappelée la joie de Marc, exacerbée, en écoutant dans la nuit de la chambre, autrefois, ses paroles à elle, rayonnantes d'obscénité.

Elle ouvrit les yeux, vit le visage figé, creusé par l'inquiétude, d'Elie.

« Car la femme doit servir le plaisir de l'homme », disait la voix de la comédienne.

Le sang d'Adriana redevint chaud, vivant. Elle pensa soudain, avec une sorte d'allégresse physique, au plaisir qu'elle aimerait donner à Elie, après tant d'années de sa part d'amour fou, de stérile attente passionnée.

« J'ai compris alors pourquoi les femmes s'accrochaient à lui et ne voulaient plus le lâcher. Mais j'ai compris aussi que je n'étais pas une des leurs, et qu'il me fallait partir, quelle que soit la violence de mon désir pour lui », disait la voix de Jeanne Moreau.

Adriana se tourna vers Elie, de nouveau, momentanément déliée du passé, lavée des images d'antan, poisseuses. Comme si la voix de Zerline n'avait pas jailli de la pénombre de cette scène de théâtre, primitive et impudique, mais de la nuit brillante, étoilée, de leur propre avenir, de leur âme éphémère et immortelle.

Alors, pendant qu'un silence s'instaurait dans le monologue de la comédienne, Adriana se pencha vers lui et l'embrassa sur la bouche.

– C'est une mauvaise question, disait Daniel Laurençon. C'est comme dans le cas de Rimbaud, on pose toujours la mauvaise question...

Il était huit heures du soir, rue de l'Abbaye, chez Fabienne Dubreuil.

Daniel était parti dans la voiture de celle-ci, tout à l'heure. Il avait laissé la G.T.I. volée devant la maison de Roger Marroux, route de Saint-Prix. Ensuite, il s'était fait conduire place Victor-Hugo. Il ne voulait pas que la jeune serveuse du bistrot de la place l'attende inutilement. Qu'elle se dise une fois de plus que les mecs sont salauds, qu'on ne peut s'y fier. Fabienne resta dans la voiture pendant qu'il allait s'excuser auprès de la jeune fille, lui dire qu'il ne pouvait pas sortir avec elle ce soir-là, mais qu'un autre soir, certainement. S'il revenait à Paris bientôt, il passerait la voir.

Ensuite, il demanda à Fabienne de le conduire gare de Lyon, d'abord, et puis gare du Nord. Dans les consignes automatiques des deux gares, il récupéra les sacs de voyage qu'il y avait déposés, quelques semaines auparavant.

– Maintenant, dit-il, laissez-moi porte Maillot... J'ai une chambre d'hôtel par là...

Il posa une main sur le genou de Fabienne.

– J'aurai été heureux de vous rencontrer, Fabienne, dit-il. Marc tombe toujours sur les meilleurs morceaux...

Son regard était tendre et détendu, démentant la vulgarité de son propos.

– Mais je ne vous laisse pas! s'écriait Fabienne, angoissée à l'idée de le voir disparaître.

Il souriait, hochant la tête.

– Bien sûr! dit-il. C'est moi qui vous laisse!

– Marc ne me le pardonnerait pas, que je n'arrive pas à vous retenir...

Elle aperçut le regard de Daniel, dilaté, sentit que la main de celui-ci remontait du genou vers la cuisse, vers la lisière du bas et la peau nue. Elle se raidit.

– Est-ce qu'il vous pardonnerait de me retenir de la façon que vous savez?

Elle essaya de trouver une réponse à cette question.

Mais Daniel s'était écarté d'elle, en riant.

– Qu'avez-vous à me proposer, en dehors de votre cul... Délicieux à première vue... Mais je n'en accepterai l'offrande que si c'est Marc lui-même qui me la fait...

Elle sursauta, fit un effort pour reprendre ses esprits. Trouva assez de lucidité pour parler calmement.

– Vous ne pouvez rien entreprendre cette nuit, n'est-ce pas? Pourquoi ne pas attendre d'en parler avec Marc? Je vous ai dit qu'il sera chez *Lipp*, à minuit...

– Et moi, où je serai?

– Chez moi! C'est à deux pas, rue de l'Abbaye, au coin de la place Furstemberg...

Ça lui rappelait quelque chose, Furstemberg. Une fille, oui. Un rendez-vous, des rendez-vous, des rencontres. Il blêmit, soudainement. Ce n'était pas lui, ce n'était pas sa mémoire à lui. C'était Michel Laurençon qui retrouvait Juliette, place Furstemberg, sous l'Occupation, quand il rentrait à Paris de quelque mission pour le compte du réseau. Et Roger Marroux? Où retrouvait-il Juliette l'infidèle, la versatile?

Il dit à Fabienne l'histoire de Juliette, telle qu'il l'avait reconstituée, par bribes arrachées à sa mère elle-même, à Marroux. Grâce au texte de Michel Laurençon, surtout : *Heimkehr*.

Fabienne avait frémi en l'écoutant. Mais elle avait compris que Daniel resterait avec elle.

Il respirait profondément.

– D'accord, dit-il à voix basse. A vos risques et périls... J'attendrai Marc avec vous... Donnez-moi dix minutes, je vais régler ma chambre et reprendre mes affaires...

Elle le retint par le bras, au moment où il quittait la voiture.

– Quesnoy m'a dit que c'est à Marc que vous en vouliez particulièrement... C'est vrai?

Daniel la regarda, gravement.

– Que pouvait-il faire, Marc? Il était plus sensible que les autres au danger de mon attitude... Plus déterminé que les autres à revenir à la vie, sans doute... Mais que pouvait-il faire? Me convaincre? Totalement impossible... Laisser faire? Il y aurait eu des morts, beaucoup de morts... Me dénoncer à la police pour m'empêcher de nuire? Pas facile et pas joli-joli... Marc se trouvait à peu près dans la même situation que moi aujourd'hui... Moi aussi j'ai renoncé à l'aide du commissaire Marroux, tout à l'heure... Le fait qu'il soit mon beau-père n'arrange rien, bien sûr! Moi aussi je vais tuer pour les empêcher de tuer... Il n'y a pas grande différence...

– Il y a une différence, Daniel, murmura Fabienne.

Il attendit la suite.

– Vous mettez votre vie en jeu... A l'Avant-Garde prolétarienne, personne ne mettait sa vie en jeu.

Il lui sourit, lui effleura le visage d'un geste fraternel.

– Il y a toujours des gagnants et des perdants dans la jungle de la société. Et j'ai toujours été un perdant!

Il s'extirpa de la voiture, se retourna pour lui parler, à travers la portière ouverte.

– Pourtant, je n'ai pas trop l'air d'un *loser*, non?

Il s'éloigna dans un grand éclat de rire.

Mais deux heures avaient passé, ils étaient rue de l'Abbaye et il ne parlait pas de Rimbaud, malgré les apparences. Rimbaud n'était qu'une entrée en matière.

– C'est comme dans le cas de Rimbaud, on pose toujours la mauvaise question. Pourquoi s'est-il arrêté d'écrire? Un jeune homme si brillant, avec un tel avenir d'écrivain! Alors que les raisons de s'arrêter d'écrire, comme celles de s'arrêter de vivre, sont innombrables... Alors que la vraie question est tout autre... Pourquoi ce jeune homme doué, qui écrivait une poésie banale et raffinée, presque chichiteuse à force d'habile préciosité symboliste, s'est-il soudainement mis à écrire comme Rimbaud? C'est la même chose à propos du terrorisme, à mon propos... La question n'est pas de savoir pourquoi on s'arrête – il suffit d'ouvrir les yeux, d'écouter les voix de la réalité, de cesser un instant de foncer en avant comme un somnambule! –, mais plutôt celle de savoir pourquoi on commence, pourquoi on bascule de l'extrémisme militant dans le terrorisme... Du domaine du politique dans celui du meurtre...

A ce moment, la sonnerie du téléphone se fit entendre.

Fabienne décrocha l'appareil, cria de surprise. C'était Marc Liliental qui appelait de New York.

A huit heures du soir, le commissaire Roger Marroux entra dans l'appartement de son chef, rue des Favorites. Il n'était pas le bienvenu, c'était visible.

– Qu'y a-t-il de si urgent, Marroux? Ça ne pouvait pas attendre demain?

Il n'osa pas dire au Patron que c'est lui qui ne pouvait pas attendre le lendemain. Daniel Laurençon non plus, probablement. Du moins si on souhaitait qu'il continuât de vivre.

Mais il valait mieux ne pas commencer cette histoire en parlant de Daniel Laurençon.

– Le meurtre de Luis Zapata est élucidé, monsieur! Il est en quelque sorte le préambule à une série d'opérations terroristes qui vont commencer sous peu...

Le Patron le fit entrer dans son salon.

Il était évident qu'on s'apprêtait à y passer une soirée télé. L'appareil avait été installé au milieu de la pièce, devant un sofa à deux places. Sur une table basse s'étalaient des bouteilles, des soucoupes remplies d'amandes, cacahouètes et autres pistaches. On pouvait voir également un plateau de fromages et un autre de cochonnailles.

C'était souvent ainsi, le mercredi.

Le Patron quittait son bureau de la P.J. un peu plus tôt que de coutume et emmenait sa femme au cinéma. Plus tard, rentrés à la maison, les festivités continuaient. Du cinéma, encore, mais du porno. En tenue légère, la femme du Patron, une blonde plantureuse mais aux chairs fermes et à la bonne humeur rabelaisienne, servait un en-cas substantiel, ses appétits l'étant sur tous les plans, et mettait en marche le magnétoscope avec la cassette hard. Dure, dure, le plus dure possible!

Ce mercredi-là, ils avaient tout d'abord vu dans un cinéma du Quartier latin un film fort habile sur la petite Thérèse de Lisieux. Et ils avaient l'intention de continuer la soirée avec un porno danois dont on leur avait dit le plus grand bien.

Roger Marroux ignorait, bien entendu, les détails de ce programme. Il ignorait même que programme il y eût. Il constatait simplement qu'il avait dérangé, en téléphonant à huit heures moins cinq pour annoncer son arrivée imminente.

– Zapata? Le terrorisme?

Le Patron semblait disposé à se montrer sceptique, difficile à convaincre. Il fallait bien qu'il fît payer à Marroux son intrusion dans une veillée si bien organisée.

– Faudra montrer des preuves solides, Marroux, si vous voulez qu'on ne rie pas de nous en haut lieu!

Marroux souriait.

– Des preuves irréfutables, Patron!

Celui-ci le pria de s'asseoir mais ne lui offrit rien à boire. Pourtant, un peu d'alcool aurait été le bienvenu, pensait Marroux.

Mais il ne fit pas languir son chef. Il lui raconta cette journée du 17 décembre telle qu'il avait pu la reconstituer. En y introduisant de temps en temps les références, explications et brefs retours en

arrière nécessaires pour rendre compréhensible le
fil du récit. Il lui manquait des éléments, certes.
Des points de détail. Ainsi, par exemple, Marroux
ne savait pas exactement comment les terroristes
avaient réussi à retrouver l'appartement de la fille
de Zapata, dont ils avaient essayé de forcer la
porte. Sans doute pour y chercher d'éventuels
documents que Luis aurait pu confier à Sonsoles
lors de sa courte visite du matin. D'autres pièces
du puzzle manquaient encore. Mais le dessin d'ensemble était déjà visible, grâce aux documents
fournis par Zapata lui-même.

Le Patron avait l'air impressionné.

Marroux lui communiqua alors la liste des personnalités visées par les attentats.

— Le meurtre de Zapata, bien sûr, précisait
Marroux, ne sera pas revendiqué. Il a sans doute
été improvisé, pour isoler « Netchaïev »...

Tout au long de son rapport, Roger Marroux
avait utilisé ce pseudonyme. A aucun moment il
n'avait rappelé le nom de Daniel Laurençon. Il
faudrait bien en arriver là, pourtant.

— Il y a deux groupes prévus, pour les attentats.
Deux genres de personnalités différents, disait Marroux. D'un côté, des gens des média, du journalisme... De l'autre, des industriels... Mais ils pro-
viennent tous de la gauche, certains même de
l'extrême gauche... C'est là que réside l'originalité,
si j'ose dire, de l'opération!

Le Patron regardait les noms et pensait aux
problèmes des prochains jours. Il en avait le poil
qui se hérissait.

— Et ce « Netchaïev », Marroux, vous allez lui
mettre la main dessus, puisqu'il est vivant?

Roger Marroux prit le temps de respirer à
fond.

— Maintenant qu'ils ont liquidé Zapata, dit-il,

« Netchaïev » est obligé de prendre contact avec ses anciens copains de l'Avant-Garde prolétarienne... Je les ferai tous surveiller, dès demain... Pour les protéger et pour repérer « Netchaïev »...

– A propos, disait son chef, rappelez-moi son vrai nom...

Marroux respira encore. Puis prononça celui de Daniel Laurençon. Puis précisa qu'il s'agissait de son beau-fils.

Le Patron en restait bouche bée. Ça lui revenait, maintenant, il avait entendu parler de cette histoire, quelques années auparavant. C'était donc le fils de sa femme qui avait ressuscité ? Drôle d'histoire, Marroux, je n'aimerais pas être à votre place !

– Mais moi non plus, Patron, moi non plus !

Il y avait pourtant un détail que Roger Marroux garda pour lui.

Il omit de dire à son chef que Fabienne Dubreuil se trouvait avec Daniel, tout à l'heure. Que Véronique les avait vus partir dans la même voiture. Que donc il était sûr de retrouver Daniel, grâce à Fabienne. Dupré planquait devant la maison de la jeune femme, rue de l'Abbaye. Et Dupré lui était tout dévoué.

Il omit de dire à son chef qu'il espérait bien retrouver la trace de Daniel, cette nuit même.

Le Patron raccompagna son visiteur à la porte de l'appartement.

Roger Marroux s'excusa pour son arrivée intempestive. Mais l'autre ne pensait qu'aux ennuis qui allaient lui tomber dessus à cause de cette histoire. Le premier ennui étant que bobonne allait sans doute lui faire la tête, plutôt que la fête, désormais, après cette interruption de leur programme. A moins que le récit de cette histoire, qu'il pouvait lui faire confidentiellement, ne l'émoustillât, au contraire.

On allait voir.

Béatrice Liliental pleurait à chaudes larmes.

Elle sanglotait sans bruit, recroquevillée dans un canapé du salon-télé de l'appartement de sa mère, rue de Lille.

Pourtant, la soirée avait bien commencé.

Elle n'était pas mécontente de passer la nuit chez Adriana – non, elle n'appelait pas sa mère par son prénom : elle l'appelait maman; c'est son père qu'elle appelait Marc, ou mec, ou mon vieux, les variantes étant nombreuses! Elle n'avait pas non plus vu d'un mauvais œil que sa mère et Elie Silberberg aillent ensemble au théâtre, bras dessus bras dessous. Aucun homme, bien entendu, ne pouvait se comparer à Marc. Mais Elie l'amusait, l'intéressait, lui parlait comme on parle à une grande fille. Et puis c'était tellement évident qu'il adorait sa mère que c'en était touchant. Et rassurant.

Si on ajoutait à tout cela l'excitation que provoquait l'histoire de ce Daniel soudain revenu, histoire dont elle n'avait saisi que les grandes lignes, suffisantes pour voir à quel point c'était romanesque, la soirée avait tout pour lui plaire.

Ses devoirs étaient faits, il lui suffisait de trouver une bonne vidéo-cassette de film dans la collection de sa mère.

Béatrice avait donc cherché, essayant d'être honnête, de tenir la promesse faite à Marc de ne pas choisir n'importe quel film merdique. Soudain, en furetant sur l'étagère où étaient rangées les cassettes, elle en trouva une dont le titre, inscrit au crayon feutre gras, était simplement *Adriana*.

Sans doute un film de vacances, tourné à l'époque où ils vivaient ensemble, elle et Marc. La date sur l'étiquette semblait bien confirmer cette hypothèse : 1977.

Béatrice alla chercher un Coca dans le réfrigérateur, en profita pour dire bonsoir à Roberto et Maria, s'installa devant l'appareil, à moitié allongée sur un siège confortable, après avoir chargé le magnétoscope.

Elle pressa les boutons de la télécommande, curieuse de regarder ce film d'autrefois, quand elle avait cinq ans.

Trois quarts d'heure plus tard, Béatrice Liliental sanglotait sans bruit, pelotonnée au fond du canapé, s'étant fait un rempart de coussins autour de son corps, pour s'isoler de la brutalité du monde.

Pourtant, elle croyait savoir ce qui se passait entre un homme et une femme, quand ils font l'amour. Science en partie innée, surgie dans le mystère de sa propre intimité, en partie acquise dans les conversations, les chuchotements et les fous rires des gamines de son âge.

On ne voyait pas Marc, dans les images du film, qu'il avait dû tourner lui-même, avec une caméra vidéo. Mais on entendait sa voix, commandant à Adriana les postures et les gestes de son accouplement avec un homme. Un corps, un sexe d'homme, plutôt, le visage n'ayant jamais été saisi par l'œil de la caméra. On y entendait la voix de Marc, ordonnant et commentant, rauque de plaisir abject à livrer à cet inconnu le corps admirable d'Adriana, soumise et bienheureuse.

Au moment où Adriana cria, Béatrice Liliental avait stoppé la projection, fondant en larmes.

Maintenant, dans la pénombre du salon, sanglotant sans bruit, elle avait l'impression que sa vie était finie. Une sorte de vie, du moins. Quelque chose d'autre commençait, se mettait en route désormais. Quelque chose de sombre et de rutilant.

L'avenir lui semblait brouillé comme un désert plein de mirages, de pièges et de vastes solitudes.

– A Tel-Aviv, disait Daniel Laurençon, à la nouvelle librairie française de Tel-Aviv, au Dizengoff Center, rue Tchernihovsky... Les premiers jours de septembre, il y a trois mois...

Chez Fabienne, rue de l'Abbaye. La jeune femme venait de raccrocher, après le coup de fil de Marc Liliental.

Daniel avait également parlé avec lui. « Salut, Netchaïev! », tels avaient été les premiers mots de Marc, comme l'avaient été ceux de Julien Serguet, la veille, au *New Morning*, en écoutant un trompettiste qui leur était inconnu jouer superbement les vieux thèmes de Louis Armstrong. Marc et Daniel avaient pris rendez-vous. Mais Marc ne souhaitait pas, si Adriana et Elie venaient chez *Lipp*, comme convenu, que Fabienne leur parlât de la présence de Daniel dans les parages. « Je préfère qu'on se voie seuls », avait dit Marc. Puis il avait demandé des nouvelles de Julien. Avait-on des nouvelles de Julien? Daniel en avait, il éclatait de rire. « Il est à Ascona, dans le Tessin. Avec deux femmes à la fois. Ce n'était pas prévu, ça s'est trouvé... La femme aimée, une mystérieuse Allemande de bonne famille... Bettina, comme cette chieuse de von Arnim, tu te souviens, Marc? » Daniel entendait le rire de Liliental, loin là-bas, réfracté par la transmission radiophonique, presque irréel. Le rire d'autrefois, intelligent et cynique. Marc se souvenait de Bettina von Arnim, apparemment, de ses lettres et ses textes intenses et chichiteux. Quand ils voulaient parler des méfaits de l'âme romantique, rue d'Ulm, ils se référaient souvent à Bettina von Arnim, dans leur folle jeunesse. « Bon... Bettina et la meilleure amie de Bettina, d'après ce que j'ai compris... Julien a l'air sidéré de bonheur et choqué, en même temps... Mais il a toujours été comme ça, notre Juju... Il a toujours voulu le beurre sans l'argent du beurre, sans en avoir à payer le prix! Et à propos de beurre, Marc... Est-ce que tu me prêterais Fabienne jusqu'à ton arrivée? On penserait encore plus fort à toi, en t'attendant, si on baisait ensemble... » Mais le rire de Marc Liliental s'arrêtait net, sa voix devenait rogue.

— Elle est majeure, tu sais? Fabienne fera ce qu'elle voudra... Mais moi je ne prête rien, je ne la donne pas... Je me la garde!

— Ça va, ça va, disait Daniel, ne deviens pas pompeux... Moi aussi, je te la garde au frais d'une brillante conversation... Elle me fait raconter ma vie, il y a de quoi nous occuper...

Fabienne était assise en face de Daniel. Elle avait rougi, en entendant la dernière partie de la conversation.

— Qu'a-t-il dit à mon propos, Marc?

Daniel se servit un whisky bien tassé.

— « Fabienne fera ce qu'elle voudra... Mais moi je ne prête rien, je ne la donne pas... Je me la garde! » Bravo, ma chère! Vous serez peut-être à l'origine d'une seconde vie de Marc Liliental!

Il dressa le verre d'alcool, but à la santé de Fabienne.

— A Tel-Aviv, disait Daniel maintenant. A la nouvelle librairie française de Tel-Aviv...

Il avait tendu la main vers le livre avant même d'en avoir vu le titre, *Un captif amoureux*. C'était la couverture blanche, les caractères d'imprimerie rouges et noirs, le sigle de la N.R.F. qui avaient attiré son attention. A Beyrouth, à Caracas, à Barcelone, à Francfort, tout au long de ces années, les volumes qui portaient cette livrée avaient toujours aimanté son regard. Il les prenait sur les tables, sur les étagères des librairies françaises à travers le monde. Les feuilletait, en humait l'odeur ancienne, apaisé.

Cette attirance, ce coup au cœur, étaient faciles à comprendre. Les romans qui avaient influencé la vie de Daniel, marqué son adolescence, qui lui avaient permis d'établir les critères – ô combien subjectifs, arbitraires souvent, mais contraignants! – du beau et du bien en littérature, avaient porté cette couverture. *La Conspiration* de Nizan, *Le Sang noir*, de Guilloux, *La Nausée* de Sartre, *Paludes* d'André Gide, *Sartoris* de William Faulkner, avaient tous été publiés sous le signe de la N.R.F.

Chaque fois que les hasards d'une promenade dans une ville étrangère avaient mis sous ses yeux la célèbre couverture blanche, Daniel Laurençon avait eu l'impression de renouer le fil d'une histoire : le fil de sa vie. L'impression de ne pas être coupé de tout, y compris de son propre passé, de ses propres racines. En un mot, la rencontre ici ou là du sigle noir de la N.R.F. donnait à Daniel la certitude d'être encore vivant.

Mais ce jour-là, le dernier d'un séjour en Israël, où il avait voyagé avec un faux passeport, la découverte du livre de Jean Genet, *Un Captif amoureux*, dans la librairie française de Tel-Aviv avait été encore plus importante que d'habitude.

Elle avait été décisive, d'une certaine façon. Elle portait à son terme, lumineusement, dans une sorte d'éclair de la mémoire et de la réflexion, un long cheminement de prise de conscience. Le fait de pouvoir acheter librement à Tel-Aviv un livre farouchement, amoureusement pro-palestinien – sottement aussi : malgré quelques bribes de beauté descriptive ou psychologique, le livre de Genet tournait en rond dans un ronron plaintif, incapable de produire une seule idée qui éclairerait la réalité –, sembla à Daniel symboliser la réussite d'Israël, son génie propre, sa différence d'avec tous les autres pays de la région. Paradoxalement, cet Etat né, comme tous les Etats, d'une violence faite au cours naturel de l'Histoire, qui est toujours conservateur, on le sait; né d'une guerre populaire contre l'impérialisme britannique et d'un long affrontement avec les pays arabes voisins; né de la réappropriation définitive par les juifs de leur histoire millénaire et de la dépossession provisoire des Palestiniens de leurs droits ancestraux et latents, cet Etat était le seul Etat de droit du Moyen-Orient, la seule démocratie de la région. Le seul Etat, en somme, qui établissait avec le droit et la démocratie, seules valeurs universelles de l'histoire de l'humanité, un rapport effectif, vivant, même dans les circonstances historiques les plus adverses à l'épanouissement desdites valeurs.

C'est à la librairie française de Tel-Aviv, en voyant sur une table le livre de Jean Genet, *Un captif amoureux*, que Daniel Laurençon prit la décision qui mûrissait en lui : il allait déserter les organisations marxistes-léninistes de la lutte armée.

Tout avait commencé un an plus tôt, à Francfort.

Daniel y était de passage, c'était la semaine de la Foire du livre. Il se hasarda parmi les stands des maisons d'édition françaises. Il y avait trouvé un essai, *Terrorisme et démocratie*, qu'il avait emporté, pour le lire aussitôt dans sa chambre d'hôtel. Une préface de François Furet y faisait magistralement, par sa concision et sa profondeur percutante, le point de la question. Mais le texte du recueil qui l'avait le plus intéressé était celui de quelqu'un que Daniel avait fort bien connu, un ancien responsable de la branche militaire de la Gauche prolétarienne, dont leur propre Avant-Garde n'avait été qu'un rameau, produit d'une scission. Sous le pseudonyme d'Antoine Liniers, et sous le titre *Objections contre une prise d'armes*, qui renversait celui du célèbre opuscule d'Auguste Blanqui, celui-là énumérait les raisons pour lesquelles, en décidant son autodissolution, la G.P. avait évité de basculer dans la criminelle sottise terroriste.

– Voilà, disait Daniel à Fabienne, rue de l'Abbaye, voilà certainement une lecture décisive pour moi... Un moment clef...

Fabienne voulut savoir qui était Antoine Liniers. Daniel le lui dit. Elle fut surprise : les écrits littéraires actuels de l'homme en question ne laissaient pas facilement deviner ses origines politiques.

– Car c'est là que se nouent les choses, poursuivait Daniel. Comme dans le cas de Rimbaud... Aux origines, pas à la fin... Pourquoi on bascule dans le terrorisme... Pourquoi on réussit à l'éviter... Dans le texte de Liniers, malgré la suffisance un peu arrogante qui est typique des anciens de la G.P., qu'ils ont gardée dans de tout autres circonstances, et qui est leur dernier signe d'appartenance à la tradition révolutionnaire, la plus arrogante qui soit, intellectuellement, malgré ça, l'essentiel est dit...

Daniel cherchait dans ses poches, en sortit une coupure de journal, froissée, malmenée par le temps et l'usage. Il déplia soigneusement le petit bout de papier.

– En octobre, disait-il à Fabienne, dans un vol de la S.A.S. de Stockholm à Paris, j'ai trouvé dans *Le Monde* un papier de Fontaine... « Les enfants perdus »... Peut-être une allusion à « l'homme perdu » de Netchaïev... En tout cas, une coïncidence frappante...

Il lisait le texte d'André Fontaine.

« L'argument, le déclic, qui les a fait passer du simple militantisme révolutionnaire à la lutte armée se résume en peu de mots : il n'y a pas de pitié à avoir pour ceux qui, à un titre ou à un autre, soutiennent le monde sans pitié dans lequel nous vivons, et dont nous ne nous accommodons tous, plus ou moins, que par égoïsme, lâcheté, cynisme ou hypocrisie... A ces purs d'un nouveau genre, tout, hormis eux, est impur. Peu importe que le peuple, au nom duquel ils prétendent agir, ne leur ait pas donné ne serait-ce que l'ombre d'un mandat; peu importe qu'il les rejette dans sa quasi-unanimité : prenant Lénine au pied de la lettre, comme si sa vision des choses avait été d'une parfaite exactitude, comme si l'univers n'avait pas depuis lors considérablement changé, ils se considèrent comme le bras séculier de la justice de classe, autorisés à frapper '' l'ennemi '' où bon leur semble... »

Il leva les yeux, regarda Fabienne. Celle-ci approuvait d'un geste.

Mais Daniel Laurençon se dressa d'un bond. Il en renversa une partie du liquide que contenait son verre.

– Véronique! s'écria-t-il.

Fabienne Dubreuil ne comprenait pas à qui, à quoi il faisait allusion.

– Mais voyons, Véronique, la garde-malade ou demoiselle de compagnie de Juliette! Elle avait l'air toute dévouée à son patron, le commissaire Marroux. Elle a dû le rappeler, après notre départ. Lui dire que nous sommes partis dans votre voiture, Fabienne. Il a dû immédiatement saisir cette chance de me retrouver, la seule qui lui restait. Si ça se trouve, l'immeuble est surveillé. Il l'est sûrement!

« On se tire, conclut Daniel. Je ne veux pas prendre le risque de traîner Marroux derrière moi, demain matin...

Daniel Laurençon mit alors dans un seul sac de voyage toutes les armes dont il disposait, sauf le magnum 357 qu'il garda sur lui. Il y mit également les munitions. Et l'argent, on ne sait jamais.

– Voilà ce qu'on va faire, dit-il à Fabienne.

Dans la rue de l'Abbaye, l'inspecteur Dupré planquait devant l'immeuble de Fabienne. Sa voiture était garée presque en face de son entrée, de l'autre côté de la rue, contre le trottoir de l'église.

Soudain, vers neuf heures et demie, il vit sortir la jeune femme.

Celle-ci, d'un pas calme, de promenade, marcha vers la place Saint-Germain-des-Prés. Ne voulant pas la perdre de vue, Dupré descendit pour suivre Fabienne à quelque distance.

Un peu plus loin, subitement, elle s'engouffra dans sa propre voiture, démarra en trombe.

Surpris, l'inspecteur Dupré se retourna, courant à toute allure.

Il eut le temps de voir un homme qui jaillissait

du portail, montait dans l'auto de Fabienne, qui avait ralenti un instant.

Lorsqu'il arriva à sa propre voiture et la mit en marche, les autres avaient déjà disparu, tournant à gauche vers la rue Jacob.

L'inspecteur Dupré, jurant entre ses dents, patrouilla un certain temps dans le quartier, inutilement.

« Netchaïev » venait de s'envoler.

ÉPILOGUE

— LE PEUPLE FRANÇAIS RECONNAÎT L'EXISTENCE DE L'ÊTRE SUPRÊME ET DE L'IMMORTALITÉ DE L'ÂME.

Au-dessus des battants en bois massif, dans l'arc du portail gothique de l'église de Houdan, l'inscription en lettres capitales était visible dans la lumière du petit matin.

– Tu vois que ce n'était pas une blague? disait Daniel Laurençon. Tu ne trouves pas ça sublime?

Marc Lilliental avait un rire brutal.

– Je trouve ça sublime, en effet! s'écriait-il. Sublime d'arrogance, de sottise, d'absurdité! Exemplaire, en quelque sorte.

L'inscription datant de la Révolution française n'avait jamais été effacée. Nous voici rassurés, enfin, par Robespierre et les siens. Voici enfin reconnue par le peuple souverain l'existence de Dieu et de l'âme immortelle. Voici enfin humanisées l'une et l'autre, par cette reconnaissance populaire. Voici enfin la voix du peuple devenue voix divine, et vice versa. Voici les mystères dévoilés, les secrets percés, la métaphysique enfin soumise au verdict de la volonté populaire. Tu existes, ô Dieu, ô âme immortelle, tu existes aussi, de par la reconnaissance, la volonté du peuple souverain.

Nous avons voté ton existence, ô Etre suprême, nous t'octroyons par ce vote ta suprématie, nous décidons souverainement de Ta bonté, de Ta bienveillance. Mais nous pourrons demain souverainement décider du contraire, souverainement cesser de Te reconnaître, Te supprimer existence et immortalité, penses-y. Tu n'as qu'à bien Te tenir, ô Dieu. Ton existence peut être réduite par nous à la durée d'un septennat. Ou d'un plan quinquennal, même. Ce n'est qu'une rente que nous Te versons, que nous pouvons à tout moment Te supprimer! Par les moyens de la guillotine, éventuellement!

— Quand est-ce que tu as découvert cette inscription? demanda Marc Liliental. Pourquoi ne nous en as-tu jamais parlé?

Daniel Laurençon haussa les épaules, il ne se souvenait plus.

— Remarque, observa-t-il. C'est un vieux truc... C'est comme la phrase de Cocteau : puisque ces mystères nous dépassent, feignons de les avoir organisés!

Marc souriait.

— Remarque, à ton tour, qu'on peut aller encore plus loin... Le peuple souverain peut décider que c'est lui qui est Dieu, lui qui est immortel... C'est même la fin logique de toute intrusion dans le territoire de la divinité!

— En général, dit Daniel, ce n'est pas le peuple qui décide cela... Ce sont ceux qui parlent en son nom, à sa place, dans son silence... Ceux qui parlent au nom de la révolution, dont le peuple n'est en fin de compte qu'un exécutant...

— Ou un exécuté, ajouta Marc Liliental.

Daniel Laurençon regarda sa montre-bracelet.

— On y va maintenant, disait-il. J'y vais, en tout cas... Tu peux encore te tirer, Marc...

Celui-ci haussa les épaules.

Il murmura une dernière fois les mots de l'inscription révolutionnaire sur le portail de l'église de Houdan.

Quelle superbe épitaphe pour cette histoire, pensait-il. Quelle superbe façon de rappeler la folie de toute tentative de prendre la place de Dieu, de se croire porteur de vérités absolues, pionnier sur la voie du salut. Restons à notre place, pensait Marc Liliental, et Dieu à la sienne.

– Allons-y, dit-il.

Instinctivement, il serra la crosse de la mitraillette Skorpio.

Ils marchèrent vers la voiture.

A huit heures du matin, le commissaire Roger Marroux avait senti qu'une main lui effleurait le visage.

Il se réveilla, pensa que c'était Juliette, qu'elle allait lui annoncer le retour de Daniel.

Mais non, Juliette c'était hier.

Aujourd'hui c'était Véronique.

Marroux l'avait gardée dans son lit une partie de la nuit, fuyant avec la jeune femme, dans la redécouverte de son corps, la lourde angoisse de ces heures dont il soupçonnait que ce seraient les dernières de Daniel Laurençon.

Il se redressa d'un bond, demanda à Véronique ce que c'était.

C'était la P.J., un appel de l'inspecteur Lacourt.

Il courut vers l'appareil.

La voix de Lacourt était sèche et précise, comme d'habitude.

– Commissaire, disait l'inspecteur. Dans une ferme tout près de Houdan vient d'avoir lieu une vraie bataille rangée... Deux types semblent avoir pris d'assaut la maison... Il y a des morts, des blessés... Dans la ferme, d'après les premières constatations, il semble qu'il y avait un groupe de terroristes recherchés... Parmi les assaillants, il y a un blessé, grièvement... Marc Laloy, ou Liliental.

L'inspecteur Lacourt garda le silence, une fraction de seconde.

– Un mort... Il a de faux papiers au nom de Daniel Laurençon.

Le commissaire Roger Marroux ferma les yeux.

Il se souvint du visage de Michel Laurençon, dans le lit du centre de rapatriement d'Eisenach.

– Dieu est impensable, avait murmuré Michel. Ou alors fou... Un tyran fou...

Marc Liliental était allongé dans le lit d'hôpital, atrocement blessé au ventre. Il s'en sortirait pourtant, disaient les médecins. Marc les laissait dire. Il savait bien qu'il ne survivrait pas à cela. Qu'il ne voulait pas y survivre.

Il regarda le commissaire Roger Marroux, assis au pied de son lit.

Par où commencer ce récit? On ne sait jamais où commence une histoire, c'est bien connu.

Pourtant, dans ce cas précis, il aurait envie de commencer par la journée du 10 décembre. Pas seulement, ni même principalement, parce qu'elle avait été celle de son dernier anniversaire. Non, plutôt parce qu'elle avait commencé avec la vieille photo de Fouesnant, le visage de « Netchaïev » soudainement réapparu. Adriana n'avait été que le truchement du destin, c'est tout. Daniel était réapparu et Fabienne était entrée dans sa vie. Ça commençait comme toutes les autres histoires, par le bonheur physique. Mais c'était très vite devenu autre chose. De l'avenir, c'était devenu de l'avenir. L'illusion d'un avenir, peut-être, plutôt que l'avenir d'une illusion.

Mais c'était autrefois, hier. Plus d'avenir pour Marc Liliental.

Il remarqua le regard du commissaire, fixé sur le carnet rouge de Daniel Laurençon, sur la table de chevet.

– C'est à Daniel, dit-il d'une voix faible, s'arrachant les mots lentement. Silberberg l'avait, me l'a donné, la nuit d'avant...

Roger Marroux tendit la main, saisit le carnet. La couverture cartonnée en avait été transpercée, les pages brûlées comme par une cigarette. Trois balles avaient frappé le carnet rouge de Daniel.

Il n'y avait que la mort. Il n'y avait jamais eu rien d'autre que la mort. Le commissaire mit le carnet rouge dans la poche intérieure de sa veste.

TABLE

Le Livre de Poche Biblio

Extrait du catalogue

IMPRIMÉ EN FRANCE PAR BRODARD ET TAUPIN
Usine de La Flèche (Sarthe).
LIBRAIRIE GÉNÉRALE FRANÇAISE - 6, rue Pierre-Sarrazin - 75006 Paris.

ISBN : 2 - 253 - 04850 - X   ✦ 30/6576/0